Collection Leçons de choses
Dirigée par Luc Boltanski et Michael Pollak

Luc Boltanski
L'Amour et la Justice comme compétences
(Trois essais de sociologie de l'action)

L'EXPÉRIENCE CONCENTRATIONNAIRE

Du même auteur

Vienne 1900. Une identité blessée, Coll. Archives, Gallimard, 1984

Les homosexuels et le sida. Sociologie d'une épidémie, Métailié, 1988.

Vienne à Paris. Portrait d'une exposition, Coll. Etudes et recherche, Centre Georges Pompidou 1989 (en collaboration avec Nathalie Heinich)

MICHAEL POLLAK

L'EXPÉRIENCE CONCENTRATIONNAIRE

Essai sur le maintien de l'identité sociale

Publié avec le concours
de la Mission Recherche Expérimentation (MIRE)

Éditions Métailié
5, rue de Savoie, 75006 Paris
1990

A mes parents

PRÉSENTATION

> *« Le camp de concentration était le laboratoire où la Gestapo apprenait à désintégrer la structure autonome des individus ; (...) le phénomène concentrationnaire devrait être étudié par toutes les personnes qui veulent comprendre ce qui se passe dans une population soumise à des méthodes analogues à celles qui étaient utilisées par le système nazi. »*
>
> Bruno Bettelheim, *Survivre,* Paris, Robert Laffont, 1979, p. 109.

Peu de périodes historiques ont suscité un effort d'analyse aussi intense que le nazisme[1]. Les réactions de dégoût et de fascination qu'il continue de provoquer donnent la mesure de l'événement lui-même. Il est difficile, par exemple, d'imaginer qu'un jour les historiens de la longue durée puissent le traiter « comme une simple ride, voire l'écume des choses »[2]. La guerre la plus meurtrière et le génocide résistent à pareil traitement normalisateur. Il est significatif, à cet égard, que les historiographies juive et allemande aient souvent utilisé un même mot, mettant en évidence le caractère soudain et funeste de l'événement : catastrophe[3]. Cette catastrophe

1. F. Bédarida, « Bilan et signification de quarante années de travail historique », in : F. Bédarida, éd., *La Politique nazie d'extermination,* Paris, Albin Michel, 1989, p. 15.

2. Reprenant à son compte un argument d'Arno J. Mayer, Pierre Vidal-Naquet voit dans la prédominance de l'école des Annales, préoccupée par la longue période, une des raisons de la faiblesse de l'historiographie française dans ce domaine : « L'épreuve de l'historien : réflexions d'un généraliste », in : F. Bédarida, éd., *op. cit.,* p. 44.

3. Comme le souligne F. Bédarida, *art. cit.,* p. 26, le Yad Vashem a officiellement adopté ce terme pour ses travaux historiques. Friedrich Meinecke, le plus

est d'abord celle des juifs d'Europe décimés, et de toutes les autres catégories de victimes, des Tziganes aux homosexuels en passant par les malades mentaux. Elle est également celle de l'Allemagne qui, à la fin de la guerre, est littéralement réduite en ruine et celle de l'Europe entière qui sort meurtrie de l'épreuve.

La profondeur de la catastrophe a engendré une crise de conscience qui rebondit périodiquement en mettant en jeu la lâcheté, l'opportunisme, la complicité qui ont pu se nouer à l'époque, et qui étaient des conduites plus répandues que la résistance et l'opposition déclarée [4]. Pareille crise est inséparable de la dialectique entre maître et esclave, entre persécuteurs et victimes que les nazis avaient réussi à déployer à tous les niveaux, en s'assurant la collaboration de larges couches de la population et des gouvernements des pays occupés, en enrôlant en Allemagne les élites et les corps professionnels décisifs pour leur entreprise, en associant les responsables des communautés juives eux-mêmes à la préparation de la déportation [5].

Les séquelles les plus durables d'un tel système de répression proviennent de son pouvoir de faire faire à toute une armée d'auxiliaires et, parfois, aux victimes elles-mêmes ce qu'ils auraient récusé dans des « circonstances normales ». Dans cette logique, les rapports noués dans un camp de concentration entre déportés et SS éclairent de façon caricaturale tout un système : un pays et un continent transformés en « institution totale », avec ses phénomènes de contrôle, de violence, de dépersonnalisation, de pression psychologique, de chantages réciproques, de corruption [6]. Le système des camps de concentration, et tout particulièrement des camps d'extermination, a déchargé les SS de leurs besognes les plus viles et accéléré la décomposition de la solidarité entre internés en fabriquant des privilégiés et des soumis, des trafiquants et des « aristocrates », des flics, des indicateurs (les kapos). Par à-coups,

célèbre des historiens allemands d'avant guerre, l'utilise dans le titre de son livre publié directement après la défaite de l'Allemagne : *Die Deutsche Katastrophe,* Wiesbaden, Brockhaus, 1946.

4. Henri Rousso analyse ce phénomène en France et l'intitule judicieusement : *Le Syndrome de Vichy,* Paris, Le Seuil, 1987.

5. Pour ces processus d'enrôlement, voir M. Pollak, « Des mots qui tuent », *Actes de la recherche en sciences sociales,* 41, février 1982, pp. 29-59.

6. Nous suivons ici la conception de l'institution totale développée par E. Goffman, *Asiles. Etudes sur la condition sociale des malades mentaux,* Paris, Ed. de Minuit, 1968.

le système a également engendré des héros intransigeants, des résistants qui ont su préserver les valeurs de la dignité humaine. Ainsi se cristallisent, y compris dans la production historiographique elle-même, les germes des crises d'identité qui sont au principe de zones d'ombre, de refoulements et des mécanismes de défense[7].

Précisons tout de suite, en suivant Robert Jay Lifton dans son analyse de la « psychologie du génocide », que : « Quels que soient les comportements individuels, les déportés étaient potentiellement menacés, tandis que les nazis étaient potentiellement menaçants. Toute évaluation des comportements à Auschwitz doit reposer sur cette distinction[8]. »

C'est le mérite des déportés d'avoir, à leur retour, révélé les rouages du système concentrationnaire, et empêché le refoulement collectif et l'oubli. Nous leur devons les bases de l'historiographie des camps. Des auteurs et instituts français y ont joué un rôle pionnier pendant les premières années d'après guerre[9]. La lutte contre l'oubli, engagée dès le retour par des rescapés, est indispensable. Comme le disent Olga Wormser et Henri Michel : « Les camps de concentration ne doivent pas s'effacer de la conscience des hommes ; l'oubli serait un crime et aussi une erreur ; c'est toute une éthique, toute une civilisation — les nôtres — qui sont en jeu. » D'où leur projet d'un « Réseau du souvenir »[10]. Mais, comme ces auteurs le remarquent, le phénomène des camps d'extermination n'intéresse pas le seul historien. Le sociologue, le psychclogue, le philosophe, le politologue sont tous appelés à nous aider à mieux appréhender ce phénomène.

Suivant dans cet ouvrage l'invitation, citée plus haut, de Bruno Bettelheim, nous partirons des expériences des déportés. Leur identité et leur mémoire sont au cœur de notre réflexion.

7. A. Grosser, *Le Crime et la mémoire,* Paris, Flammarion, 1989.
8. R.J. Lifton, *Les Médecins nazis,* Paris, Robert Laffont, 1989, p. 15.
9. On pense, bien évidemment, à D. Rousset, *L'Univers concentrationnaire,* Paris, Editions du Pavois, 1946 ; O. Wormser-Migot, *Quand les Alliés ouvrirent les portes,* Paris, Robert Laffont, 1965 ; *Le Système concentrationnaire nazi,* Paris, PUF, 1968 ; E. Kogon, *L'Etat SS,* Paris, Le Seuil, 1974 ; H. Langbein, *Menschen in Auschwitz,* Vienne, Europa, 1972, et tant d'autres qui nous ont laissé leur témoignage.
10. O. Wormser, H. Michel, *Tragédie de la déportation 1940-1945. Témoignages de survivants des camps de concentration allemands,* Paris, Hachette, 1954, p. 10.

Une expérience extrême

Toute expérience extrême est révélatrice des constituants et des conditions de l'expérience « normale », dont le caractère familier fait souvent écran à l'analyse. Dans cette recherche, l'expérience concentrationnaire, en tant qu'expérience extrême, est prise comme révélateur de l'identité comme image de soi, pour soi et pour autrui. Le caractère exceptionnel de cette expérience rend problématiques deux phénomènes situés au cœur de notre recherche : l'identité et la mémoire. Or les rendre problématiques revient à les rendre visibles, et donc analysables.

D'ordinaire, le sens commun enlève à chacun de nous le souci existentiel de son identité. Ayant appris à anticiper les situations et les réactions de ceux que nous rencontrons dans notre vie quotidienne, nous développons un comportement conforme aux attentes des autres dans des situations extrêmement variables. Malgré d'évidents changements dans la façon dont nous nous présentons dans la vie quotidienne, nous ne nous posons que très rarement la question de savoir si c'est bien la même personne qui a à jouer tous ces rôles différents, qui change de « masques » et de vêtements, modifie sa façon de parler et montre ou retient ses émotions [11]. La maîtrise du jeu social et la compréhension réciproque évacuent tout questionnement sur sa propre identité, questionnement que provoque, par contre, le fait de se trouver dans une situation imprévisible, étrange, à laquelle on n'a pas été préparé. L'identité ne devient une préoccupation et, indirectement, un objet d'analyse que là où elle ne va plus de soi, lorsque le sens commun n'est plus donné d'avance et que des acteurs en place n'arrivent plus à s'accorder sur la signification de la situation et des rôles qu'ils sont censés y tenir. Le sentiment d'étrangeté qui s'ensuit, dans le double sens d'une situation étrange et de la rencontre entre des êtres étrangers les uns aux autres, résulte de la divergence trop grande de leurs histoires individuelles et du manque d'une mémoire partagée qui leur permettrait de décoder la situation et de se comprendre réciproque-

11. A.L. Strauss, *Mirrors and Masks. The Search for Identity,* Glencoe, Illinois, The Free Press, 1959.

ment de façon quasi automatique. Il n'est pas étonnant alors que les objets empiriques de presque toutes les études sur l'identité soient pris dans des situations de transition ou de traumatisme qui placent les individus en rupture avec leur monde habituel. Cette problématique sous-tend les constructions typologiques de Georg Simmel autour de l'étranger[12] et celles de l'école de Chicago autour de l'immigré nouvellement arrivé dans une métropole[13], décrits comme les produits d'un double processus de déracinement et de création de nouveaux liens sociaux. Ces « types » constituent autant de manières d'exister dans des situations nouvelles. Dans ces recherches, l'approche biographique devient un instrument d'investigation privilégié. En effet, la méthode biographique en sciences sociales a donné lieu aux résultats les plus probants lorsqu'elle a été appliquée aux phénomènes de l'acculturation, de l'immigration et des rapports interethniques, et aux moments forts du changement social et économique — chaque fois donc qu'un groupe social doit s'adapter à un contexte nouveau et redéfinir son identité et ses rapports avec d'autres groupes[14]. C'est donc dans ces mêmes domaines que le concept de l'identité a trouvé une application sociologique.

Les survivants des camps d'extermination ont eu à affronter doublement un problème d'identité. L'arrestation et la déportation les ont d'abord coupés de leur milieu familial et social habituels, pour les placer ensuite dans un univers carcéral extrême et totalitaire, dont la population était composée d'une multitude de groupes linguistiques, d'origines sociales et nationales extrêmement différentes. En outre, si la résistance à l'expérience concentrationnaire implique le maintien de la permanence de soi dans des conditions où elle est extrêmement difficile à assurer du fait de la

12. G. Simmel, « Métropoles et mentalités », in : Y. Grafmeyer, I. Joseph, *L'Ecole de Chicago,* Paris, Aubier, 1978, pp. 61 sq.

13. *Ibid.*

14. Martin Kohli a analysé les temps forts des méthodes biographiques en sciences sociales: « Wie es zur " biographischen Methode " kam und was daraus geworden ist. Ein Kapital in der Geschichte der Sozialforschung », *Zeitschrift für Soziologie,* 10, juillet 1981, pp. 273-293 ; l'histoire orale a repris la méthode biographique ces dernières années. Elle reprend également certains problèmes posés en sociologie dans les années 1920-1930. Voir le numéro « Questions à l'histoire orale », *Cahiers de l'IHTP,* 4, 1987 ; ainsi que D. Bertaux, « L'approche biographique : sa validité méthodologique, ses potentialités », *Cahiers internationaux de sociologie,* 69, 1980.

tension, pouvant aller jusqu'à l'antinomie, entre la défense de l'intégrité physique et la préservation de l'intégrité morale, cet effort ne se limitera pas à la seule période d'internement. En effet, il est rare que les rescapés aient retrouvé intact leur environnement familial et amical à leur retour des camps, ce qui imposait à nouveau d'importants efforts de réadaptation à la vie ordinaire, venant s'ajouter au poids de souvenirs envahissants. C'est dire la difficulté pour les déportés de préserver leur sentiment d'identité et aussi combien, dans ces conditions, tout témoignage sur cette expérience met en jeu non seulement la mémoire, mais aussi une réflexion sur soi. Voilà pourquoi les témoignages doivent être considérés comme de véritables instruments de reconstruction de l'identité, et pas seulement comme des récits factuels, limités à une fonction informative.

Mais la gravité des problèmes d'identité qu'a pu provoquer la déportation est justement ce qui, souvent, empêche les victimes d'en rendre compte. Le silence délibéré, qui fait obstacle à toute recherche visant à reconstruire la logique des adaptations successives à des ruptures radicales dans le déroulement d'une vie, est sans doute l'indicateur le plus saillant du caractère doublement limite de l'expérience concentrationnaire : limite du possible et, de ce fait, limite du dicible. Ne peuvent ainsi en parler de façon crédible que ceux qui l'ont subie, alors que l'effort pour l'oublier ou ne pas l'évoquer publiquement peut être une condition pour surmonter ce passé.

Cette contradiction s'exprime dans l'entretien d'une rescapée du camp d'Auschwitz-Birkenau, qui dit à quelques minutes d'intervalle : « Dans le camp, nous nous sommes souvent dit : il faut tout enregistrer et tout dire à notre retour », puis, évoquant son retour : « La seule chose à laquelle j'ai pensé, c'était tout oublier et refaire ma vie. » La diversité des expériences vécues renforce cette tension constitutive de beaucoup de récits de déportés : « Je crois vraiment qu'il est très difficile de raconter la déportation parce que chaque personne a vécu une chose différente, tellement particulière que ce n'est pas possible de la transmettre [15]. »

C'est pourquoi la volonté de témoigner ressentie pendant la détention n'a produit finalement qu'un nombre relativement res-

15. V. Pozner, *Descente aux enfers. Récits de déportés et de SS d'Auschwitz*, Paris, Julliard, 1980.

treint de témoignages : de sorte qu'avant même de s'interroger sur les conditions qui rendaient possible la survie, on est en droit de se demander ce qui rend possible le témoignage. Ces difficultés et l'enregistrement vidéo les rendent plus directement que l'écrit ; d'où la force de l'œuvre de Claude Lanzmann *Shoah*.

Appartenance et permanence de soi

Ces premières réflexions renvoient à deux façons distinctes d'approcher le problème de l'identité sociale d'une personne. Parler en termes de déracinement et de coupure du milieu familial et social habituel comme étant à l'origine d'une crise d'identité, revient à définir celle-ci essentiellement par des critères d'appartenance. Il en est de même quand on parle de « reconstruction d'une identité sociale », en désignant par là, les différentes manières, pour une personne confrontée à un environnement inconnu, de chercher à définir sa place en nouant des liens avec d'autres. Cette définition de l'identité, essentiellement sociologique, par l'appartenance à un groupe ou à un collectif, nous la rencontrons tout d'abord sous forme de capacité d'imaginer et d'affronter l'épreuve de la déportation, variable selon la nationalité, la religion, les convictions politiques, ou l'âge. Plus tard, le fait de s'insérer dans l'univers concentrationnaire crée de nouvelles appartenances. Le fait d'avoir échappé à une mort probable fonde finalement l'appartenance au groupe des survivants, un groupe de destin qui se fonde sur la commune conscience d'une différence existentielle, indépendamment du fait de fréquenter ou pas une association de déportés. Ce groupe dispersé dans l'espace, qu'une expérience commune, très courte au vu de celle de toute une vie, a marqué et soudé pour toujours, porte comme seul signe de reconnaissance extérieur le tatouage du numéro d'enregistrement au camp de la mort. Forgé par le souvenir de la discrimination la plus extrême, un sentiment d'appartenance réunit les rescapés, même en l'absence de toute proximité géographique et de tout lien physique. Par ailleurs, ce sentiment dresse souvent un mur invisible entre les survivants et ceux qui leur sont physiquement les plus proches mais qui n'ont pas partagé cette expérience extrême. Rarement le concept de « groupe moral », proposé par les théoriciens de l'école de Chicago, aura correspondu aussi clairement à une réalité.

Le passage d'une même personne par plusieurs appartenances, mais aussi l'appartenance d'une même personne à de multiples collectifs, renvoie à une autre approche, en termes de continuité et de permanence des traits caractéristiques de la même personne indépendamment de ses attaches et des situations qu'elle a à traverser.

Les différentes théories de la socialisation[16] établissent un lien entre ces deux approches en s'interrogeant sur l'intériorisation des schèmes de pensée et de perception de la réalité commune à des collectifs donnés. Le concept d'habitus, lui aussi, s'inscrit dans cet interstice. La conformité et la constance des pratiques à travers le temps que produit l'habitus[17] indiquent sa proximité phénoménologique avec la notion d'identité, dont les signes distinctifs sont la cohérence et la continuité physique et psychique de l'individu. L'habitus d'une personne génère les manifestations qui permettent de l'identifier, de la reconnaître parmi toutes les autres. En même temps, et dans la mesure ou les habitus sont l'incorporation de la même histoire partagée par un groupe, « les pratiques qu'ils engendrent sont mutuellement compréhensibles (...) et dotées d'un sens objectif à la fois unitaire et systématique, transcendant aux intentions subjectives et aux produits conscients et collectifs[18]. »

On verra que les théories de la survie en situation extrême expliquent celle-ci essentiellement par des savoirs et des éléments caractériels procurant à l'individu une force de résistance aux tendances destructrices de la personnalité inhérentes à l'organisation d'un camp de la mort. Or cette force de caractère résulte d'une socialisation ayant amené l'individu à la pleine maturité de cet idéal pédagogique rarement réalisé qu'est la « personnalité autonome ».

Ce qui sous-tend donc la théorie psychanalytique de Bruno Bettelheim, et d'autres après lui, c'est le présupposé d'un individu autonome, conçu à la fois comme catégorie descriptive pour la psychologie du développement et comme idéal de vie. Selon cette

16. Il existe une littérature abondante sur ce sujet. Nous nous contentons ici de renvoyer à l'œuvre de E.H. Erikson, *Life History and the Historical Moment,* New York, Norton and Company, 1975, ainsi qu'à son recueil d'articles « Identity and the Life Cycle », publié en allemand sous forme de livre : *Identität und Lebenszyklus,* Francfort/Main, Suhrkamp, 1973.

17. P. Bourdieu, *Le Sens pratique,* Paris, Ed. de Minuit, 1980, p. 91.

18. *Ibid.*, p. 97.

théorie, indissociablement descriptive et prescriptive, le sujet accéderait au statut de personne à part entière après une période de formation et de maturation des potentialités, essentiellement spirituelles, susceptibles de procurer une « estime de soi » à travers la définition, autonome et indépendante, de la place qu'il occupe dans le monde social. Cette estime de soi serait la base d'une identité assurée, autrement dit de la capacité d'un individu à rester le « même » en dépit des changements dans son environnement social. C'est d'elle aussi que dépendrait la résistance aux conditions concentrationnaires[19] : pour Bettelheim, seuls ceux qui parvenaient à préserver cet amour-propre étaient capables de supporter longtemps le traitement infligé au camp. Et c'est parmi les prisonniers politiques, les mieux préparés à la réalité qui les attendait, que Bettelheim détecte le plus de ressources de résistance et donc de chances de survie.

Imputer, comme le fait Bruno Bettelheim, la survie, avant tout psychique, à la rigueur morale d'une personnalité autonome conduit logiquement, on le verra, à interpréter les troubles post-concentrationnaires en termes moraux : d'où la thèse du sentiment de culpabilité des survivants, avancée d'abord par Bruno Bettelheim lui-même et élaborée par Robert J. Lifton dans la description du syndrome des survivants[20].

Dans une telle perspective, la tension entre l'approche de la personne en termes d'appartenance et en termes de permanence des traits de caractère indépendamment des attaches sociales est résolue par l'hypothèse d'un processus d'intériorisation. Celui-ci transformerait, pendant l'enfance et l'adolescence, les acquis de l'appartenance (socialisation politique, éducation morale) en traits distinctifs de la personne. Des événements particulièrement marquants, une fois intériorisés, peuvent eux aussi devenir un trait permanent de la personne, un « signe patent de porte-identité », selon la terminologie de Goffmann[21].

19. B. Bettelheim, *Survivre,* Paris, Robert Laffont, 1979, pp. 56 sq.
20. Voir surtout : R.J. Lifton, *Death in Life. Survivors of Hiroshima,* New York, Simon and Schuster, 1967 ; W.G. Niederland, *Folgen der Verfolgung : Das überlebenden syndrom,* Francfort/Main, Suhrkamp, 1980 ; W. Ritter von Baeyer et al., *Psychiatrie der Verfolgten. Psychopathologische und gutachtliche Erfahrungen an Opfern der nationalsozialistischen Verfolgung und vergleichbaren Extrembelastungen,* Berlin, Springer, 1964.
21. E. Goffman, *Stigmate,* Paris, Ed. de Minuit, 1975, p. 14.

En tant que discours autobiographique, tout témoignage peut donc être saisi comme l'incarnation d'un destin collectif (la figure du survivant), et donner lieu à une interprétation psychosociale qui ramène la permanence et les affinités de styles de conduite à une matrice incorporée. C'est ainsi que s'établit la cohérence psychologique entre survie, d'un côté, et syndrome du survivant, de l'autre. Mais face à l'extrême diversité des discours biographiques, ces théories peuvent-elles prétendre à une validité générale ? C'est à cette question que cet ouvrage voudrait apporter des éléments de réponse.

La démarche

Toute recherche est une aventure. J'avais treize ans lorsque, en 1961, j'ai vu pour la première fois des images des camps d'extermination. Il s'agissait du documentaire *Mein Kampf* d'Erwin Leiser, un film que je n'ai jamais revu depuis. Mais ces images d'horreur ne m'ont plus jamais quitté. Elles ont rendu encore plus obsédantes les questions que la génération née les premières années d'après guerre ne cessait de poser à celle de ses parents. Questions restées, par la force des choses, sans réponses satisfaisantes ; héritage lourd à porter. Vingt ans plus tard, rien ne m'avait prédestiné à m'occuper, dans mon travail, des survivants de camps de concentration. Mais si je n'avais pas, à proprement parler, choisi cet « objet d'analyse », les sujets rencontrés m'ont retenu à chaque fois que, découragé, j'étais tenté d'abandonner ce travail. Contrairement aux remarques de collègues et d'amis, préoccupés par les effets d'une telle enquête sur les survivants (« le récit de leur souffrance ne risque-t-il pas de remettre en cause un équilibre chèrement acquis et toujours fragile ? »), ainsi que sur moi-même, le travail de terrain ne fut jamais à l'origine de mes frustrations de chercheur. Par contre, le travail d'« objectivation » et de rédaction s'est révélé particulièrement difficile. Comment réussir dans ce domaine le passage du matériel brut de recherche — documents d'archives, entretiens et observations — à l'objet construit de la science, à la présentation des relations jugées significatives et pertinentes entre les caractéristiques des déportés et le fonctionnement d'un camp de concentration, les modes d'insertion dans cet univers et de réadaptation à la vie ordinaire après la libération[22] ?

Les détours et déplacements faits tout au long de cette recherche ne concernent pas seulement mes rencontres dans plusieurs pays avec des femmes qui ont survécu à Auschwitz-Birkenau. Au fur et à mesure que s'ouvrent de nouvelles hypothèses, la curiosité investit de nouveaux continents et le projet de départ se voit modifié[23]. Retraçons la genèse de ce projet et de cet ouvrage.

Au début, le médecin traitant de Margareta Glas-Larsson, dont nous présentons plus loin l'entretien, l'avait mise en contact avec Gerhard Botz, collègue et ami de longue date. C'est lui qui, dans un premier temps, m'a enrôlé dans un projet qui devait bientôt constituer l'axe essentiel de mon travail. Après la perte, à la fin des années 1970, de son frère, qui était le dernier membre vivant de sa famille, Margareta souffrait de dépression et d'insomnie. Or, plutôt que de prescrire une psychothérapie, le médecin pensa que rendre publique son histoire devrait avoir un effet bénéfique sur elle.

L'analyse du contenu de ce premier entretien et le contrôle de sa conformité aux règles de la critique historique[24] m'ont amené à contacter d'autres rescapées qui, en principe, auraient dû connaître Margareta. Or certaines se rappelaient d'elle, d'autres non. Ces premiers éléments m'ont appris la solitude des déportés, mais aussi leur façon de construire, dans un univers extrêmement hostile, des îlots de confiance et de soutien avec très peu de personnes. Même en situation de contrainte extrême, et dans des limites très étroites, l'homme tente donc de créer un monde à son image en suivant ses affinités.

Si la création de tels micromondes est une des conditions de la gestion de l'incertitude permanente qui règne dans les camps de la mort, cela suggère qu'il n'y a pas de vision commune par les

22. Ce problème commun à toute recherche sociologique se pose de façon particulièrement aiguë dans le cas de situations extrêmes ou, aussi, d'appartenance directe du chercheur au monde qu'il décrit. Voir surtout P. Bourdieu, *Homo académicus,* Paris, Ed. de Minuit, 1984 (surtout le premier chapitre, intitulé : « Un livre à brûler »). Voir également L. Pinto, « Expérience vécue et exigence scientifique d'objectivité », in : P. Champagne, R. Lenoir, D. Merllié, L. Pinto, *Initiation à la pratique sociologique,* Paris, Dunod, 1985, pp. 7 sq.

23. Voir à cet égard l'histoire extraordinaire de l'enquête sur les juifs de Plock, N. Lapierre, *Le Silence de la mémoire,* Paris, Plon, 1989.

24. M. Glas-Larsson, *Ich will reden. Tragik und Banalitüt des Uberlebens in Theresienstadt und Auschwitz,* Vienne, Molden, 1981.

déportés eux-mêmes de cet univers, mais des perceptions différenciées pendant et après l'expérience concentrationnaire[25]. Dès l'enfance, le problème clé pour la maîtrise de la réalité n'est pas d'intégrer et de stocker toutes les informations et observations qui nous sollicitent de façon excessive. Se concentrer sur l'essentiel, filtrer, « créer des classes, des groupes, des modèles, des symboles qui simplifient et épurent un monde trop plein d'excitation[26] », tous ces mécanismes de réduction de la complexité[27] en fonction des données du moment sont ce qui guide l'expérience et la mémoire. D'où l'intérêt d'une approche mettant en lumière les différents modes de construction de ces micromondes et des remémorations auxquelles ils donnent naissance, et qui font l'objet de modifications fréquentes en fonction des préoccupations du moment. C'est donc tout naturellement qu'une approche microsociologique s'est imposée, avec la délimitation d'un terrain d'investigation précis : le camp de femmes Auschwitz-Birkenau.

Le point de départ de ce travail, en la personne de Margareta Glas-Larsson, a largement prédéterminé ce choix. Le constat que les femmes ont laissé nettement moins de témoignages que les hommes nous a confirmé dans cette décision[28]. A cela s'ajoutent des raisons plus pragmatiques limitant notre champ d'observation à l'Europe et aux rescapées de langue française, allemande et anglaise. L'expérience de plusieurs entretiens, du travail de vérification en archives et de recoupement avec d'autres récits nous a forcés à réfléchir davantage sur les conditions permettant des témoignages sur une expérience extrême, et sur les différentes contraintes d'énonciation selon l'époque, le pays et le milieu social : d'où la décision de comparer systématiquement les entretiens avec des témoignages écrits. En étroite collaboration avec Nathalie Heinich, nous avons soumis à une analyse de contenu comparative

25. P. Lévi, *Les Naufragés et les rescapés : quarante ans après Auschwitz*, Paris, Gallimard, 1989.

26. S.D. Kipman, *La Rigueur de l'intuition*, Paris, Métailié, 1989, p. 105.

27. N. Luhmann, « Moderne Systemtheorien als Form Gesamtgesellschaftlicher Analyse », in : S. Habermas, N. Luhmann, *Theorie der Gesellschaft oder Sozialtechnologie*, Francfort/Main, Suhrkamp, 1971, p. 25.

28. Sur les 200 personnes représentées dans le livre de témoignages publié par O. Wormser et H. Michel, *op. cit.*, un quart seulement sont des femmes — proportion que l'on retrouve également dans les récits autobiographiques publiés à titre individuel.

non seulement nos entretiens mais aussi les écrits autobiographiques publiés ou non, les dépositions judiciaires ainsi que celles recueillies par une commission historique, conservées dans les archives du Centre de documentation juive et contemporaine (CDJC), de l'Institut d'histoire du temps présent (IHTP) et du musée d'Auschwitz.

La démarche en « boule de neige » qui consiste à demander à la première personne interviewée d'en indiquer d'autres, et ainsi de suite, a eu un mérite supplémentaire. D'ordinaire, les personnes ainsi interviewées proposent à l'enquêteur de rencontrer des amis ou des proches. Tout naturellement, le chercheur découvre ainsi des réseaux d'amitiés et des personnes relais qui ont pu jouer le rôle d'intermédiaires. Ces réseaux se sont constitués sur la base d'une commune appartenance linguistique ou nationale, et d'affinités culturelles, politiques ou religieuses. Cette démarche reproduit immédiatement deux types de réseaux d'amitiés : ceux noués pendant la déportation et ceux, plus formalisés, qu'on trouve dans les associations d'anciens déportés. Elle fait également apparaître la perception variée des mêmes événements et personnes, et ouvre la voie à l'analyse de la logique qui sous-tend ces différences dans l'appréhension de la réalité. Progressivement émergent ainsi les clés d'interprétation de l'univers observé.

Finalement, cette démarche met en évidence la gêne qui a pu s'installer entre les rescapées. Ruth, par exemple, m'avait demandé de lui servir d'intermédiaire pour retrouver une de ses anciennes camarades polonaises, avec qui elle avait perdu tout contact depuis la libération des camps. Après des recherches sans succès, elle m'indiquait une « piste éventuelle », à savoir une rescapée française dont je trouverais peut-être plus facilement des traces. Effectivement, je réussis à contacter cette femme. Elle pouvait me renseigner sur la Polonaise que je recherchais. De retour à Berlin, la joie fut grande quand j'annonçai cette bonne nouvelle. A l'âge de quatre-vingts ans, Ruth put enfin lui écrire une lettre et lui envoyer un paquet, réalisant ainsi un projet qui datait de l'après guerre. Mais tout d'un coup, une question — « Ne vous a-t-elle rien dit pour moi, un petit bonjour, un message ? » — rompit son réel plaisir et la satisfaction rare du chercheur d'avoir, pour une fois, pu « donner ». Effectivement, je n'étais porteur d'aucun message de la part de la femme rencontrée en France, même pas d'un bonjour. « Bien sûr, elle se rappelle de vous et m'a demandé de vous dire… »

Impossible de tricher et d'échapper au regard qui, à ce moment-là, scrutait mes gestes et mes mots. Bien plus tard, je compris. Dans le camp, les deux femmes, française et polonaise, avaient noué une relation amoureuse. Or Ruth était une des rares personnes à « être au courant » : d'où la gêne de ces retrouvailles par « chercheur interposé ». Entre la première demande qui m'avait été adressée et l'éclaircissement de l'histoire, plusieurs mois se sont écoulés. Mais il ne s'agissait pas là d'un « temps perdu », ni pour l'interviewée ni pour moi-même. Me laisser guider par l'intuition et par les circonstances imprévisibles — démarche peu légitime, selon les canons des manuels de recherche — m'avait fait comprendre, d'un coup, plusieurs points essentiels.

Si les relations (homo)sexuelles dans les camps sont bien documentées, elles sont d'ordinaire approchées exclusivement comme le produit des contraintes propres à une institution totale (armée, prison, internat) où ne se côtoient que des personnes du même sexe. Or cet épisode met l'accent sur leur signification plus large. Même si elles sont nées de la contrainte, elles expriment également l'affectivité et la confiance. En même temps, et malgré leur possible justification par la contrainte, ces relations restent taboues et sont source de gêne pour ceux qui les ont vécues. Finalement, cet épisode rappelle que la libération, souvent synonyme de rupture avec les amis intimes du camp, dispersés partout dans le monde, peut s'accompagner du traumatisme de la séparation, qui s'ajoute aux difficultés de la réinsertion dans la vie ordinaire.

Si le travail de terrain, proche de celui de l'ethnologue en terre inconnue, laisse une large place à l'intuition, les matériaux recueillis nous confrontent à des paramètres trop nombreux pour pouvoir être facilement analysés avec rigueur. Mais le découragement invoqué au début de cette présentation ne reflète pas seulement les difficultés théoriques et de mise en forme. Connaissant les effets désacralisants des sciences humaines, on peut imaginer que le fait de montrer le mode de construction et de fonctionnement d'une cause sacrée provoquera inévitablement l'opposition et la résistance de ceux qui la défendent, qui y croient et se sentent investis d'une mission. Mais, ici, le problème se pose différemment : il s'agit de se demander si le passage à l'écriture ne mènera pas à la relativisation et à la banalisation de l'extermination de millions de personnes — à l'encontre des intentions souvent affichées de lutter contre l'oubli et pour la mémoire. D'où la réticence à écrire que nous avons pu ressentir, indépendamment de l'inquiétude plus courante d'avoir à affronter les réactions des lecteurs les plus concernés.

Le plan de cet ouvrage suit le déroulement de la recherche, des premiers entretiens à la construction de l'interprétation théorique, en passant par de multiples réflexions méthodologiques. Il ne faut pas pour autant étiqueter la première partie comme « empirique » et les deux autres comme « théoriques ». Les entretiens présentés, eux aussi, ont subi un travail d'interprétation et de construction afin de dégager leur signification en tant qu'histoires exemplaires qui éclairent les problématiques développées dans les parties suivantes : les rapports à la judéité, la perception de la réalité en fonction de la socialisation et de l'expérience d'une personne, les différentes ressources qui structurent la maîtrise de la réalité, les conditions qui permettent de reconnaître à temps les menaces qui pèsent sur une personne, les raisons du choix des conduites, plutôt individuelles ou collectives, pour faire face à l'incertitude et à la menace.

Pierre Bourdieu a raison d'affirmer : « Essayer de comprendre une vie comme une série unique et à soi suffisante d'événements successifs sans autre lien que l'association à un " sujet ", dont la constante n'est sans doute que celle d'un nom propre, est à peu près aussi absurde que d'essayer de rendre raison d'un trajet dans le métro sans prendre en compte la structure du réseau, c'est-à-dire la matrice des relations objectives entre les différentes stations[29]. » D'ordinaire, le sociologue dispose des informations de base — séries statistiques, descriptions institutionnelles, etc. — pour mener à bien la construction de la structure du réseau et des champs où s'insèrent les trajectoires individuelles et collectives. Ici, nous étions confrontés à la situation inverse : ni le chercheur ni les rescapées ne disposent d'un « plan de métro ». L'espace social dans lequel s'accomplissent les trajectoires et qui leur donne sens s'est dégagé petit à petit des récits de celles qui l'ont parcouru.

Les trois entretiens présentés dans la première partie de cet ouvrage en sont l'illustration parfaite. Margareta la Viennoise, Ruth la Berlinoise et Myriam la Parisienne ont vécu très différem-

29. P. Bourdieu, « L'illusion biographique », *Actes de la recherche en sciences sociales,* 62/63, juin 1986, p. 72.

ment la déportation et le camp, en fonction de leurs connaissances linguistiques et, indirectement, de leur capacité de communication dans cet univers plurinational, mais aussi en fonction des modes choisis pour s'y adapter. Ces différences délimitent le champ de perception du camp et de la mémoire que chacune d'elles en a gardée.

Myriam et Margareta ont travaillé pendant plusieurs mois dans le même bloc du « Revier ». En principe, elles auraient dû se connaître. Or, si Myriam se rappelle bien Margareta, celle-ci n'a gardé aucun souvenir de celle-là. Les deux récits contiennent tous les éléments expliquant ce paradoxe. Myriam, ayant cherché à « se rendre invisible », a réussi l'exploit de n'être pas même remarquée par les plus proches. Margareta, par contre, s'impose dans le camp par la conduite inverse. Ayant maintenu sans cesse une apparence extérieure sans défaut, elle a réussi à se singulariser et à se doter d'une visibilité extraordinaire. Ruth, qui a passé la même période dans le bloc à côté, ne se rappelle ni de l'une ni de l'autre. C'est dire l'isolement qui régnait dans le camp et aussi la tendance des internées à concentrer leurs énergies sur l'essentiel, d'où une perception limitée, y compris des faits et des personnes les plus proches.

Ce constat pose immédiatement le problème de la nature des sources ; car non seulement le récit scientifique, mais les sources elles-mêmes sont construits. D'où la nécessité, dans le cas de sources biographiques, de s'interroger sur les stratégies narratives et les postures adoptées, ainsi que sur les contraintes de justification qui pèsent sur les personnes qui, dans des situations variées, sont amenées à rendre compte de leur vie. Cette analyse des formes est l'objet de la deuxième partie de cet ouvrage.

La dernière partie décrit comment les déportées ont réussi ou non à sauvegarder la permanence physique, psychique et morale de leur personne en traversant des épreuves extrêmes, comment elles ont su gérer leur identité et leur mémoire, individuellement et collectivement. Au moment où se pose de plus en plus la question de l'héritage de la mémoire, un nouveau problème émerge : comment préserver la portée universelle du message malgré son intégration partielle dans les discours particularistes des groupes héritiers — nationaux, politiques, juifs, tziganes, et homosexuels ? Le livre se termine sur la perspective ouverte par cette tension entre des politiques d'identité d'un côté et, de l'autre, l'universalisme de la leçon qui a pris forme dans cette nouvelle catégorie pénale qu'est le crime contre l'humanité. Désormais, nous devons penser la singularité et l'universalité, non pas en termes d'antagonisme, mais de conditionnement réciproque.

PLAN I : Le camp et ses environs.

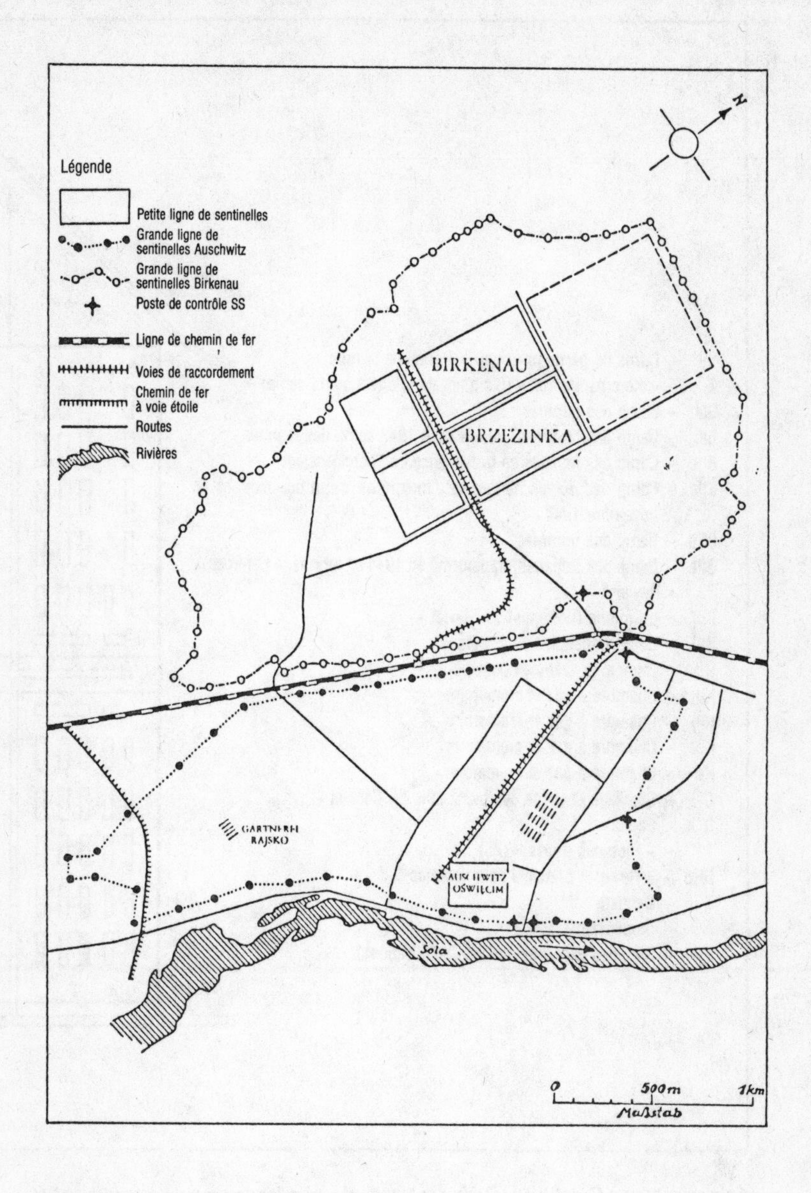

Source : Tadeusz Iwaszko : Häftlingsfluchten aus dem Konzentrationslager Auschwitz, in : Hefte von Auschwitz 7, Oświęcim 1964, S. 14.

Plan II : Le camp d'extermination Auschwitz-Birkenau

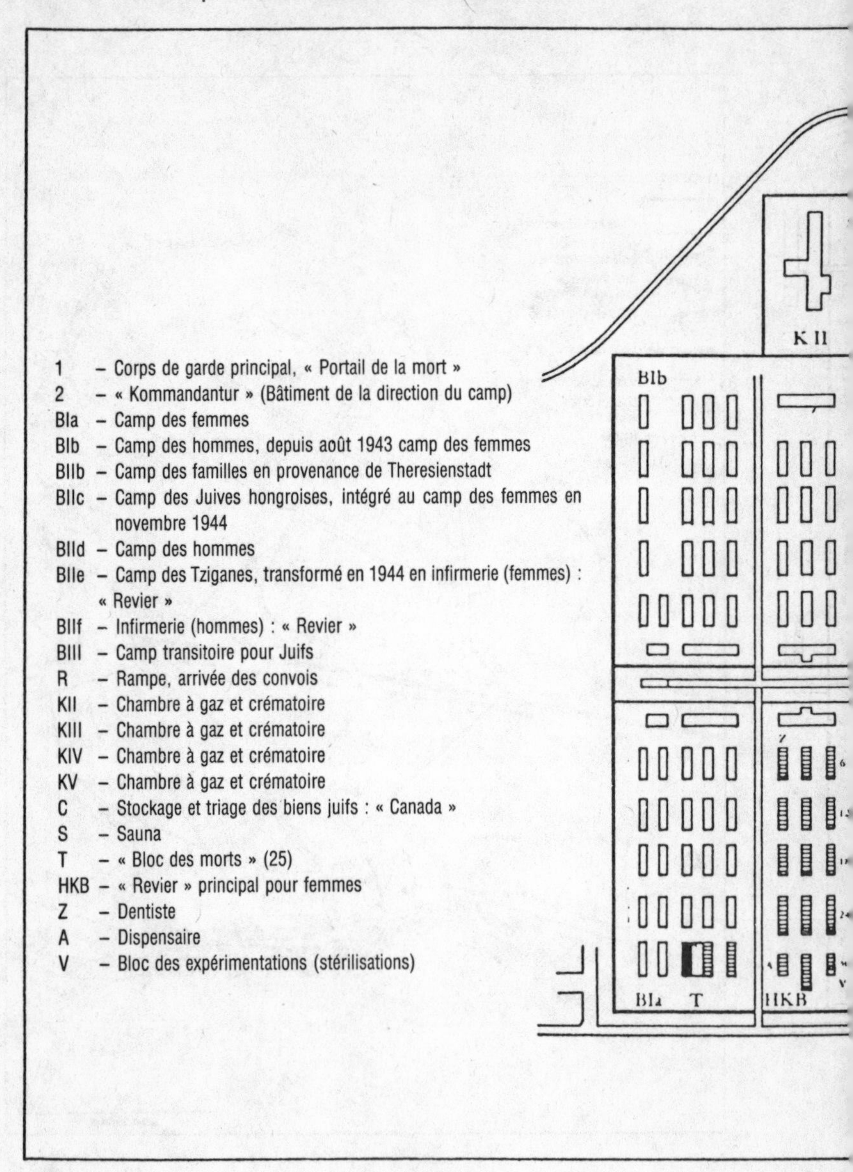

Source : Danuta Czech : Die Rolle des Häftlingkrankenbaulagers im KL Auschwitz II, in : Hefte von Auschwitz 15, Oświęcim 1975, S. 16.

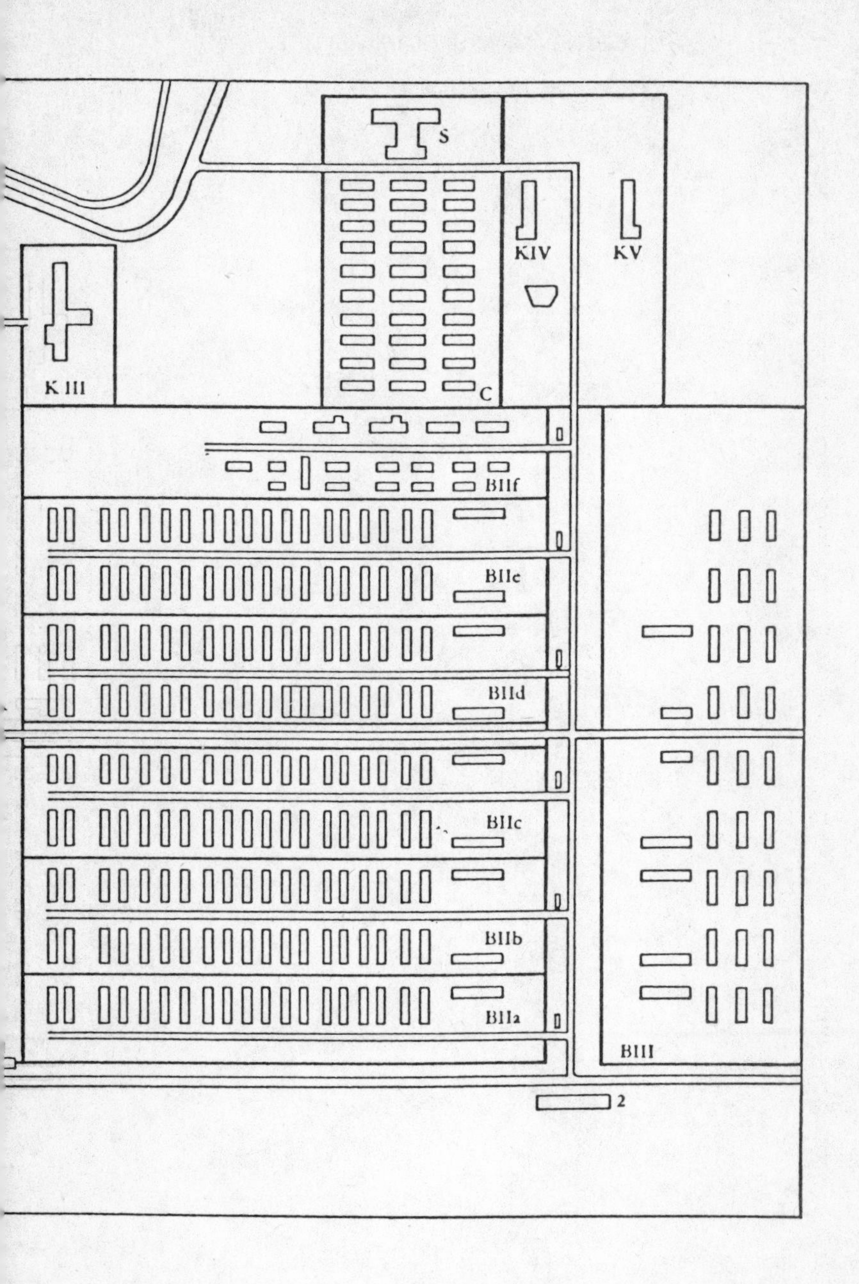

S
KIV
KV
K III
C
BIIf
BIIe
BIId
BIIc
BIIb
BIIa
BIII
2

Première partie

LA GESTION DE L'INDICIBLE

Les trois récits qui suivent sont tirés du corpus d'une vingtaine d'entretiens. Ces entretiens, d'une durée de trente à quarante heures d'enregistrement, avec trois femmes qui n'avaient jamais encore rendu publique leur expérience concentrationnaire, présentent un intérêt particulier. Ils montrent à quel point le silence des déportés peut être facilement, mais faussement, assimilé à l'oubli. De plus, ils font apparaître la diversité des perceptions que chacune de ces trois déportées a des mêmes situations, et des ressources dont elles disposent. Pour chacun de ces entretiens, on explicitera la prise de contact, et les conditions de son déroulement avant de comparer les récits. Respectant le vœu des interviewées, nous avons gardé le vrai nom dans le cas de Margareta. Ruth et Myriam sont des pseudonymes. Pour marquer les différences de terminologie qui renvoient aux différences entre groupes nationaux et linguistiques dans le camp, nous avons conservé les expressions, plutôt allemandes (par exemple : « aînée de bloc ») ou polonaises (« blokova »), utilisées par les interviewées. Certains phénomènes, lieux et termes utilisés dans les entretiens font l'objet d'analyses plus fines dans la deuxième et la troisième partie. Pour faciliter la lecture, leur signification est signalée lors de leur première apparition dans le texte.

1. Vienne : Margareta

> *« Au fond, je veux tout simplement déposer un témoignage de ce que j'ai vécu. J'en ai parlé avec mon médecin, et il m'a dit : " Croyez-moi, c'est une soupape très saine. Car la plupart des gens ont honte et se taisent, et ne veulent plus rien savoir. " Je ne veux rien taire, même si je me fais des ennemis. Je veux enfin parler et ressentir ma liberté ! »*
>
> (Margareta Glas-Larsson,
> au début de la troisième journée de l'entretien,
> en février 1979.)

Cet entretien ne résulte pas de l'initiative des chercheurs, mais du désir de Margareta de se libérer de ses souvenirs en les rendant publics. Ce passage du silence à la parole, elle l'a fait sur le conseil de son médecin. Les premiers contacts entre Margareta et les chercheurs ont eu lieu lors d'un séminaire à l'université de Linz, qui a permis de créer le climat de confiance indispensable à la réussite d'un tel projet.

L'entretien proprement dit, mené par Gerhard Botz avec l'aide d'Anton Pleimer et Harald Wildfellner, a eu lieu en février 1979, dans un appartement d'hôtel, pendant cinq journées consécutives. Cet « isolement » correspondait au vœu de Margareta, convaincue de mieux pouvoir restituer son histoire si elle « n'est pas dérangée ». Cette retraite hors de la vie quotidienne a eu un effet très positif sur sa mémoire. Jamais elle n'a pu restituer, lors de rencontres ultérieures, autant de détails. Les entretiens qui eurent lieu pendant cinq jours ont été divisés en deux parties : une première partie libre, et l'autre plus directive. Pendant la première partie, Margareta Glas-Larsson a raconté sa vie en s'aidant de quelques notes préparées ; pendant la deuxième partie, elle a répondu aux questions des enquêteurs. Toutes les conversations ont été enregistrées et transcrites : plus de 700 pages au total. Après un contrôle minutieux du récit selon les règles de la critique historique, plusieurs entretiens supplémentaires ont été menés entre les mois de mai 1979 et août 1980. Il s'agissait moins de recueillir de nouvelles informations que d'inviter Margareta Glas-Larsson à réagir et à donner son avis sur des informations supplémentaires et des interprétations avancées, ainsi que sur des corrections de dates ou de noms en fonction de recherches complémentaires. Gerhard Botz et moi-même avons rencontré ou mené des conversations téléphoniques assez régulièrement avec Margareta depuis la fin des entretiens. Si elle a manifesté de l'intérêt pour les publications, d'abord en allemand, et plus tard en français, elle a montré peu d'inclination à revenir sur son histoire : ce qu'il y avait à dire était dit.

Ce n'est pas un hasard si, pendant l'entretien, Margareta Glas-Larsson se présenta tout d'abord comme une prisonnière « politique ». C'est seulement après plusieurs entretiens et avec beaucoup d'hésitations qu'elle indiqua le motif officiel de son internement, la « honte raciale » (Rassenschande), délit qui, selon la législation de 1935, interdisait les rapports sexuels entre Aryens et juifs. Cette dissimulation est intéressante à plusieurs titres : d'une part, le fait d'avoir su se faire passer au camp de concentration pour une « politique » a été l'un des facteurs qui ont contribué à sauver Margareta Glas-Larsson. D'autre part, l'intérêt qu'elle avait à maintenir cette fiction, aujourd'hui encore, dans son témoignage, et à définir comme « politique » un fait défini officiellement comme « racial » n'était pas tant de dissimuler sa fraude que de bien se situer par rapport aux représentations dominantes qui valorisent les victimes de la persécution politique plus que celles de la persécution raciale. A cela s'ajoute bien évidemment le fait de l'adultère qui la disqualifie au regard de la morale courante, indépendamment de la logique propre à la déportation.

L'enfance d'une future femme du monde

Née en 1911 à Hietzing, un quartier bourgeois de la périphérie sud-ouest de Vienne, Margareta passe les premières années de son enfance dans la sécurité matérielle d'une famille juive de commerçants en fourrure. Tout change après la mort de son père, sur le front italien, en 1917. Menacée de déclassement social, la mère fait tout pour que ses enfants puissent retrouver la situation perdue à la mort de son mari et pendant la crise de la fin de la guerre : elle fait faire à son fils des études, et donne à sa fille une éducation qui devrait permettre de bien la marier. Après le lycée, elle l'envoie dans une école de formation professionnelle privée, fréquentée par les filles de la grande ou de la moyenne bourgeoisie viennoise, et l'introduit dans la vie mondaine. Le thé dansant, le samedi à 5 heures, chez Hopfner, à Hietzing, où les filles allaient accompagnées de leurs mères, était un endroit très fréquenté par la « bonne » société qui y nouait des contacts, et parfois y mariait ses enfants. « C'est là que je fis la connaissance de mon mari. Il avait vingt et un ans... Il était snob, un juif baptisé. Je suis tombée très amoureuse de lui. Il était mon idole et je voulais l'épouser à tout prix. J'avais seize ans et j'ai réussi. » Après un accident de chasse et l'amputation de sa jambe, Georg Glas quitte Vienne, où il faisait des études, pour Cvikov, en Tchécoslovaquie, afin de se préparer à prendre la succession de son père à la tête de l'usine familiale. Margareta l'y rejoint et, après une vie commune d'un an, la belle famille accepte le mariage en 1930.

Pendant les premières années, Margareta et son mari menèrent une vie facile et superficielle, à l'abri des grands événements politiques qui se préparaient après l'arrivée au pouvoir de Hitler. « On était très protégés et loin du monde que nous ne connaissions pas encore. » Vivant dans un milieu d'industriels de langue allemande, dans une région — les Sudètes — où la population juive est peu importante, la famille Glas porte peu d'attention à l'antisémitisme montant, d'autant qu'aucun membre de la famille, exception faite du beau-père de Margareta, ne se définit comme juif.

« Ma belle-mère ne s'est jamais sentie juive... elle était catholique et baptisée... Mon mari était monarchiste et antisémite, il avait toujours eu un certain mépris pour les visages typiquement juifs... Mon beau-père était Juif autrichien, très conscient. Nous nous sommes toujours sentis Autrichiens et non Allemands, vieux Autrichiens (*Altösterreicher*)[1]. Mais, en fin de compte, nous nous sommes sentis comme étant de langue allemande par opposition aux Tchèques. Moi-même, je me suis sentie catholique plutôt que juive. A Cvikov, je suis allée à l'église et j'ai souvent discuté avec le prêtre qui m'a baptisée plus tard. Il m'a donné un enseignement catholique pour préparer le baptême. Et même plus tard, j'ai continué à le voir et à discuter avec lui, une sorte de recherche d'un équilibre intérieur. »

Le seul souci de Margareta, durant cette période, concerne les dépressions de son mari, liées aux douleurs de sa jambe amputée. En dépit des infidélités de son mari et de son refus d'avoir des enfants, Margareta accepte ses exigences, comme celle d'être présente d'une façon permanente, ou encore, pour correspondre à son idéal esthétique, celle de faire décolorer ses cheveux noirs. « J'avais beaucoup d'amour humain pour lui, une sorte d'amour maternel. »

Préparée par son éducation à une vie mondaine où il s'agit de plaire, Margareta est obligée d'apprendre à prendre en charge son mari handicapé, et donc aussi à se prendre en charge. Sans problèmes matériels, elle est néanmoins confrontée à la nécessité de faire face aux dépressions que traverse par moments son mari et de l'aider à survivre dans ces périodes-là. Quand, en 1935, Margareta fait venir sa mère de Vienne, la relation avec sa belle-mère se détériore rapidement. Acceptée à cause du rôle bénéfique qu'elle joue auprès de son mari, la présence de sa mère dans cette maison de riches industriels rappelle sans cesse ses origines, une famille en déclin, et le fait qu'elle n'avait apporté aucune dot. Les tensions

1. La désignation de « vieux Autrichiens » utilisée par Margareta se réfère à un patriotisme autrichien opposé au pan-germanisme répandu pendant l'entre-deux-guerres surtout dans la population juive qui, en face des dangers présents, cultivait une image souvent idyllique de l'ancienne monarchie des Habsbourg et s'identifiait à la vieille Autriche opposée, au principe de l'Etat nation, incarnation à ses yeux du nationalisme et du racisme. E. Weinzierl, *Zu wening Gerechte. Österreicher und Judenverfolgung 1938-1945,* Graz, Styria, 1969, p. 25.

entre, d'un côté, sa mère, son mari et elle-même, et, de l'autre ses beaux-parents se transforment en « antipathie terrible ». Cet éloignement relatif de sa belle-famille après l'arrivée de sa mère, à qui elle avait demandé de les rejoindre, lui confère progressivement les responsabilités d'un chef de famille. C'est elle qui devra, après l'occupation de la Tchécoslovaquie, prendre toutes les décisions importantes concernant son mari, sa mère et elle-même. Lutter pour la survie dans un environnement hostile deviendra en quelque sorte sa vocation.

La fin d'un monde

Les événements qui précèdent l'occupation de la Tchécoslovaquie par les Allemands auraient dû pousser la famille à émigrer[2]. Mais tout se passe comme si les illusions et les idées reçues l'avaient empêchée d'anticiper la réalité. A cause de son admiration pour la race germanique, le mari de Margareta ne comprend pas tous les dangers que comporte la montée du nazisme.

« En 1938, l'occupation de l'Autriche. Tout le monde était terriblement angoissé. Des parents arrivés à Prague nous racontaient les persécutions et que les juifs devaient laver les rues. Après l'occupation de l'Autriche, nous, les jeunes, avons insisté auprès de mon beau-père : " Partons en Angleterre ", et il a dit : " Non, non, la Tchécoslovaquie restera ce qu'elle est. Benes (le président de la République tchécoslovaque) fera le nécessaire. " J'ai dit : " Père, tu te fais des illusions. " Car, ne fréquentant que des milieux aryens, même des membres de la SA, je me suis rendu compte de ce qui se passait.

« Un jour, on m'avait invitée à un déjeuner et à un concours de tennis. Tout d'un coup, il se sont tous levés avec la main tendue : " Heil Hitler ". Même moi, je me suis levée comme paralysée. Que

2. G. Botz, *Nationalsozialismus in Wien. Machtübernhme und Herrschaftssicherung 1938-1939,* Buchloe, Obermayer, 1988 ; G. Botz, « La persécution des Juifs en Autriche : de l'exclusion à l'extermination », in : F. Bédarida, éd., *La politique nazie d'extermination,* Paris, Albin Michel, 1989.

faire ? Henlein, dirigeant des nazis dans les Sudètes, était déjà très actif, et notre personnel et les ouvriers à l'usine, eux aussi, changeaient d'attitude. Quel choc ! Mes meilleurs amis sont devenus nazis et se réjouissaient du changement de régime et de la disparition de la Tchécoslovaquie. »

Margareta, qui, de tous les membres de la famille, est celle qui pousse le plus à l'émigration, ne peut traduire en actes son appréciation de la situation. En automne 1938, les Sudètes sont occupés, l'usine est « aryanisée », et ils doivent quitter Cvikov[3]. Ayant préparé trop tard l'émigration, seuls les beaux-parents partent à temps pour l'Angleterre. La dépendance financière contraint Margareta à rester à Prague avec son mari et sa mère. Mais, loin de la décourager, cela ne fait que renforcer sa lucidité et sa volonté de s'en sortir.

« Nous, Schorschi et moi-même, et ma mère et plusieurs de ses frères sommes restés à Prague. Après l'occupation de l'Autriche, mon frère, sa femme et son enfant sont passés nous voir. Il a dit : “ Nous espérons pouvoir aller en Suède en passant par la Pologne ”. Ils ont réussi. Toutefois, aussi convenables que pouvaient être les Suédois à l'époque, ils avaient quand même voulu le renvoyer en Autriche et lui ont dit : “ Voilà l'argent pour votre retour. ” Et mon frère a répondu : “ Internez-moi ici à Stockholm, le retour est la mort sûre. ” Il était encore très jeune. Plusieurs de mes oncles et tantes sont partis à Shanghai ou en Albanie.

« Ma belle-mère était très égoïste et elle a tout fait pour pouvoir partir, sans nous, en Angleterre. Mon beau-père est parti en décembre 1938 à Londres pour préparer notre départ. Ma belle-mère a emmené sa cuisinière et son fils de quinze ans, Peter, complètement débile et incapable de parler, et qui avait parfois des moments de violence. Cela m'a vraiment énervée qu'elle ait emmené la cuisinière. Et puis elle a dit à mon mari : “ Schorschi, toi, à la limite, je pourrais t'emmener, mais ta femme et ta belle-mère doivent rester à Prague. ” Et mon mari a répondu : “ Si ma femme reste à Prague, je reste avec elle. ” Et dans l'avion, mon

3. Cf. V.S Manatey, R. Luza, A History of the Czechoslovak Republic, Princeton, Princeton University Press, 1975.

beau-frère débile est mort. Il n'a pas supporté la différence de pression d'air. »

Comme en Autriche dès 1938, la « déjudaïsation » de la Tchécoslovaquie commença dès l'occupation de celle-ci, début mai 1939. Cette « déjudaïsation », organisée à partir de juillet 1939 par l'« administration centrale pour l'émigration juive » de la SS, avait sa base légale dans l'extension des lois de Nuremberg sur la « protection de la pureté de la race » au « protectorat Bohême et Moravie ». Une foule de décrets et d'arrêtés, provenant des ministères du Reich, de l'administration du protectorat ou de la police et de la SS, avaient pour but d'humilier progressivement et d'isoler socialement la population juive. Ces mesures comprenaient le port de l'étoile de David dès septembre 1939, l'enregistrement de tous les juifs, religieux ou non, auprès de la communauté du culte dès 1940, la restriction de la circulation dans les rues, l'interdiction de leur vendre des valises ou des sacs à dos, des restrictions sur les produits accordés sur leurs cartes alimentaires et sur les achats de textiles (le rationnement alimentaire et vestimentaire dans tout le Reich avait été introduit depuis le début de la guerre). Bien avant les déportations, on peut parler d'une forme d'extermination par la faim. Les juifs, dont les cartes de rationnement étaient marquées par « J », ne pouvaient plus acquérir de pain blanc, de viande, d'œufs, de fruits, de confiture, de produits laitiers ni plusieurs sortes de légumes. Si, au cours d'une perquisition, de tels articles étaient trouvés dans un appartement, l'arrestation et l'inculpation en étaient la conséquence. A cela s'ajoutent toutes les restrictions imposées dans l'utilisation des moyens de transport en commun, des trottoirs, et dans les sorties en dehors du quartier d'habitation. Les premières déportations « sauvages » à partir de l'Autriche et du « protectorat » vers la Pologne datent de 1939 ; elles prennent de l'ampleur en 1940 et deviennent systématiques dès octobre 1941.

Dans cette situation, c'est Margareta qui doit prendre toutes les responsabilités et se charger de tout, son mari restant dans une profonde dépression, accentuée, après une tentative de suicide, par le refus d'une identité juive qu'il a toujours récusée. Malgré la répression, Margareta conserve l'espoir de pouvoir un jour émigrer, et cherche à réunir l'argent nécessaire pour obtenir des visas de sortie. Utilisant ses relations et ses amitiés, elle suit clandestinement un cours de cosmétique et, avec l'aide d'un ami chimiste, elle installe une petite entreprise de produits cosmétiques à la maison. A cette fin, elle réussit même à se procurer les produits de base auprès d'un ingénieur de la firme tchèque Médica, qui était connue à l'époque. Un dernier espoir apparaît en 1941 : l'ami chimiste qui avait déjà aidé Margareta essaie de convaincre le curé du village natal de Georg de fournir de faux documents de naissance pour faire de lui un semi-aryen. Mais une amie de la famille les dénonce.

« La grand-mère de mon mari était encore à Vienne. Elle possédait un grand palais et elle avait beaucoup d'amis, dont Mme Fischl. Celle-ci avait quarante-cinq ans à l'époque, et elle joue un rôle clé. Elle a réussi à se procurer pas mal de choses en contrepartie de l'aide à la grand-mère, qui, par exemple, n'a pas été forcée de laver les rues, ce qui était un avantage considérable. Et un jour, Mme Fischl arrive à Prague et dit : “ je viens de la part de votre grand-mère, je ne vous veux que du bien. Nous chercherons une voie pour que vous puissiez partir rejoindre vos parents en Angleterre. ” “ Mais comment ? Il y a la guerre. Comment s'en sortir ? ” “ Nous arrangerons cela. ” Et puis, elle nous apportait de temps à autre des objets de Vienne, des tableaux que nous avons pu vendre. Et de cela nous avons vécu. Un manteau de fourrure de la grand-mère. Mais au fond, cette femme, je m'en méfiais, et mon mari l'aimait bien. Et j'ai toujours dit : “ Schorschi, ça va mal se terminer. ” Peu après, elle nous a dénoncés. Elle voulait que nous disparaissions, et que la grand-mère disparaisse pour pouvoir s'approprier le palais. Et quatre, cinq jours après, on nous a arrêtés. »

Le 18 octobre 1941, Georg et Margareta sont arrêtés. Margareta est accusée d'avoir eu avec son ami chimiste des rapports sexuels proscrits par les lois de Nuremberg. Le fait d'avoir été arrêtée par la police et d'avoir été l'objet d'une procédure quasi légale visant à établir les « preuves » de sa culpabilité, avant d'être envoyée d'abord à Theresienstadt, puis à Auschwitz-Birkenau, a permis à Margareta de gagner du temps et de retarder son entrée au camp d'extermination, ce qui, en raccourcissant la durée de son internement, a contribué à accroître ses chances de survie. Les premières semaines passées à la prison de la Gestapo de la place Charles furent, pour Margareta, une véritable initiation au rôle de prisonnière ; elle y fit l'expérience des humiliations que le personnel de garde infligeait aux internées pour les dépersonnaliser et détruire toute leur capacité de résistance, mais elle fit également l'apprentissage des techniques de ruse et de débrouillardise au contact de ses codétenues.

L'organisation du temps et les conditions alimentaires étaient les instruments les plus puissants du dispositif pénitentiaire pour briser tout espoir.

« On nous réveillait à 4 heures. On nous apportait ce qu'ils appelaient un café noir, de l'eau noire avec 250 grammes de pain. Après, pendant une demi-heure ou trois quarts d'heure, il ne se passait rien du tout... Après, nous devions descendre pour le sport, les hommes séparés des femmes. Et là, un beau jour je vois mon mari, mon pauvre mari avec sa prothèse qui ne pouvait pas faire de sport... Et j'ai réussi à connaître son numéro de cellule qui se trouvait en dessous de la mienne.

« Dans la cour, on nous faisait faire un exercice spécial... Alerte aérienne. On devait se jeter par terre : “ Debout ! couchées ! debout ! couchées ! ” Et celles qui ne le faisaient pas étaient tout de suite frappées. Les plus vieilles n'en pouvaient plus. Les plus jeunes, à cette époque, pouvaient encore faire cet exercice, un quart d'heure, quel que soit le temps. Après, retour à la cellule. Terminé ! C'était diabolique, ils nous laissaient tranquilles sans rien faire. Vers 11 heures, le déjeuner, de nouveau dans des seaux, de l'eau avec quelques tripes. Nous aimions manger cela, mais quand j'y pense aujourd'hui, mon estomac se retourne... Après, rien jusqu'à 4 heures ; je veux dire... jamais rien de plus que cette eau avec des tripes. Et à 4 heures, ce que l'on appelait le dîner, de l'eau noire. Le soir, les lumières éteintes.

« Je ne sais plus comment j'ai fait le premier jour. La mentalité des filles était très différente. Les unes ont tout gardé pendant la journée et rationné le pain pour le manger petit à petit. Je sais que j'ai toujours tout mangé tout de suite. Je m'étais dit que je voulais avoir le sentiment de ne pas avoir faim, ne serait-ce que pour quelques instants. Je préférais souffrir de faim pendant l'après-midi et le soir. Je dois raconter cela parce que c'est typique : nous faisions la cuisine en paroles[4]. Nous récitions des recettes de

4. Dans la littérature des survivants, les fantasmes culinaires et les échanges de recettes de cuisine sont souvent évoqués comme un moyen efficace de lutte contre

viande, de mets de farine, moi celle des crêpes (*Palatschinken*), dont nous rêvions, parce que nous étions toutes obsédées par le sucre.

« Entre filles, nous nous consolions mutuellement. Nous chantions ensemble, des chansons tchèques et allemandes... *Le Beau Danube bleu,* la valse... Nous avons essayé de faire mieux. Nous avons mis en scène des pièces de théâtre... *Cabale et amour...* Beaucoup de filles connaissaient le texte. Que faire d'autre ? C'était une sorte d'instinct de conservation. Et moi, j'ai parlé des cosmétiques... J'ai raconté comment faire des massages, comment garder sa propreté, comment faire des masques. Et on faisait ce qu'on pouvait pendant la guerre. Nous n'avions qu'une cruche d'eau pour nous laver toutes. »

Mais, au-delà de ces tentatives collectives pour rendre la situation supportable, Margareta apprend très vite tous les mécanismes du fonctionnement de la prison, ce qui lui permet d'améliorer son statut vis-à-vis des gardes et parmi les prisonnières. En effet, les vagues d'arrestations massives pendant cette période mènent très vite à l'encombrement des prisons, rendant les conditions d'existence encore plus difficiles.

« Les cellules étaient minuscules... Au temps de Heydrich[5], nous étions à 20 ou 22 dans une cellule de 12 m^2 sans lits. Seulement des sacs de foin. Nous étions couchées par terre comme des sardines. Au fond, cette prison dans laquelle on pouvait porter ses vêtements était un bon hôtel en comparaison avec Auschwitz... J'avais un pantalon gris et des cheveux blonds et longs (on ne m'avait pas encore coupé les cheveux), un pull-over et un manteau... Il y avait juste des petites puces dans la cellule. Les rats, la thyphoïde, tout cela n'a commencé qu'à Auschwitz. »

la faim ; voir par exemple : V.E. Frankl, *Trotzdem ja zum Leben sagen. Ein Psychologe erlebt das Konzentrationslager,* 3e éd., Kempten, Kösel, 1977, p. 56 ; B. Kautsky, *Teufel und Verdammte,* Vienne, Gutenberg, s.a. p. 171. Voir également la troisième partie de cet ouvrage.

5. Reinhard Heydrich, SS *Obergruppenführer,* « protecteur adjoint » de Bohême et Moravie à partir de 1941, mort à la suite d'un attentat en 1942. En réponse à cet attentat, les Allemands massacrèrent tous les habitants de sexe masculin au-dessus de quinze ans et envoyèrent les femmes et les enfants de Lidice à Theresienstadt.

L'encombrement des prisons après l'attentat contre Heydrich en 1942 rendait leur contrôle très difficile, ce qui favorisa en un sens les contacts entre détenus, qui permirent de garder espoir. L'existence du personnel de garde tchèque qui n'avait pas été changé et qui ne partageait pas la détermination du personnel allemand, facilita en outre ces contacts. Les prisonniers purent se tenir au courant des événements extérieurs, et surtout de la situation des juifs. Margareta se souvient d'avoir été informée des premières déportations de masse en 1942. Elle réussit également à se débrouiller pour que sa mère puisse la voir une dernière fois à la fenêtre de sa prison ; elle parvient à se tenir au courant du sort de son mari détenu dans la même prison, à lui faire parvenir des « médicaments » qu'elle avait réussi à « organiser », c'est-à-dire à se procurer clandestinement [6] et à être informée de son transfert à Theresienstadt, peu de mois avant son propre transfert. Dans son apprentissage des règles informelles qui s'établissent entre prisonnières et personnel de garde, Margareta se rend vite compte que le courage, par les risques qu'il implique, peut inspirer le respect aux gardiens eux-mêmes ; par son habileté et son courage, elle parvient à aider ses codétenues, et, ce faisant, à acquérir elle-même un statut relativement privilégié parmi celles-ci.

« Quelques jours plus tard, on m'appela dans le couloir et la Wachtmeister (gardien chef) Rotter me dit : " Glas, tu es une fille très sage et tu es la plus vieille de la cellule, c'est pour cela que je te permets de laver le couloir. " J'étais aux anges de pouvoir laver le couloir et de pouvoir, éventuellement, parler avec les gardiens. Et chaque fois que j'ai lavé le couloir, j'ai volé un peu de superoxyde d'hydrogène... Mon mari ne voulait pas de mes cheveux noirs ; de nature, j'avais des cheveux foncés. Il me voulait blonde parce que c'était " aryen ".

« Je me rappelle très bien qu'un jour que j'étais en train de laver, un gardien me glissa vite un tube de miel synthétique. C'était fantastique. Pendant la guerre, c'était une friandise... La porte de la

6. En allemand, le terme « organiser » est commun aux jargons de tous les univers totalitaires (armées, prisons, internats, etc.). « Organiser » veut dire se procurer des objets dont l'échange, en infraction avec les règles officielles de l'institution, permet d'acquérir des avantages ou des privilèges et d'améliorer son sort.

cellule était ouverte tandis que je lavais le couloir. A un moment où je pensais que personne ne pouvait me voir, j'ai jeté le tube dans la cellule. Et toutes les filles ont été folles de joie...

« Un jour on m'emmène à l'interrogatoire. En même temps, il y avait des interrogatoires d'hommes et j'entends :

— Comment t'appelles-tu ?

— Colonel Gellert.

— Comment t'appelles-tu ?

— Colonel Gellert.

— Tu es le sale cochon de juif Gellert ! Pour qui est-ce que tu te prends ?

« Et tout d'un coup, j'entends des coups de botte et tout cela. Je partageais ma cellule avec sa femme, et je n'ai pas pu me retenir. Je me suis retournée et j'ai dit : “ Arrêtez, Monsieur Wachtmeister ! Arrêtez ! ” Immédiatement, un énorme SS s'est approché de moi, m'a regardée droit dans les yeux et m'a dit : “ Jüd'sche ”. Je ne comprenais pas ce que cela voulait dire. “ Jüd'sche ”, je ne pouvais identifier de quelle partie de l'Allemagne il venait, peut-être la Saxe ? Oui, c'est cela. “ Dis encore une fois, arrêtez, Monsieur Wachtmeister ! ” Je ne l'ai plus dit. Je le regardais droit dans les yeux. Il ne m'a rien fait... Tous les prisonniers qui étaient debout le long du mur ont dû se dire : “ Comment est-ce possible ? ” Cela a dû les impressionner que j'aie eu le courage de crier : “ Arrêtez. ” Plus on supplie, plus on est frappé. C'est une expérience que j'ai vraiment faite.

« Peut-être que je ne devrais pas raconter cela. Mais pourquoi pas ? Nous avions une prisonnière tchèque, Anna Zdenka. Un jour, elle m'a attirée dans la chambre des gardiens et m'a dit en tchèque : “ Je t'aime, je ferai tout pour toi. Tu n'as qu'à m'embrasser et être gentille avec moi ! ” Il y avait des choses entre les femmes en prison, ce qu'on appelle l'amour lesbien. Mais une prisonnière supérieure, comme cette Zdenka, par ailleurs assez vulgaire, ne l'aurait pas fait avec une juive, mais seulement avec des Allemandes ou des Tchèques. Ce n'était pas habituel. Mais je ne pouvais pas, je ressentais du dégoût. Mais elle ne me détesta pas pour autant, tout au contraire. Une nuit, la porte de la cellule s'ouvrit et elle vint se mettre à côté de moi et me dit : “ Voilà je peux rester toute la nuit à côté de toi. Je pourrai dormir à côté de toi. ” Et au fond cela m'a touchée. Je dois le dire parce que cela en fait partie. Mais il y en a beaucoup qui ne le disent pas. Beaucoup de prisonniers n'ont parlé que des atrocités des SS, mais ils n'ont rien dit sur les sentiments des prisonniers. Ce qui s'est fait entre eux, cela aussi fait partie de l'internement, ou non ?

« Après Zdenka a dit : " Milacko ", j'ai compris que cela voulait dire " chérie ". " Je te dis quelque chose, nous avons une nouvelle gardienne horrible qui s'appelle Hartl. Elle va vous frapper et va vous faire travailler dur. " Et quatre ou cinq jours plus tard la Hartl est arrivée... Nous étions toutes angoissées, je le sais. Elle tira la porte de la cellule, et comme j'étais la plus vieille, je devais faire le rapport : " Attention, cellule 12, 16 prisonnières ! " " Un paquet est arrivé, bien évidemment vous ne l'aurez pas. La plus vieille de la cellule, dehors, dans la pièce des gardiens ! " C'était moi. Et j'ai pensé qu'elle allait me frapper. Une petite personne, plutôt moche. Mais elle ne m'a pas frappée, elle m'a dit : " J'ai entendu dire que tu sais lire les cartes, alors vas-y ! " C'était Anna Zdenka qui lui avait dit qu'il y avait une prisonnière qui était une excellente liseuse de cartes. Elle m'a rendu un service énorme. Et elle ne m'a même pas demandé d'où j'avais eu les cartes. C'était une gitane qui me les avait laissées au moment de sa libération. Je me suis assise et j'ai lu les cartes. Je savais beaucoup de choses par Zdenka, et c'était vraiment pas difficile. Et de plus, si elle avait pu se voir elle-même avec ce visage primitif, fermé, en même temps rusé et avec ce regard quand même bête. On pouvait y lire un tas de choses. Je lui ai dit qu'elle avait un enfant illégitime d'un SS et qu'il ne voudrait pas l'épouser. C'était le début. Elle m'a regardée, terrifiée et en même temps pleine d'admiration devant mon savoir. Et puis je lui ai dit : " Mais, Madame Wachtmeister, il y en a un autre et vous resterez avec lui. Et vous aurez encore un enfant. " Dans les autres cellules elle a frappé les prisonnières, leur a donné des coups de pied ; à nous, elle nous a quand même donné les paquets. Et de temps à autre, elle nous a donné un peu de pain. »

Dès ces premières années d'emprisonnement, le courage de Margareta, sa volonté d'apprendre (elle s'initia très vite au tchèque et au polonais pour pouvoir communiquer avec les autres internées) et son habileté à « organiser » lui valurent l'estime générale. Cette volonté d'apprendre et d'établir des contacts avec les catégories « supérieures » de prisonnières contribua à développer sa capacité d'adaptation et son aptitude à mobiliser rapidement toutes ses compétences pour en faire des instruments destinés à assurer sa survie.

Une étape intermédiaire : Theresienstadt

Les prisonniers en transit venant de Prague espéraient généralement trouver à Theresienstadt de meilleures conditions de détention. Margareta est internée dans la petite forteresse destinée non seulement aux prisonniers juifs, mais aussi, et en priorité, aux catégories « politiques ». On a souvent rapporté que les conditions y étaient encore pires qu'au « ghetto » transformé en camp[7].

Dans la forteresse, une cour était réservée aux femmes, dont une cellule aux femmes juives ; la garde en était assurée par les femmes des gardes SS qui contrôlaient la prison pour hommes. Parmi les prisonnières, on ne trouvait pas uniquement des femmes détenues pour des raisons politiques, mais également des femmes coupables d'avoir « saboté la morale du travail » ou d'avoir fait du vagabondage. Dans cette dernière catégorie, il y avait des jeunes femmes qui étaient envoyées aux travaux forcés en Allemagne après quelques semaines de détention à Theresienstadt.

Malgré la brutalité plus grande qu'à Prague, Margareta vit la première période à Theresienstadt avec le sentiment d'une relative amélioration de son sort. Dès les premiers jours, on lui remet 70 couronnes envoyées par son frère émigré en Suède. Jusqu'à un certain degré, la communication entre les juifs internés — surtout pour des délits officiels, ce qui était le cas de Margareta — et leurs parents émigrés était encouragée, tout en étant strictement réglementée par la direction des prisons. Le prisonnier pouvait écrire et recevoir une lettre mensuelle. Toutes les cartes écrites par Margareta mentionnent rituellement qu'« elle et Georg sont en bonne santé ». Ces correspondances, admises surtout pour contrebalancer les informations à l'étranger sur les conditions de détention des juifs, contribuaient également à maintenir un certain espoir chez les

7. Créée en 1780 par l'empereur Joseph II, la forteresse de Theresienstadt fut transformée en prison en 1882. La Gestapo y installa une prison politique et transforma la petite ville construite pour quelques habitants en un ghetto-camp de transition. En 1942, plus de 58500 personnes y étaient déjà internées ; H.G. Adler, *Theresienstadt 1941-1945. Das Antlitz einer Zwangsgemeinschaft,* 2e éd., Tübingen, J.C.B. Mohr (P. Siebeck), 1960. Voir également : T. Kulisovà, *Kleine Festung Theresienstadt,* Prague, Nase Vojsko, 1968, pp. 7-9.

internés. L'argent permet d'abord à Margareta de se procurer quelques aliments supplémentaires. Dès le premier jour elle est également informée que son mari se trouve dans la même prison. De plus, elle rencontre parmi les internés d'anciens amis, hommes et femmes. Elle réussit même à rencontrer son mari.

Très vite, Margareta acquiert un statut privilégié parmi les internées en usant de ses compétences en matière de cosmétique.

« Un jour, avant le départ pour les travaux à l'extérieur, la femme du " commandant " Rojko[8] nous a comptées. D'où j'ai tiré ce courage, je ne le sais plus. Elle m'a regardée et a dit :

— Qu'est-ce que tu as appris ?

« J'ai fait un pas et j'ai dit :

— Madame le Commandant, j'ai appris la cosmétique et je crois qu'un traitement vous ferait du bien.

« Elle m'a regardée bouche bée.

— Où as-tu appris la cosmétique ?

— A Prague.

— De quoi as-tu besoin ?

— D'un peu de vaseline, d'un peu de graisse ou même du beurre ou du saindoux, d'un œuf et d'un peu de farine, pour pouvoir vous faire un masque.

« Et je suis allée avec elle dans une cellule. Il n'y avait personne et j'ai dit : " Voilà, Madame le Commandant. Asseyez-vous, la tête penchée en arrière. " Et j'ai commencé. Il y avait un peu de vaseline et de rouge à lèvres. Je lui ai rougi les joues et je l'ai massée avec la vaseline. Après je lui ai demandé un torchon chaud. Et je l'ai lavée. Après je lui ai donné un peu de rouge et j'ai dit : " Madame Wachtmeister, mettez encore plus de poudre, cela sera encore plus joli. " Et elle s'est trouvée rajeunie et embellie. Cela lui a fait du bien et lui a plu. Elle a dit : " Tu fais cela très bien. Tu peux me faire cela tous les trois jours. "

« Bon... mes camarades emprisonnées m'ont dit : " Tu sais, Margareta, ce que tu sais faire, c'est incroyable. Que tu aies eu le courage de dire cela. " Ma position à Theresienstadt était très

8. Dans son récit, Margareta désigne presque tous les gardes SS en tant que « commandant », indépendamment de leur fonction officielle. Pour différencier dans le texte un simple garde SS d'un commandant de camp, on a mis le mot commandant entre guillemets lorsqu'il désigne les premiers.

bonne. Un peu plus tard, la femme du " commandant " Schmidt est également venue. Et elles se sont tout raconté. Et je l'ai également massée. »

Margareta a une perception relativement favorable des conditions de sa détention à Theresienstadt par rapport à celles de la prison de Prague. Grâce aux travaux exécutés en dehors de la forteresse, et grâce à l'insertion de la forteresse et surtout du ghetto dans l'économie locale, les prisonniers avaient des possibilités de contact avec la population tchèque qui les aidait autant qu'elle le pouvait. Pendant les premières années de la guerre, le régime avait conçu le ghetto de Theresienstadt comme un modèle devant démontrer devant l'opinion internationale le « caractère mensonger » des informations sur sa politique juive. Une partie du ghetto était montrée dans des films de propagande et présentée à une commission internationale[9]. Avant 1942, début de la mise en œuvre de l'extermination systématique des juifs, un nombre assez important de liens économiques susbistaient entre le camp et l'extérieur. A cela s'ajoutaient les contacts d'ordre médical.

« Un jour, on a eu un nouveau " commandant ". Et j'ai dit au " commandant " Fischer : " Monsieur le Commandant, puis-je aller chez le dentiste ? Je suis emprisonnée depuis longtemps et cette dent me fait terriblement mal. " " Oui. " Et j'ai fait un bout de chemin avec lui. Chez le dentiste, celui-ci m'a regardée et j'ai dit : " Vous savez pourquoi je suis ici. Donnez-moi un peu à manger et dites-moi si nous pouvons garder espoir ou non. " Il m'a dit en un allemand très mauvais : " Sors aux toilettes, il y a un paquet, tu peux le prendre. " J'avais une petite veste dans laquelle je l'ai caché.

« Et puis, au retour, Fischer, qui était aussi autrichien et me vouvoyait, m'a dit : " Maintenant, nous entrerons dans une boucherie et vous direz que vous êtes prisonnière et ils vous donneront

9. Pour faire taire les accusations internationales, les autorités du Reich avaient invité des représentants de la Croix-Rouge allemande et internationale ainsi qu'une commission danoise à visiter le ghetto de Theresienstadt en automne 1942. Voir : H. Krausnick, « Judenverfolgung », in : H. Buchheim, M. Broszat, H.A. Jakobsen, H. Krausnick, *Anatomie des SS-Staates, II,* Olten und Freiburg, Walter Verlag, 1965, p. 397.

quelque chose. " Je voulais un peu de nourriture pour mon mari et les autres. Ils m'ont donné des saucisses. C'était fantastique. Ce n'était possible qu'à Theresienstadt. C'était la population.

« Et puis nous sommes rentrés dans le camp et il m'a dit : " Vous devez faire attention. Cachez les affaires. Si le commandant Jöckl nous découvre, il me tuera et vous aussi. " »

Début 1943, Margareta est transférée à nouveau à la prison de Prague. Etant donné qu'elle a été emprisonnée pour un « délit », la honte raciale, son cas doit être réglé judiciairement avant son départ pour Auschwitz. Sans la faire passer en jugement, on lui fait signer un document par lequel elle reconnaît le bien-fondé de son « arrestation préventive », et qui la classe dans la catégorie des internés à titre préventif pour la sécurité de l'Etat. Par là, son statut se transforme : de simple délinquante, elle devient sujet politique dangereux, ce qui permet son transfert « légal » dans un camp de concentration[10]. De tels protocoles signés par chaque interné faisaient partie du « dossier » dans les camps de concentration et devaient attester la légalité de l'internement. Cette formalité juridique la distingue également des juifs arrêtés dans des rafles après le début de la politique de « solution finale » et soumis aux « sélections » dès leur arrivée à Auschwitz. Les derniers obstacles juridiques à son transport ayant été levés, Margareta est bientôt transférée à Dresde, point de départ pour sa déportation à Auschwitz-Birkenau, où elle arrive le 7 mai 1943 dans un petit convoi de 132 hommes et 66 femmes, convoi qui ne subit pas de sélection à l'arrivée. Auschwitz-Birkenau est composé de plusieurs camps, dont le camp des femmes. Plusieurs usines ont été construites à proximité des camps pour exploiter la force de travail des déportés. Comme d'autres déportés, Margareta soit désigne avec précision « son » camp (Birkenau), soit utilise le nom plus global de « Auschwitz » ou de « Auschwitz-Birkenau ». On suivra ici les termes utilisés dans les entretiens.

10. Voir : H.G. Adler, *Der verwaltete Mensch, Studien zur Deportation der Juden aus Deutschland*, Tübingen, J.C.B. Mohr (P. Siebeck), 1974, pp. 849-853.

L'arrivée à Auschwitz

« Bien sûr, nous avions certaines idées vagues à partir de ce que nous avions pu entendre à Theresienstadt. J'étais préparée par des SS de Theresienstadt et par le " commandant " Fischer qui m'avait dit qu'on me couperait les cheveux et que nous ne vivrions guère que quatre mois, que l'on soit " politique " ou " raciale ". Mais l'absence complète d'informations devait produire un choc plus terrible encore. Au fond de moi, cependant, j'avais toujours refusé d'admettre que cela puisse être vrai. J'avais construit ma propre version et pensé : non, cela n'existe pas qu'on assassine des gens pendant une guerre. On les envoie travailler en Russie. »

A plusieurs reprises, Margareta dit avoir eu des informations précises sur les chambres à gaz avant son transfert à Auschwitz-Birkenau, mais les avoir refoulées afin de conserver l'espoir de s'en sortir, en s'appuyant sur les rumeurs optimistes qui circulaient dans les camps de concentration et selon lesquelles les internés ne seraient plus tués parce que leur force de travail était devenue nécessaire et que le régime craignait une opposition interne au massacre systématique. Toutes ces rumeurs trouvaient un fondement partiel dans les conflits qui opposaient, au sein des SS, les idéologues aux technocrates poussant à la transformation des camps en lieu de production, et dans l'arrêt de 1941, sous la pression populaire, du programme d'euthanasie des malades mentaux.

Au choc créé par l'atmosphère du camp et par la brutalité des SS et des kapos s'ajoute la dépersonnalisation qui accompagne habituellement toute situation d'emprisonnement et qui, à Auschwitz, était poussée jusqu'à ses dernières limites : mise à nu, douche glaciale, rasage complet du corps, octroi des vêtements des morts, tatouage du numéro de l'interné(e), etc. Dans le cas de Margareta, ce choc a désorienté sa mémoire, pourtant si précise pour les autres étapes de son calvaire. Cela se révèle surtout dans son incapacité relative à reconstruire ses souvenirs de Auschwitz-Birkenau dans un ordre chronologique, alors qu'elle peut situer à quelques mois près tous les événements antérieurs. Cette désorientation est encore renforcée par l'absurdité de certaines scènes.

« Tous les matins, l'orchestre sortait et marchait entre les morts et les cadavres qui étaient là par terre. Et cela aussi laissait une impression lugubre, parce que c'était si contradictoire... Comment s'appelait cette chanson de Marlène, qui était si populaire, *Lilli Marlène.* Parfois elles jouaient une chanson viennoise, une valse. L'orchestre était composé exclusivement de femmes. Et chaque fois que la cheminée brûlait et qu'ils sélectionnaient, les pauvres filles devaient traverser le camp avec leurs violons. C'était infernal[11]. »

Les avantages et les désavantages de l'appartenance

Au moment de l'arrivée de Margareta à Auschwitz-Birkenau, sévit une épidémie de typhus exanthématique et de fièvre typhoïde. Transmise par des puces, cette maladie qui se traduit par une forte fièvre, des taches sur le ventre, des diarrhées, des vomissements et des migraines, provoquait quotidiennement la mort de 150 à 350 personnes[12]. L'affectation qu'elle réussit à obtenir par ruse dans le secteur hospitalier et l'infirmerie, le « Revier », a sans doute permis à Margareta de rester en vie.

« Le lendemain, j'ai eu une diarrhée accompagnée de vomissements et une irritation de la peau. J'avais mal. C'était la fièvre typhoïdique et je vomissais, vomissais, vomissais. J'ai réussi à résister aux pires douleurs. Il ne faut pas oublier que j'étais encore suffisamment jeune pour avoir un minimum de force malgré deux ans de prison. Je suis allée voir l'aînée du bloc et je lui ai dit : “ Je n'en peux plus. J'ai très mal ”. Et elle m'a regardée et m'a dit : “ Glas, tu as l'air encore assez bien. Si tu as vraiment si mal, je suis forcée de te transférer au bloc 25. C'est le bloc des morts et on te

11. Voir F. Fénelon, *Sursis pour l'orchestre,* Paris, Stock, 1976.
12. Parmi les maladies, les épidémies presque annuelles de typhoïde exanthématique étaient les plus meurtrières ; elles pouvaient provoquer la mort de près de 50 % des détenues malades. La plus forte de ces épidémies, entre octobre 1943 et février 1944, fit tomber le nombre des détenues de 32 000 à 24 000 (E. Lingens-Reiner, *Prisoners of Fear,* Londres, Victor Gollancz, 1948, pp. 62-65).

mettra sur une voiture et au gaz. Essaie d'entrer au Revier, peut-être on t'aidera. " C'est ce qu'elle m'a dit. »

Arrivée au Revier, Margareta, se prétendant chimiste, réussit à se faire embaucher. Une fois intégrée au Revier, elle bénéficie d'un traitement médical qui lui sauve la vie. Après sa guérison, l'aînée du Revier, Orli Wald-Reichert, la soupçonne d'avoir réussi à se faire embaucher par « piston » et veut la renvoyer au camp. En utilisant ses compétences en cosmétique comme un moyen de séduction, démarche qui s'était déjà révélée payante auparavant, Margareta échappe à « la mort, à coup sûr », et se fait même accepter dans la catégorie supérieure des internées dirigeant l'infirmerie du camp.

« J'ai beaucoup aimé le visage de Orli. C'était un visage si doux. Sa façon de parler n'allait pas du tout avec ce visage. J'ai pris courage et j'ai dit :

— Aînée du bloc, vous avez les sourcils trop forts. Je trouve que je devrais arranger ça.

Et elle a eu le fou rire.

— D'où te vient cette idée-là ?

J'ai répondu :

— Je fais également de la cosmétique. J'ai suivi des cours chez Rubinstein, à Prague.

Elle m'a demandé :

— Tu es juive ?

J'ai répondu :

— Oui, aînée du camp.

Et à partir de ce moment, elle changea d'attitude à mon égard. L'aînée du bloc voulait me renvoyer, parce qu'il y avait beaucoup de haine entre les prisonnières… entre les Polonaises et les Allemandes, et les Polonaises et les juives. Et comme c'était Wanda Mende, une Polonaise, qui m'avait acceptée, l'aînée du camp, Orli, qui m'avait prise pour une Polonaise, soupçonnait du piston. Cela se comprend… »

La double appartenance de Margareta, juive et politique, ainsi que son aptitude exceptionnelle à faire face à toute situation nouvelle et à en acquérir très vite la maîtrise en mettant en œuvre tous ses « atouts » dans l'invention permanente de solutions la font passer très rapidement dans une catégorie relativement privilégiée.

Et, dans la suite du récit, l'oscillation entre la catégorie de « juive allemande » et celle de « politique » pour désigner sa propre appartenance n'est que la répétition d'un jeu pratiqué en permanence dans la vie quotidienne du camp. Emprisonnée d'abord pour un « délit criminel » et non pour raison politique, Margareta, en signant le document qui la classait dans la catégorie des individus « dangereux », acquérait une triple identité, à la fois criminelle, raciale et politique. La fréquentation d'Orli Wald-Reichert, qui appartenait à la catégorie la plus noble du camp, celle des « politiques », joua un rôle décisif dans le passage de Margareta dans cette catégorie. Orli Wald-Reichert, née en 1917 à Trêves, était communiste ; elle fut condamnée en 1936 à quatre ans et demi de prison et fut transférée plus tard au camp de Ravensbrück, puis en 1942, à Auschwitz-Birkenau. Comme Margareta, elle survécut à Auschwitz. Dès son intégration dans le groupe des « politiques », Margareta jouera continuellement avec les différents éléments qui composent son identité. A cela s'ajoutent ses connaissances linguistiques en tchèque et en polonais, qui augmentent encore ses chances d'établir les contacts sociaux indispensables sur un « marché » où l'accès aux produits, c'est-à-dire aux moyens de survie (supplément de nourriture, vêtements, matériel — tout ce qui, en contribuant au maintien de la santé ou même à l'apparence de santé, permet d'échapper aux sélections), dépend entièrement de la « débrouillardise » et de l'initiative individuelle.

La logique des relations sociales à l'intérieur du camp est fortement déterminée par la division des internées en catégories d'appartenance, les liens les plus forts s'établissant entre membres d'une même catégorie et, accessoirement, entre membres des catégories se rapprochant pour des raisons idéologiques, comme les « politiques » et les « juifs »[13]. C'est ce qu'illustre l'exemple de Margareta qui, complètement identifiée au groupe des « politi-

13. Il paraît que Orli Wald-Reichert fut envoyée à Auschwitz-Birkenau pour « mettre de l'ordre dans la gestion du camp ». Promue peu après son arrivée au poste d'aînée du bloc hospitalier, elle devait surtout contenir l'influence et le « piston » des Polonaises qui, majoritaires au camp, détenaient aussi les positions clés de la gestion. Le recrutement de Margareta, « politique » et « juive », était fonction d'une appartenance commune à la catégorie « politique » et de la solidarité que les politiques éprouvaient pour les juifs. Ce soutien était déterminant pour la survie des juifs, catégorie qui se situait au plus bas de l'échelle officielle de classement des détenus.

ques » (comme le commandent aussi ses intérêts de survie), sélectionne ses relations à l'intérieur du camp en fonction de leur appartenance à cette catégorie ; mais l'attitude, de sympathie ou d'antipathie, qu'elle adopte à l'égard des autres internées est également fonction de la position de leur catégorie dans le système de classement du camp. Aussi les jugements sociaux de Margareta, qui sont la rationalisation de ses comportements, et qui, comme eux, sont le produit de l'application du système de classement dominant à l'intérieur de l'univers clos du camp, confèrent-ils aux catégories nobles, situées en haut de la hiérarchie sociale, des qualités nobles (les « politiques » sont « généreuses ») et aux catégories inférieures des qualificatifs négatifs (les « asociales » sont « méchantes et matérialistes »), les exceptions n'étant que la confirmation de la règle. En tout cas, elle ne cherche jamais à rapporter les comportements observés ou les catégories d'internées aux conditions sociales de leur production et de leur sélection.

« Nous, les “ politiques ”, nous restions ensemble. Je dirais qu'il y avait une différence très grande entre celles qui étaient des politiques et les autres, les criminelles, les asociales. Par exemple Orli, une prisonnière politique, ou, chez les hommes, Langbein et Ludwig Wörl, c'était une tout autre classe d'hommes. Et ils ont beaucoup aidé les autres. Mais on ne peut pas tout généraliser (...) Je me souviens maintenant d'un bloc dirigé par deux asociales au triangle noir. Elles avaient l'air horrible. Je crois qu'elles avaient fait des choses terribles à l'extérieur. Mais ces deux-là, au camp, se comportaient aussi correctement que les “ politiques ”. »

La sympathie qu'éprouvaient, pour des raisons politiques, les « politiques » allemands pour les juifs fut à la source d'une amitié durable entre Margareta et Orli ; amitié d'autant plus importante qu'Orli était une des internées ayant le plus de pouvoir et dont la parole avait un certain poids, même vis-à-vis des SS. En même temps, cette relation qui fait place à des questions intellectuelles et culturelles contribue à maintenir en elles deux une volonté de vivre supérieure au simple réflexe de survie dans ce camp dominé par la course opiniâtre aux biens matériels.

« Orli était petite, très douce, avec de grands yeux foncés. Sa mère était de Maubeuge. Elle avait un air français, avec un nez courbé, une bouche très expressive. Elle était pleine d'énergie et même les SS l'estimaient. Car elle était arrivée à Birkenau venant de Ravensbrück. Le camp des femmes fut ouvert en 1942..., je crois, et elle était une des toutes premières prisonnières envoyées à Auschwitz-Birkenau, pour rétablir l'ordre. Et elle a rencontré les premiers transports de juifs, ce qui a provoqué en elle un amour énorme pour les juifs et sutout pour Ena Weiss, qu'elle avait sauvée du camion qui devait la transporter au gaz... Il existait entre nous une amitié exceptionnelle, j'avais une très grande affection pour elle parce que j'aimais beaucoup son caractère. Elle n'était jamais méchante. Il lui est arrivé de donner des gifles, prise de rage si quelqu'un pissait devant le baraquement. Mais au fond, elle a toujours aidé.

« Je sais que, plus tard, je me suis souvent promenée avec Orli dans la rue du camp, là où on en avait le droit. Nous avons parlé de Jakob Wassermann, que j'aimais beaucoup et qu'Orli aimait également. Oui, on parlait de choses inhabituelles au camp... Les discussions au camp tournaient toujours autour de la nourriture et de la survie... Mais nous avions des intérêts spirituels communs pour des écrivains connus, souvent juifs, comme Wassermann ou Leo Perutz... Je ne me rappelle plus les titres, mais souvent on parlait de romans-fleuves comme les *Buddenbrooks* et aussi de nos relations familiales... Et nous faisions tout pour ne pas penser à ce que nous voyions : les fumées des cheminées, l'orchestre des prisonnières, les brutalités, les latrines. Nous voulions surmonter tout cela par des conversations que nous voulions situer à un autre niveau. Je ne voulais plus me séparer d'Orli. »

Comment « organiser » et se maintenir en forme

Les efforts déployés par Margareta pour améliorer sa condition et augmenter ses chances de survie consistent d'abord à ne pas se laisser aller, à se soigner physiquement : se maintenir aussi propre que possible, cultiver son apparence pour avoir l'air en bonne santé. Avant d'aborder le talent que Margareta avait pour « organiser », il faut suivre sa description des personnages clés : loin d'en parler dans le langage du jugement moral, Margareta les décrit aujourd'hui encore principalement en fonction de l'utilité relative qu'ils pouvaient avoir pour elle. Ainsi la présentation des médecins SS en termes de « mieux » et « pires » se réfère, tout d'abord, aux possibilités de nouer des contacts utiles avec eux, de pouvoir leur demander un service ou un minimum de protection, bref de les manipuler dans certaines situations clés.

Parmi les médecins SS, Margareta réussit à établir une relation privilégiée avec Werner Rohde. Celui-ci, connu pour ses manières relativement courtoises avec les déportées, était tombé amoureux d'Ena Weiss, médecin-chef au Revier, une juive slovaque. Cela permit à Ena Weiss d'avoir une action importante au Revier et d'intervenir dans les processus de sélection. L'amitié entre Ena et Margareta permit à cette dernière de demander des faveurs à Rohde, et notamment d'entrer en contact avec son mari, interné peu de mois après elle au camp d'hommes. Après avoir rencontré une femme arrivée dans le même transport que son mari, Margareta demande à Rohde d'apporter à son mari une brosse à dents et un bout de pain.

« Il a pris la brosse à dents et le pain. Le soir, il s'est rendu au camp d'hommes et a demandé à voir Georg Glas. Mon mari a eu peur quand il a vu un grand SS qui disait : “ Votre femme vit, elle vous dit bonjour et vous envoie cela. ” A partir de ce moment-là, mon mari a été sauvé, parce que Rohde l'a fait intégrer au commando Rajsko, un commando pour les travaux de l'extérieur, pour les jardins de légumes et de fleurs et où on menait des recherches botaniques en vue de la production de caoutchouc à partir de plantes. Ce commando était réputé pour être “ facile ” et pour être dirigé par un SS assez humain. De plus, il se trouvait à l'extérieur du camp : une véritable “ planque ”.

« C'est incompréhensible, les motifs pour lesquels Rohde m'a aidée. Est-ce que c'était de la sympathie, parce que je n'avais pas eu peur ou que je n'avais pas un grand nez ?... Il pouvait faire ce qu'il voulait. Il pouvait sélectionner, envoyer quelqu'un au gaz ou ne pas l'envoyer, sauver quelqu'un. Nous en avons souvent parlé avec Orli et Ena : il avait des côtés très humains. On ne peut pas tout condamner en bloc. On ne peut pas dire que tous n'étaient que des assassins. C'étaient des assassins ! Mais par ailleurs, ils ont fait du bien.

« ... Une autre fois, c'était sous Mengele, j'ai obtenu le droit d'aller à Auschwitz pour aller voir mon mari. J'ai dit : “ Monsieur le Hauptsturmführer, ... puis-je aller avec le camion sanitaire à Auschwitz et aider les malades ? ” Et il a dit : “ Oui ”, et j'ai passé mon pain en fraude et je l'ai donné à mon mari (...). Je lui ai donné le pain, qui est tombé par terre. A ce moment-là un SS est passé, je ne le connaissais pas, et il a crié en direction de mon mari. J'ai eu peur, j'ai fait un saut pour le protéger et j'ai dit : “ Monsieur Oberscharführer, c'est moi qui apporte ce pain, c'est ma portion. Je suis infirmière et j'en ai le droit. ” Et rien ne s'est passé. C'était un miracle... Il aurait pu tuer mon mari. C'étaient des barbares. »

Les savoir-faire cosmétiques sont la base de la plupart des relations utiles que Margareta établit avec ses codétenues et même certains SS. Elle peut offrir ses services en échange de quelques avantages ou de nourriture.

« J'ai dit à Orli, à Ena et à Wanda Mende : “ Puis-je te masser un peu ? ” Bien sûr, elles trouvaient cela très agréable, cela améliore la circulation du sang et cela fait du bien à tout le monde. Et moi, cela m'a donné de la force, un peu de force parce que les autres voulaient bien de mes services, même les SS. Il y avait le Hauptsturmführer Weber, un homme plutôt faible et mou, le commandant de l'Institut d'hygiène SS à Rajsko. Il connaissait mon mari. Il m'a demandé : “ Glas, tu me feras un traitement du visage. Tout est préparé. ” Comment a-t-il su ? je ne sais pas... j'ai pensé, si jamais quelqu'un voit une juive faire un traitement à un SS, il n'en croira pas ses yeux...

« Et un jour, Maria Schmid, la kapo qui gardait les réserves de vêtements, m'a fait venir en secret et elle m'a dit : “ Voilà, tu ne feras plus de traitements de visage uniquement aux SS, mais aussi à moi. ” Et je n'aimais pas cette femme. Elle était allemande, très froide et calculatrice. Je crois qu'elle avait un triangle rouge, c'était une prisonnière politique. Elle s'est allongée sur un lit et j'ai dû lui faire un massage avec une très bonne crème qu'elle possédait.

« Il y avait tout dans les réserves de vêtements. J'ai regardé avec stupéfaction cette richesse. Il y avait tous les vêtements de ceux qui avaient été gazés et tout ce qu'on retirait aux nouveaux, au sauna... Oui, et moi, je l'ai massée, d'abord le front, après les yeux et le nez, finalement je suis descendue au cou, c'est vrai, j'ai pensé : appuie, appuie très fort pour que cette salope disparaisse. Après elle m'a royalement rémunérée. Elle m'a donné beaucoup de vêtements que j'ai pu distribuer aux autres filles. Et nous en avons gardé pour les civils qui nous apportaient la nourriture. »

Les biens acquis au moyen de ces services permettent à Margareta de participer au marché noir du camp, où elle réussit à « organiser » de quoi fabriquer des crèmes et des cosmétiques, et à fournir ainsi une clientèle composée de déportées et de SS. Margareta devient populaire parmi ses camarades, qui l'admirent pour sa beauté et son humour.

« Au camp, on m'appelait Dolly. Elles disaient toujours : " Dolly va bien, elle vient de Hollywood ", parce que j'étais jeune et que j'avais l'air assez bien et que j'avais beaucoup d'humour. Dès le jour où j'ai " organisé " un rouge à lèvres et que mes cheveux sont redevenus un peu plus longs, on m'a appelée Dolly. J'avais " organisé " le rouge à lèvres avec l'aide d'une fille de " Canada ". (" Canada " est le nom donné, par les déportés, aux réserves de vêtements et objets de valeur confisqués à l'arrivée au camp. Ce lieu fut le centre d'approvisionnement du marché noir.) C'était une fille qui était dans le même bloc que moi quand j'étais encore au camp principal, et je lui avais dit : " J'aimerais beaucoup avoir un rouge à lèvres. C'est pour moi le signe de la liberté… " Il y avait des femmes comme les Grecques qui, au début, étaient extrêmement belles, mais une fois tombées malades elles étaient vite complètement détruites. Et il y en avait d'autres qui faisaient très attention à se conserver, à " organiser " de la nourriture, éventuellement un pull-over parce qu'il faisait très froid. Elles faisaient attention aux aspects " matériels ". Je crois que si je m'étais laissée aller, je serais morte. Je crois que tout cela était lié à mon instinct de survie.

« Je me serais encore fardée même si j'avais su que je devais partir pour mourir. Et maintenant, encore, que je ne suis plus jeune, j'ai demandé qu'on m'arrange bien si quelque chose m'arrivait. Je voulais toujours être belle, plaire aux autres, et j'ai conservé ce désir en prison, à la forteresse de Theresienstadt et à Auschwitz. Autrement je n'aurais pas " organisé " ce foulard, parce que je me sentais très humiliée avec cette tête rasée. En prison où il n'y avait pas d'hommes, j'ai essayé de me teindre les cheveux… et j'ai toujours remarqué que les prisonnières qui se laissaient aller devenaient repoussantes et c'était terrible. Mon sentiment esthétique se révoltait contre cela... »

La permanence de l'arbitraire et l'impossible révolte

Décrire un camp de concentration en termes de marché noir ou comme un système dans lequel la maîtrise des règles du jeu permet d'accroître ses chances de survie ne doit pas pour autant faire oublier que le propre de l'univers totalitaire est précisément que les règles du jeu social n'excluent jamais le risque et l'arbitraire, qu'il n'est pas de comportement, aussi réussi soit-il, qui puisse assurer le succès à son auteur, et que les relations établies avec les dominants sont toujours aléatoires et révocables.

« En mai 1944 arrivèrent les convois venant de Hongrie... Et puis les réserves de gaz zyclone B furent épuisées... Et ils jetèrent des enfants vivants dans le feu. Nous avons entendu les cris. Des enfants brûlés, la fumée des cheminées en permanence. J'ai eu mes premiers cheveux blancs. Et à cette époque, Orli m'a raconté qu'elle... était très déprimée à cause de la fumée permanente des cheminées et à cause des cris des enfants. Et le lendemain, quand je suis allée dans sa chambre, j'ai entendu des soupirs terribles. Je suis entrée, elle était là couchée, inconsciente, et elle soupirait. J'ai couru voir une infirmière pour lui dire : “ Orli se meurt, il s'est passé quelque chose. ” Et on m'a envoyée voir Rohde et il m'a dit : “ C'est de ta faute si Orli a voulu se suicider. Tu lui as donné du poison. ” J'ai dit : “ Non, Monsieur le Hauptsturmführer, ce n'est pas vrai. ” Il m'a dit : “ Cela m'est égal, Glas tu vas être tout de suite transférée au bloc des morts, 25. ”

« Trois, quatre semaines plus tard est venue Toni, une prisonnière allemande qui dirigeait la pharmacie. C'était le côté diabolique, l'amplification des rumeurs dans le système des camps de concentration. Elle m'a dit : “ Je regrette de te dire qu'ils viendront te chercher dans une heure pour t'emmener à Auschwitz et pour t'opérer. ” Dans mes papiers d'“ arrestation préventive ” était précisé que j'avais une malformation au sein. Ena Weiss est venue et m'a dit : “ Voilà, Dolly, la fin approche. Tu as encore un vœu ? ”

" Oui, dites bonjour à Orli, rien d'autre. " On m'a emmenée à Auschwitz. Il y avait une grande salle. Quelques hommes étaient présents en tenue de prisonniers et ils m'ont dit — je comprenais déjà très bien le polonais — de me coucher sur le banc et puis ils m'ont attachée. L'un deux a dit : " Elle est jolie mais elle est juive, et elle restera toujours juive. " Ils ont dit cela en polonais. Et un grand SS en uniforme est entré, Hauptsturmführer Entress. Et il a dit : " Voilà, Dering, venez et assistez-moi. " J'étais inconsciente tant j'étais angoissée.

« Ils m'ont ouvert le sein, le sein droit, et Dering a dit : " Monsieur le Hauptsturmführer, laissez-moi faire la couture, maintenant. " Je ne sentais pas la douleur, j'ai failli perdre conscience... sans anesthésie, rien... Je n'ai presque rien senti, seulement quand Dering a commencé à coudre, j'ai commencé à sentir et à pleurer et à crier. Je ne sais plus combien de temps le tout avait pris. Une demi-heure, trois quarts d'heure. Je ne sais pas. Je me rappelle avoir entendu dire : " Donnez-lui deux calmants. "

« Wladislaw Dering, médecin polonais, était un chirurgien excellent. Mais il a fait des expérimentations diaboliques pour étudier les suites d'infection... Peut-être voulait-il analyser ce qu'il y avait dans mon sein. Peut-être voulait-il me couper, tout simplement, le sein. Oui ce Dering, cet antisémite, ce sadique, il m'a quand même sauvé la vie (en me fermant la cicatrice). Il faut quand même le dire, c'est comme ça.

« Et puis Ludwig Wörl est entré... ; c'était l'aîné du camp d'Auschwitz et le dirigeant de l'hôpital du camp... Il était communiste allemand, et il a aidé les juifs tant qu'il a pu. Et j'ai dit : " Ludwig, Ludwig, s'il te plaît, s'il te plaît, puis-je voir Schorschi une seule fois encore ? " Mon mari est entré sur des béquilles et il m'a dit : " Mon pauvre petit ange, il faut que tu survives. "

« Après, on m'a remise sur le camion d'ambulance et on m'a transportée dans un bloc... Je crois le bloc 8. Et j'étais couchée et je n'ai pas remarqué grand-chose de ce qui se passait autour de moi. Je me rappelle uniquement qu'Orli, Ena et Rohde étaient là, et Rohde a dit : " Glas est promue aînée du bloc 12 pour s'être comportée d'une façon particulièrement courageuse face à l'ennemi. " Mot pour mot, c'est ce qu'il a dit. »

Les moments de découragement

Grâce au « livre d'opérations » conservé dans les archives d'Auschwitz, on peut resituer précisément le moment de l'opération de Margareta Glas le 6 août 1943. Le médecin SS Friedrich Entress resta à Auschwitz de décembre 1941 à octobre 1943, et le chirurgien polonais Wladislaw Dering, connu pour avoir participé aux « expérimentations médicales » de médecins SS, travailla comme chirurgien-chef à Auschwitz d'août 1940 à septembre 1943.

Après cet événement, l'ordre chronologique se brouille dans la mémoire de Margareta. L'imprécision relative de ses souvenirs correspond à une période de découragement où elle va jusqu'à tenter de se suicider.

« Ella Klein était médecin de ce bloc 12 où nous n'avions même plus rien pour faire des bandages, nous voyions des vers sortir des blessures. Nous n'avions pas de thermomètre... Cela puait horriblement, et c'était une torture d'être forcée de voir tout cela. Le matin, il fallait chercher des couvertures, des bouts de tissu, des chiffons ; une partie des malades partaient, par peur de la mort ; mais elles n'allaient pas plus loin que 4 ou 5 mètres, après elles ne pouvaient plus. Il fallait laver les malades, on essayait de donner des chemises à celles qui étaient très gravement malades... Tous ces soupirs et toutes ces prisonnières en train de mourir ! Parfois on essayait d'"organiser " un peu de lait ou de thé. Au fond, on les laissait tout simplement crever. Des internés se jetaient volontairement dans les fils. Même les jeunes. Mais je crois qu'il s'agissait principalement d'hommes, très peu de femmes.

« Mais j'ai oublié de raconter une chose. Moi aussi, j'ai essayé d'avaler des médicaments. J'avais mendié pour les avoir, des Luminal. J'étais devenue inconsciente dans mon coin et les autres prisonnières ont appelé Orli, Ena et la docteur Hautval, elle aussi médecin, qui m'a fait vomir. J'ai été malade pendant des journées entières et je me sentais rejetée par tout le monde, y compris par Orli. »

Le découragement est aggravé par les rivalités entre internées autant que par les punitions des SS. Mais le contact avec celle qui avait dirigé l'orchestre du camp, Alma Rosé, nièce de Gustav Mahler, violoniste viennoise, aide Margareta à reprendre des forces. S'étant attachée à cette femme que sa sensibilité intellectuelle et artistique rend incapable de s'adapter aux conditions du camp et qui, faute d'avoir l'envie même de lutter, risque de succomber rapidement, Margareta tente de ranimer son courage et y gagne de retrouver ses propres forces.

« Alma Rosé fut transférée dans mon bloc. J'ai déjà parlé d'elle. Elle jouait dans l'orchestre des prisonnières. Et elle disait toujours, avec ce ton nasal typiquement viennois : “ Je ne peux plus voir cela. C'est pas possible que... que le monde continue à assister à ce spectacle. Où sont les Américains et les Anglais ? Pourquoi nous laisse-t-on crever ici ? ” Et je lui répondais à chaque fois : “ Alma, il faut que tu t'adaptes, autrement tu couleras. ”

« Tant qu'elle fut à l'orchestre des prisonnières, elle alla un peu mieux. Mais... elle ne pouvait pas se résigner au rôle de prisonnière. Elle avait trop de personnalité, qu'elle tenait de son père... Elle eut tous les symptômes d'une typhoïde. Peut-être est-elle morte d'autre chose, de méningite ou d'infection cérébrale. Je crois que c'était en avril 1944... Et je la suppliais tout le temps de ne pas être affectée aussi profondément par tout cela, sinon elle ne pourrait pas surmonter tout cela[14].

« J'ai déjà parlé de la forteresse de Theresienstadt où nous étions incarcérées avec des femmes-médecins très connues. Et c'étaient ces femmes qui abandonnaient le plus rapidement toute résistance. Elles n'avaient pas la force de lutter. Et Alma Rosé ne savait pas non plus lutter, peut-être ne voulait-elle pas lutter. Pour elle, c'était tout simplement l'enfer. Au fond, c'était l'enfer. Et je crois, au fond, qu'elle ne voulait plus vivre. »

14. F. Fénelon, *op. cit.*, décrit assez différemment A. Rosé et sa mort. H. Langbein, *Menschen in Auschwitz*, Vienne, Europa, 1972, lui aussi, relève plusieurs descriptions contradictoires du personnage et des circonstances de la mort d'Alma Rosé.

Les responsabilités et les compromissions d'une position « privilégiée »

On a vu que, dès son arrivée à Auschwitz-Birkenau, Margareta avait réussi à se faire accepter parmi l'élite, autour du médecin Ena Weiss et Orli Wald-Reichert, et qu'elle pouvait même compter sur une certaine complicité de la part des médecins SS. Cette « promotion » et la position relativement privilégiée d'aînée du bloc qu'elle avait acquise risquaient de l'éloigner des autres, dont elle avait par ailleurs besoin pour se procurer au marché noir des objets « Canada ». Sa position relativement privilégiée ne pouvait lui assurer certains avantages que dans la mesure où elle était assortie d'un travail envers les autres internées visant à conserver leur sympathie et leur soutien, et surtout à gérer les conflits et les jalousies qui, en tant que sources de désordre dans un bloc, risquaient de susciter des sanctions très sévères.

« Le bloc consistait en une seule pièce contenant quatre-vingts à cent malades, à deux, trois, parfois à encore plus par lit, il y avait des lits superposés. Et mon bloc était plus petit que les autres. Il y avait un tout petit poêle. Les tâches d'une aînée de bloc étaient très diversifiées. C'était différent chez les juives et chez les Aryennes. Les Aryennes avaient plus de liberté que les juives. Et nous avions en plus l'étoile, déjà, sur nos vêtements. Le devoir de l'aînée de bloc était de veiller à l'ordre. C'était notre affaire. Si le bloc était en désordre, si les lits n'étaient pas bien faits, les SS qui contrôlaient giflaient l'aînée. Moi, je ne savais pas faire cela. Je devais toujours demander aux services du bloc : “ Aidez-moi à faire les lits. Je n'y arrive pas. ” On avait des couvertures à carreaux dans la pièce de l'aînée.

« Elle n'était pas seule dans cette pièce. Il y avait encore une femme-médecin et deux ou trois filles de service. Entre cinq et six personnes. L'eau — “ à chaque gorgée, la mort assurée ” était inscrit sur le mur —, l'eau était empoisonnée. Nous prenions cette eau pour nous laver. On ne pouvait pas se laver beaucoup. Mais cela n'avait pas une grande importance. Tout puait tellement que l'on ne se rendait pas compte. De là mon désir de rouge à lèvres, quelque chose qui rappelle l'extérieur, quelque chose pour s'embellir.

« Le plus important, c'était l'ordre ; surtout en ce qui concerne les assiettes, les assiettes à manger. Il y avait des casseroles affreuses et une cuillère. Elles devaient être très propres et il fallait faire attention à ce que les prisonnières ne pissent pas dedans, ce qui arrivait. N'oubliez pas qu'il y avait des gens de la Russie des Carpathes et qu'ils faisaient peut-être cela chez eux. Parce qu'ils n'étaient pas civilisés. On le constatait sous bien des rapports. Ils ne faisaient rien contre la saleté, ils ne se lavaient jamais et ne veillaient pas à l'ordre.

« Un aîné de bloc était dans une position très dure. Il était responsable envers les SS et les punitions pouvaient être lourdes. Et en même temps, beaucoup de prisonniers lui étaient hostiles parce qu'ils croyaient qu'il occupait une position privilégiée, ce qui était partiellement vrai. Mais c'était une affaire à double tranchant, à triple tranchant.

« Bien sûr, j'étais mieux, rien qu'en ce qui concerne le sommeil. Car je n'étais pas forcée de coucher à côté des malades qui pouvaient mourir à tout moment. J'étais mieux, parce que je pouvais parler avec les autres filles dans une pièce fermée. J'étais mieux parce que, parfois, je prenais la liberté d'aller voir Orli et Ena Weiss... Et puis on avait certains contacts avec les kapos et les civils. On avait des informations sur ce qui se passait à l'extérieur.

« J'ai eu beaucoup de difficultés avec une Ukrainienne qui a frappé une juive. Celles-là étaient terriblement antisémites. Les prisonnières étaient souvent à deux ou trois dans un lit. Et cette Ukrainienne était là-haut, et tout d'un coup j'entends des pleurs et des cris, et je dis : “ Qu'est-ce qui se passe là-haut ? ” Et cette Ukrainienne se met à crier et à frapper la juive : “ Je ne partage pas le même matelas qu'une juive. ” Je lui ai dit de descendre et je lui ai fait répéter : “ Avec qui tu ne partages pas le même matelas ? ” “ Avec une juive. ” Au même instant est entré le Hauptsturmführer König, qui m'a dit : “ Tu n'as rien à dire ici ; qu'est-ce qui se passe ? ” Finalement, il a transféré l'Ukrainienne dans un autre bloc et il voulait envoyer la juive au gaz... Mais j'ai réussi à la sauver. »

Margareta Glas a sans doute suscité une certaine admiration, et même une certaine confiance de la part des SS et surtout des médecins chargés d'expérimentations humaines. Elle fut chargée du

« bloc des jumeaux » où étaient gardées les paires de vrais jumeaux pris comme objets d'étude par le docteur SS Mengele.

Si l'on peut parler de « compromission » dans le camp, ce mot prend tout son sens dans le Revier, où des médecins déportés étaient associés au travail de sélection. Chargé, dans ces moments-là, de décider de la vie ou de la mort, le personnel médical issu des prisonniers, par souci d'éviter le pire, procédait souvent à des présélections clandestines.

« Un jour, Orli, qui était l'aînée du camp, me prit à part et me dit : " Ecoute bien... il faut que nous te mettions au courant : ils sont venus faire une inspection et ils ont mis les malades mourants sur des voitures. " Bon, il fallait les changer. Celles dont on savait qu'elles ne pourraient pas survivre à coup sûr, l'aînée les inscrivait. Et parfois on réussissait. Si on s'en était aperçu, on l'aurait tuée...

« Avec Rohde, ces changements étaient particulièrement faciles... Je ne sais plus comment Orli et les autres médecins s'y prenaient. Je n'y connaissais rien. Mais je sais qu'elles mettaient les " musulmans " qui avaient la typhoïde dans les lits où elles savaient que Rohde ou Mengele les prendraient à coup sûr. " Musulman ", c'est ainsi que l'on appelait les déportées à bout de force, affaiblies, et qui ne montraient plus aucune volonté. Et les autres, celles qui étaient en meilleure santé, elles les cachaient ailleurs.

« ... Un jour Rohde a sélectionné une prisonnière qui avait été avec moi en prison à Prague. Elle s'appelait Beda. Et j'ai couru comme une folle. Elle était sur le chemin du bloc des morts. Et j'ai couru voir Rohde et, je me souviens maintenant, j'ai dit : " Monsieur le Hauptsturmführer, elle a partagé la même cellule que moi. De plus, c'est une politique. Ce doit être une erreur. " Elle est revenue et elle est morte de typhoïde plus tard.

« Les sélectionnées, on ne les transportait pas immédiatement ailleurs. Elles restaient debout dans un coin... au fond assez indifférentes... Beda pouvait encore marcher. Je la vois encore devant moi. Mais même alors qu'elles étaient encore capables de marcher, elles étaient indifférentes. Je ne peux rapporter rien d'autre : le silence... C'était la même chose avec la sélection de Mengele au sauna, avec 2000 prisonniers. Personne ne bougeait — ce qui étonnait beaucoup —, même pas ceux qui avaient un peu de force. »

Il reste indéniable que la participation, même lointaine, à l'extermination ne peut pas ne pas laisser des traces durables dans la conscience et le caractère. C'est cela même qu'exprime Margareta quand elle affirme que la condition de la survie était une forte « désensibilisation » à la misère sur laquelle on n'a aucune prise. Et tandis que les médecins SS se réfugiaient, après les sélections, dans l'alcool ou dans un esthétisme privé, les survivants des camps payent encore aujourd'hui le prix de leur survie, lorsqu'ils se plaignent de troubles produits par leur mauvaise conscience et qui se résument à une sorte de sentiment de culpabilité envers tous ceux et celles qui n'ont pas survécu.

Désensibilisation psychique et relations affectives

La censure et la répression que les internés devaient imposer continuellement à leur propre sensibilité pour s'adapter à la fréquentation quotidienne de la souffrance et de la mort et pour survivre finissaient, à la longue, par produire en eux une certaine habitude, et même de l'indifférence face à la misère humaine, si bien que, de manière tristement paradoxale, le titre d'un célèbre discours de Himmler, « Cela nous a rendus forts », qui attribue la force des troupes SS à leur expérience des camps, s'applique aussi bien aux persécutés qu'aux persécuteurs.

Cette sorte de désensibilisation, qui constitue la meilleure sinon la seule protection contre le désespoir, ne réduit en rien les besoins affectifs et sexuels. Dans une certaine mesure, des contacts sexuels étaient possibles quand des déportés du camp des hommes venaient dans le camp des femmes pour exécuter certains travaux, et aussi dans les blocs hospitaliers. Mais les activités sexuelles n'étaient possibles qu'à ceux ou celles qui, grâce à une situation relativement privilégiée, avaient conservé un minimum de forces physiques : « Les préoccupations sexuelles étaient exclues dans un tel état physique (dans le cas des “ musulmans ”). Elles n'existaient que pour ceux qui étaient relativement bien nourris et qui n'avaient pas directement peur de la machine à exterminer. En premier lieu, il s'agissait d'internés d'origine allemande ; non seulement parce que les prisonniers allemands n'avaient guère à craindre la chambre à gaz, mais encore parce que ces prisonniers revoyaient pour la première fois des femmes après des années d'internement — en cela, les " criminels " ne se distinguaient guère des politiques. L'atmosphère qui régnait dans le camp faisait disparaître toutes les inhibitions[15]... »

En dépit de toutes les sanctions et interdictions, ce groupe de privilégiés trouvait le moyen d'entrer en contact avec les internées du camp des femmes. Ella Lingens écrit que toute femme en mesure de se nourrir et de se soigner, grâce à sa position, avait un ami, et qu'un nombre important d'enfants naquit dans le camp. Nombre de femmes durent leur salut à une telle liaison, car les hommes capables de pénétrer dans le camp des femmes étaient généralement très habiles dans l'art d'« organiser ». Krystyna Zywulska écrit que le rôle joué par les fleurs dans la vie courante était tenu, au camp, par un peu de margarine[16]. Margareta parle également de ses « affaires » avec plusieurs déportés. Incapable de définir s'il s'agissait alors de sentiments ou de la simple satisfaction d'un besoin biologique, Margareta relate également, avec désarroi, un avortement comme si elle ne pouvait toujours pas comprendre de quelle manière elle avait pu tomber enceinte.

« Je crois qu'il est bien connu que des hommes venaient d'Auschwitz au camp des femmes pour faire des réparations. Il y en avait un, Jupp. Et Jupp était vraiment amoureux de moi et moi de lui. On était dans ma pièce et il a dit : " Dis aux autres de sortir pour que je puisse au moins te dire à quel point je t'aime. " Et nous avions une pièce pour les aînées de bloc et on pouvait demander aux autres : " N'entrez plus, j'aimerais être seule pendant dix minutes. "

« Et là, à l'instant, j'essaie de me rappeler et je me rends compte que je ne suis pas tout à fait sûre si nous avions vraiment une relation érotique — si on en avait une —, mais peut-être pas jusqu'au bout, ou alors était-ce un rêve, un fantasme ?

« De toute façon, mes règles s'arrêtaient. Et bien évidemment, si j'avais été enceinte d'un Allemand, on nous aurait immédiatement envoyés au gaz. C'est clair. J'aurais dû donner le nom du père. Et puis je me suis confiée à Ena et, je crois, également à Hautval. Et

15. H. Langbein, *op. cit.*, p. 452.
16. Cité par H. Langbein, *ibid.*, p. 452.

elles m'ont énormément aidée. Je ne me rappelle que de cette phrase d'Ena : " Dolly, il faut que ça disparaisse, sinon on le découvrira. Hautval et moi-même, on s'en occupera. "

« Le lendemain, un médecin SS est passé — Mengele ou Thilo ? — et a dit : " Qu'est-ce qui se passe avec la Glas, pourquoi reste-t-elle au lit ? " Et je crois que la doctoresse du bloc a immédiatement dit : " Elle a une fièvre élevée et nous l'avons empêchée de se lever. " Et Mengele s'est satisfait de cette réponse.

« Pour moi, c'était une histoire très grave. Vous savez à quel point j'aimais Orli, et puis arrive cet homme, amoureux, gentil et montrant beaucoup de compréhension. Je sais qu'il est mort à Gross-Rosen. Il était menuisier avec de grands yeux foncés. Complètement rasé. C'est l'image que je garde. Et on s'est retrouvés dans ma pièce et nous nous sommes embrassés — et je me rappelle exactement ses mots : " Quel miracle de t'avoir trouvée ! " Et moi aussi, j'ai toujours dit la même chose... Mais c'était tout sauf ça ! Ça, je crois que c'était dans mon imagination. Je n'ai pas d'explication. Nous avons eu une relation intime, y compris sexuelle, mais sans aller jusqu'au bout. Mais je n'en suis pas tout à fait sûre ; seul mon avortement et les saignements, ça ce sont des faits. »

L'apparente confusion dans ce passage de son récit renvoie à l'extrême risque que constituait pour une juive une grossesse, synonyme de mort pour l'enfant et elle-même. Mais le traumatisme infligé par cet avortement renvoie aussi à son désir profond de maternité et de reproduction biologique, désir que son mari avait toujours refusé de satisfaire. Les rares enfants visibles dans le camp rappellent la vie, l'innocence et l'attachement affectif sans arrière-pensées.

Un des événements qu'elle raconte avec le plus de joie est la naissance de Dagmar, peu avant la libération du camp, quand les nouveau-nés n'étaient plus systématiquement tués [17].

17. Les enfants mis au monde par les déportées devaient, en règle générale, être tués. Le premier bébé, une fille, enregistré avec un numéro dans les registres du Revier est né le 18 septembre 1943. Toutefois, les meurtres de bébés continuèrent jusqu'en septembre 1944. Plus tard, les naissances seront tolérées. (E. Lingens, *Eine Frau im Konzentrationslager*, Vienne, Europa, 1966, pp. 27-29.)

« Irmchen J. a même mis au monde un enfant d'un déporté. Quelle joie ! Et les filles ont demandé au médecin SS König : " Ne pourrions-nous pas l'appeler Dagmar ? "

« " En aucun cas ! D'où vous vient cette idée ? Je ne l'autorise pas. "

« Plus tard, on a su qu'il était marié avec une Suédoise nommée Dagmar et qu'il ne voulait pas qu'un bébé de déportée porte le même nom. Irmchen n'a plus posé de questions et nous avons toutes appelé son enfant Dagmar. »

Autre événement marquant dans le récit de Margareta et qui souligne l'importance des enfants : l'« adoption » de Judith, petite fille déportée à Auschwitz en 1944, dont elle s'occupera jusqu'à la libération du camp[18].

« Un jour j'ai reçu un message de mon mari de Auschwitz : " Je suis ici avec un M. Kormes de Erfurt, et sa fille doit être chez toi au Revier. S'il te plaît, cherche-la, elle s'appelle Judith. " Un soir, je suis allée voir dans le bloc dirigé par deux asociales, c'était un bloc d'enfants. Il n'y avait que des enfants, mais seulement des enfants aryens ou métissés. Les enfants paraissant forts et en bonne santé, les SS les ont souvent envoyés au camp.

« Judith y est arrivée de la manière suivante : sa mère, une aryenne, vivait à Erfurt, et le père et l'enfant ont été arrêtés. Les deux ont été déportés, le père à Auschwitz, Judith à Birkenau.

« Alors j'arrive dans ce bloc des asociales et il y avait tous ces enfants, et une petite fille mignonne, aux cheveux longs et blonds n'a pas arrêté de pleurer. Je suis allée la voir pour lui demander : " Qu'est-ce qui ne va pas ? Tu as mal ? "

« Et elle m'a dit : " Partout, ça me gratte. Je ne tiens plus. " Elle était pleine de poux. " Comment t'appelles-tu ? " " Judith. "

« Et j'ai porté Judith dans notre bloc où nous avions un peu d'essence, et nous l'avons nettoyée des poux comme ça et lui avons coupé les cheveux. Elle avait sept ans et demi ou huit ans. Et nous lui avons donné le rôle de Läuferin (des " coursiers ", de jeunes déportés assurant la communication entre différents blocs et commandos de travail) : on lui a donné un sifflet et dès qu'il y avait quelque chose, elle devait courir d'un bloc à l'autre pour porter des messages.

18. Judith Kormes, née en 1936 à Erfurt, vit actuellement en Israël.

« Et j'ai pu faire dire à mon mari que j'avais trouvé Judith et que je l'avais auprès de moi. Une fois, le vieux Kormes a essayé de venir nous voir au camp des femmes. Mais il n'a pas réussi. »

Etant donné la rareté des contacts possibles entre hommes et femmes, les relations homosexuelles étaient les plus courantes [19], relations souvent à l'origine de la formation de couples et de liens quasi familiaux. Si Margareta reste indécise sur ses véritables sentiments dans ses affaires avec les déportés hommes, elle parle sans hésitation d'« amour » quand elle évoque sa relation avec Orli.

« L'instinct de survie est un instinct extraordinairement fort. Au camp, c'était l'instinct le plus fort. Et c'était lié à la nourriture. Et il y avait aussi un besoin énorme de tendresse, de tendresse d'un homme ou d'une femme, peu importe. Et Orli était mon grand amour. Et cela ne me gêne pas de le dire... si l'on pense en psychologue, on comprendra. C'était affreux. Nous manquions de chaleur, de chaleur humaine et de l'affection dont on avait l'habitude depuis l'enfance. Et plus tard du mari. C'était atroce. C'est pour cela qu'on s'attachait à quelqu'un. J'ai déjà parlé au début de mes sentiments pour Orli, quand je l'ai vue pour la première fois... Jamais il n'y avait dans son visage cette brutalité si fréquente chez les internés, jamais de brutalité ou d'avidité, d'avidité de nourriture, de choses matérielles de la vie. Jamais elle n'avait ces traits-là sur son visage ; Ena Weiss non plus.

« Une nuit, j'ai demandé à Orli la permission de rester avec elle. Et je me suis couchée auprès d'elle... Et cette nuit-là, le ciel était tout rouge et je ne sais pas si c'était le feu que faisaient les SS qui brûlaient des enfants juifs ou si le commando spécial brûlait tous les cadavres. Malgré tout cela, je n'étais pas malheureuse, bien au contraire. Pendant cette nuit-là, j'ai été très heureuse parce que je pouvais être avec Orli. Et je lui ai souvent dit : “ Tu es l'être que j'aime le plus au monde, homme ou femme. ” Je crois que j'étais déchaînée ou remplie de tendresse... Je crois qu'Orli l'a fait par pitié ou par sympathie pour moi et parce qu'elle disait souvent : “ Tu es très jolie, Dolly. Tu as un visage très joli. ” Et puis aussi parce que j'étais juive et que je me faisais toujours du souci pour Schorschi et que beaucoup de choses y contribuaient... que l'on ne

19. E. Lingens-Reiner, *Prisoners of Fear, op. cit.*, pp. 106-107.

peut pas décrire avec des mots. Mais c'était comme cela. Et c'était comme cela pour beaucoup d'autres internées, je crois... Et c'était bien comme cela. »

Les liaisons amoureuses n'étaient jamais tout à fait dépourvues de risque, le risque étant moins d'être découvert que d'être dénoncé par un des partenaires. En effet, on a vu que les SS parvenaient, en encourageant la dénonciation par des promesses de gratifications matérielles ou de récompenses et en exploitant les jalousies, à développer un système très subtil de contrôle des internés par eux-mêmes.

Un épisode rapporté par Margareta souligne la fragilité des « amitiés » dans cet univers. En tant qu'aînée de bloc, elle avait demandé à un détenu du camp des hommes, Albert, qui venait faire des travaux à Birkenau accompagné d'un SS, de lui apporter du bois de chauffage. Un jour elle est arrêtée et accusée d'avoir animé un bordel avec des filles sous sa dépendance. Seuls l'intervention et le témoignage de toutes les détenues « privilégiées » de Birkenau l'empêchent d'être fusillée. Pour se défendre, deux détenues asociales, enceintes du SS qui accompagnait Albert, avaient accusé Margareta de les avoir contraintes à se prostituer.

« ... Un des premiers que j'ai revu était Albert, le triangle vert. Et je lui ai dit : " Albert, on m'a libérée, je peux rentrer au camp. " Et il m'a dit : " On te dira que je t'ai trahie, mais c'est faux. " Mais c'était juste. Pourquoi ? L'amitié qu'il avait pour le Unterscharführer et qui lui avait procuré beaucoup d'avantages l'avait poussé à me rendre coupable des actes des deux filles asociales. Comment l'expliquer autrement ? »

Le privilège, l'entraide et la dénonciation se côtoyaient très étroitement dans cet univers. Et l'irruption de l'arbitraire pouvait à tout moment détruire des équilibres précaires. Ces conditions étaient peu favorables à des relations affectives durables et faites de confiance mutuelle.

Les derniers mois

Un désordre croissant et un changement fréquent de blocs caractérisent les derniers mois dans le camp. En automne 1944, Margareta Glas est transférée dans les camp des Tziganes, qui avaient tous été exterminés.

« Quel énervement et quel désordre, même parmi les SS, parce que les Russes étaient très près. Tout le temps des ordres contradictoires. Tout le temps : “ Rentrez au bloc ! — Sortez du bloc ! — Rentrez au bloc ! ” » Que faire face à des rumeurs aussi contradictoires que l'annonce que les SS allaient faire sauter le camp, ou, au contraire, que rester au camp était le seul moyen d'échapper aux troupes allemandes et aux SS qui se retiraient ? Après la dissolution de fait du contrôle SS, les internés des camps pour hommes et pour femmes peuvent discuter les possibilités qui leur sont offertes. Après en avoir débattu avec des amis, Margareta rejoint avec Judith les colonnes des évacué(e)s. Finalement, Margareta et Judith sont abandonnées au camp d'Auschwitz, les mères avec des enfants n'étant pas acceptées pour l'évacuation.

Après avoir retrouvé son mari, Margareta s'installe avec Judith et d'autres déportés, plus libres sans être encore libérés, dans un des hébergements des ex-gardes SS : les premiers moments de liberté sont difficiles. Où aller ? Que faire ? Dix jours passeront avant l'arrivée des troupes soviétiques.

De plus, la libération correspond à la douloureuse séparation d'avec Orli et à la prise de conscience de la profonde transformation subie au camp, à l'impossibilité aussi de reprendre avec son mari une vie « normale », comme avant.

« Dans cette pièce, nous étions de nouveau homme et femme. Quand mon mari s'est approché de moi, j'ai eu un choc. Tout simplement, je ne pouvais pas... J'étais terrifiée de ce qui m'arrivait, mais je n'en étais pas capable. Je ne peux pas le définir. Mais, très probablement, je n'étais pas la seule femme à avoir eu cette réaction... Plus tard, la relation avec mon mari s'est améliorée, mais elle n'est plus jamais redevenue ce qu'elle avait été avant. Et tout d'un coup, nous avons vu des internés courir comme des fous ; ils apportaient de la nourriture. Et mon mari a voulu partir avec eux. Ils avaient trouvé d'énormes réserves appartenant aux SS, du champagne, de la viande et des saucisses, et un tas d'autres choses. Et j'ai prié mon mari : “ S'il te plaît, ne mange rien. Tu ne le supporteras pas. ” Et moi non plus, je n'ai rien mangé. Heureusement, car la plupart de ceux qui avaient mangé en sont morts.

« Nombre de prisonniers voulaient partir, sans vraiment savoir où aller. Ils ne savaient ni où aller, ni si nous étions vraiment déjà libres. Mais ils voulaient partir. Plusieurs d'entre eux sont partis et ont été fusillés. Dans les forêts environnantes, des SS étaient encore rassemblés. »

Après plusieurs mois passés à Auschwitz et après de multiples complications (entre autres, l'accusation de collaboration avec les SS portée par d'autres internées contre Margareta et une tentative des Russes pour inciter Margareta à dénoncer à son tour les « collaboratrices » parmi les internées), Margareta, Georg et Judith réussissent à rentrer en Tchécoslovaquie en passant par Katowice. Malgré leurs difficultés relationnelles, Margareta et Georg veulent adopter Judith pour lui procurer une vraie vie de famille.

« Entre-temps, j'avais envoyé deux amis à Berlin pour chercher Orli. Et ils l'ont trouvée et lui ont raconté que Judith était avec moi.

« Le jour même où mon mari est allé à Prague discuter avec l'avocat de l'adoption, on sonne. Je vois Orli devant moi avec un fichu sur la tête, et derrière elle deux hommes. J'ai commencé à crier comme une folle et puis elle m'a dit : “ Tu as eu les yeux grands comme des assiettes. ” Folle de joie et complètement sous le choc. Elle m'a dit : “ Regarde, c'est le Kormes, le père de Judith, et Horst, il était aussi déporté à Birkenau. Maintenant, il est président de la police à Erfurt et le père de Judith est le vice-président. ” En voyant son père, Judith est devenue toute pâle, blanche comme de la craie. Et elle a crié : “ Papa, papa ! ” Et il l'a prise dans ses bras : “ Oui, Judith, tu viendras avec moi et demain nous rentrerons à Erfurt. ” Et c'était affreux. Car le lendemain, l'enfant est partie. Orli est restée plusieurs jours. »

L'espoir de reprendre les biens et la vie d'avant-guerre s'écroule aussi vite que celui de construire une vie familiale autour de Judith.

« Nous sommes rentrés à Cvikov. Nos vieux employés étaient toujours sur place, et puis il y avait des Allemands qui habitaient notre maison. En principe, ils auraient dû partir tout de suite. Je lui ai dit : “ Madame — elle était de Berlin et je lui ai donné trois jours — je ne voudrais pas être trop dure, mais s'il vous plaît, disparaissez d'ici ! Nous rentrons des camps et nous n'avons plus rien. ”

« A Cvikov, mon mari a repris l'usine, pendant peu de temps. Très vite s'est formé un comité d'entreprise, entièrement tchèque, et Schorschi n'avait plus rien à dire. En 1948 finalement, nous avons dû repartir. On nous a vraiment chassés. Bien que nous fûmes autrichiens et non allemands, et malgré notre déportation, ils nous ont fait comprendre que nous devions disparaître. Une fois de plus, mon mari et moi sommes partis à Prague avec en tout et pour tout deux couvertures. »

A Vienne et en Autriche, aucun de leurs proches parents n'a survécu ; reprendre contact avec les beaux-parents à Londres est inimaginable, vu ce qui s'était passé entre eux au moment de leur émigration. Devant eux s'ouvre un vide, ce qui accentue les tensions dans leur couple ; tensions issues d'une aliénation sexuelle irréparable. Quand le retour ne mène nulle part, et que la séparation et l'éloignement disloquent les liens affectifs noués dans le camp, la libération si désirée projette les anciens déportés dans un vide fatal pour les uns, point de départ d'un nouvel effort pour les autres. Georg Glas s'enfuit d'abord à Paris, dont il gardait le souvenir d'une année d'études heureuse pendant sa jeunesse. Mais, perturbé par la solitude dans cette ville où il ne connaît plus personne, il rentre à Vienne en 1949, où il se suicide cette même année.

Margareta part pour Stockholm chez son frère, où elle reconstruit une vie indépendante grâce de nouveau à ses connaissances en cosmétique. Après peu d'années, elle réussit à ouvrir son propre salon, qui recrute sa clientèle dans les milieux mondains, politiques et intellectuels de la capitale suédoise, y compris certains cercles d'émigrés autrichiens en situation d'attente avant la décision de rester ou de retourner. Dans la colonie autrichienne, elle se lie d'amitié avec Vera et Bruno Kreisky, qui l'aident beaucoup et qu'elle continuera à voir à son retour en Autriche.

En 1957, elle se remarie avec un journaliste suédois. Après quatre années de difficultés et de conflits avec son mari au bord de l'alcoolisme et de la toxicomanie, le divorce est prononcé en 1961. Une fois de plus, Margareta, se retrouvant seule, décide un changement radical de sa vie ; elle abandonne son salon et rentre à Vienne, où les quelques amis connus à Stockholm l'aideront à reprendre ses activités de cosmétique et à ouvrir un salon.

« Pendant ces années de prison et de camp, j'ai toujours gardé espoir. Et je continue à dire : ce temps horrible et terriblement difficile ne m'a pas aigrie, mais il m'a transformée en un être humain, en un être réellement humain. »

Au terme du récit éprouvant qui fait resurgir les moments les plus difficiles, les plus horribles de sa vie, Margareta fait preuve d'une sorte de sagesse qui réinterprète toutes les souffrances vécues et toutes les atrocités subies en termes d'expérience marquant à jamais le rescapé d'une dimension humaine exceptionnelle. Le témoignage s'est révélé être une forme d'objectivation : l'absence de termes de haine, la généralisation, en plusieurs endroits du récit, de l'expérience individuelle, tout indique la distanciation du regard de Margareta sur elle-même. Et si cet entretien-témoignage, qu'elle avait elle-même demandé, n'a pu dissiper le syndrome du survivant, il a permis du moins à Margareta de parvenir à une version positive de son histoire, en assumant et en s'appropriant des comportements faits pour la déposséder de tout.

2. *Berlin : Ruth*

« Non, je ne pourrais pas haïr. Je pense seulement : pauvre humanité. Et encore : je préfère mille fois être parmi les persécutés que parmi les persécuteurs. Mais malgré tout, je ne peux condamner personne, car je me pose toujours la question : comment me serais-je comportée à la place des autres ? Je ne le sais pas. On ne peut jamais le savoir. »

(Ruth A., à la fin de l'entretien en juin 1984.)

Nulle part la montée du nazisme à la direction du pays n'a pu être observée aussi directement qu'à Berlin. Mais en même temps, la vie anonyme dans la grande ville semblait offrir de plus amples possibilités d'échapper aux tracasseries quotidiennes. Nulle part ailleurs aussi, les victimes désignées du régime, les juifs, ne se sont autant saisies de chaque « indice » d'amélioration pour maintenir des illusions sur la vraie nature du régime et sur son avenir. Il est connu que l'administration nazie avait réussi à imposer à la communauté juive une part importante de la gestion administrative de sa politique antisémite, comme la préparation des listes des futurs déportés ou la gestion de certains lieux de transit et l'organisation du ravitaillement pendant les convois. Les représentants de la communauté juive se laissèrent amener à négocier avec les autorités nazies, espérant d'abord pouvoir infléchir la politique officielle, plus tard « limiter les dégâts », pour finalement aboutir à une situation dans laquelle s'était effrité jusqu'à l'espoir de pouvoir négocier un meilleur traitement pour les seuls juifs berlinois. Ainsi la situation berlinoise illustre particulièrement bien le rétrécissement progressif de ce qui est négociable, et aussi l'écart infime qui sépare parfois la défense du groupe et sa résistance, de la collaboration et de la compromission. Est-il étonnant alors qu'un historien du nazisme aussi éminent que Walter Laqueur ait choisi le genre du roman pour rendre compte de cette situation inextricable[1] ?

Face à ce souvenir, le silence semble s'imposer à tous ceux qui veulent éviter de blâmer les victimes. Et certaines victimes, qui partagent ce même souvenir « compromettant » sont, elles aussi, vouées au silence. Aussi le déroulement même de cet entretien reflétait moins la difficulté de parler d'une expérience traumatisante en soi que celle d'évoquer un passé qui reste difficile à communiquer, de le faire comprendre, de le transmettre à tout étranger au groupe concerné. Car, plutôt que de risquer un malentendu dans une question aussi grave, ne vaut-il pas mieux s'abstenir de parler ?

Après une prise de contact par l'intermédiaire de son médecin traitant, Ruth A. m'avait accordé sans hésiter un entretien. Le premier rendez-vous eut lieu, au mois de novembre 1983, dans son appartement, tout comme les suivants. Comme elle l'avait précisé au téléphone, cette première rencontre devait seulement permettre de « faire connaissance ». Un entretien destiné à recueillir l'histoire d'une vie nécessite une relation de confiance. Et, comme dans d'autres cas, ce premier rendez-vous confirmait que, pour réussir dans une telle entreprise, l'interviewé choisit son enquêteur tout autant que l'inverse. « Pouvez-vous me dire ce que cela veut dire : être juif ? » fut une des premières questions que Ruth me posa avec insistance dès notre première rencontre. Et cette question resta présente pendant tout l'entretien. Après que je lui eus expliqué mon projet, nous décidâmes de nous rencontrer plusieurs semaines de suite pendant environ quatre heures. Mais avant la deuxième rencontre Ruth m'avait déjà téléphoné pour demander un délai de réflexion. Certes, elle avait été témoin lors de deux procès, mais elle craignait, en parlant de sa vie, de rouvrir les plaies d'une période qu'elle avait « surmontée ». Et, plus largement, elle mettait en question le sens même d'un retour sur ces thèmes, quarante ans après. C'est en insistant sur les autres contacts pris pour mener ma recherche à Berlin, auprès de la communauté juive et à l'Université, que j'ai pu amener Ruth à revenir sur son hésitation.

Trois mois plus tard et d'une façon parfaitement inattendue, un autre obstacle surgit. Une jeune amie de Ruth, que par ailleurs

1. W. Laqueur, *Jahre auf Abruf,* Stuttgart, DVA, 1983.

j'avais rencontrée dans un contexte tout autre, avait supplié Ruth « de ne pas se livrer au récit de sa vie dans le cadre d'une recherche ; car un tel exercice risquait de détruire toute sa vie privée ». Au cours d'une discussion animée, cette amie de Ruth m'avait exposé ses réserves vis-à-vis de ces recherches historiques, et en particulier à l'encontre de ces chercheurs et journalistes qui « viennent se balader avec un micro et exproprient les victimes de leur souffrance pour s'enrichir avec la publication de celle-ci ». De plus, et surtout lorsqu'il s'agit de minorités, certaines réalités ne pouvaient être comprises, ajoutait-elle, que par ceux et celles qui les avaient vécues. Elle avait invoqué d'autres raisons d'ordre plus général pour dissuader Ruth de continuer l'entretien, à savoir les effets partiellement négatifs de la recherche en sciences humaines sur la vie privée[2].

Ces obstacles à l'entretien m'ont également obligé à expliciter mes propres intentions de recherche. Les discussions qui en résultaient devaient révéler le sens que revêtait, dans le contexte précis de l'opposition à cette recherche, le terme « domaine privé ». Dans les discussions menées séparément avec Ruth et avec son amie, j'ai découvert que, dans une certaine mesure, Ruth avait organisé toute sa vie sociale autour de la possibilité, non pas de pouvoir parler de son expérience concentrationnaire, mais d'éprouver un sentiment de sécurité en étant comprise sans avoir à en parler. De fait, elle avait discuté avec des amis et des connaissances de sa participation à cette recherche, acceptée avec enthousiasme après les hésitations du début. Dès lors, le déroulement de l'entretien était aussi fonction des jugements portés sur cette recherche et sur son utilité par chacun d'eux. Celle qui avait alors voulu dissuader Ruth de continuer dans cette entreprise savait, par son expérience propre, à quel point il est difficile de se faire comprendre. Née d'un « mariage mixte » entre un père juif et une mère non juive qui avait demandé le divorce pendant les années 1930 pour des raisons de carrière, très attachée à son père qu'elle ne retrouva qu'en 1945 après avoir vécu les bombardements avec sa

2. Notons que l'entretien a commencé au moment de la controverse, en Allemagne, concernant les effets de l'informatisation croissante sur la vie privée des citoyens à l'occasion du recensement général. Le sujet de la polémique s'étendait très vite aux sciences sociales plus généralement et, plus particulièrement, aux récits de vie.

mère à Berlin, elle opta après la guerre pour la judéité, choix qui doit être compris moins comme un engagement religieux que comme la volonté délibérée de se situer du côté des minorités faibles et opprimées. On comprend mieux alors sa méfiance face à toute parole rapide ou simpliste sur ce passé.

Ce qui unit avant toute autre chose les survivants d'un camp de concentration, c'est l'expérience d'une persécution extrême à une période donnée de leur vie. C'est ce même souvenir qui est un des ciments les plus forts de la communauté juive berlinoise et allemande actuelle. Il en résulte la reconnaissance d'une nécessité de la cohésion du groupe contre toute agression potentielle. Mais celle-ci ne saurait voiler la grande diversité des représentations qu'ont les individus de leur lien au groupe. Ces conceptions, elles aussi, sont façonnées par l'histoire, et mettent en jeu des jugements contradictoires sur le comportement des instances dirigeantes de la communauté pendant le nazisme. C'est dire que tout entretien « individuel » met en jeu, indirectement, une multitude de définitions du groupe et de liens au passé.

En ce sens, il serait erroné d'assimiler les obstacles rencontrés lors de cet entretien aux effets d'une sorte de contrôle organisé de ce qui peut et ne peut pas être dit sur le passé. Au contraire, ces obstacles et les discussions qu'ils ont provoquées ont mis au grand jour l'inscription de toute histoire et de toute mémoire individuelles dans une histoire et une mémoire collectives.

Perspectives d'avenir et horizon politique

Née en 1904 en Rhénanie, à Düsseldorf, Ruth passe sa jeunesse dans une famille de la petite-bourgeoisie juive assimilée. Son père, cadre commercial dans une maison d'édition, est mobilisé dès le début de la Première Guerre mondiale. Sa mère doit alors prendre les responsabilités d'un chef de famille et « traverser ces années de famine avec trois enfants ». Son éducation est « tolérante et libérale, sans références religieuses ». A l'école, pendant les années de guerre, Ruth partage l'enthousiasme patriotique de toutes ses camarades. Elle ne connaît pas la discrimination et son appartenance juive lui vaut même indirectement d'être décorée à la fin de la Première Guerre mondiale.

« Comme tous les enfants, j'étais pleine d'enthousiasme pour tout ce qui concernait l'Allemagne. Comme nous tous, j'avais une conscience patriotique et nationale. Etant la seule juive de l'école, je devais distribuer les journaux pendant les heures d'instruction religieuse. Et la meilleure, c'est qu'à la fin de la guerre, on m'a attribué une médaille d'honneur. Distribuer les journaux était un acte patriotique. Devant toutes les élèves convoquées dans la cour de l'école, la petite juive fut ainsi décorée. C'était même très cocasse. »

Après la guerre, l'inflation galopante appauvrit la famille de Ruth, qui, habituée jusque-là à un train de vie confortable, doit affronter la faim. La politique n'occupe pas une place centrale dans le récit de Ruth. Elle se rappelle l'occupation « avec panache » de la Ruhr par les troupes françaises. Bien plus importante que la politique est la recherche, à une époque sombre et pauvre, d'un peu de bonheur, d'un peu de liberté personnelle. C'est ainsi que Ruth rend compte de son premier mariage au milieu des années 1920, qui coïncide avec une certaine amélioration matérielle du sort de sa famille, au moment de la stabilisation économique entre 1924 et 1929.

« Dans l'entourage de mon père, j'ai fait la connaissance de mon premier mari, cadre commercial dans l'édition lui aussi. On a sympathisé et un soir, après quelques verres, on s'est dit, comme ça, pour s'amuser : on va se marier. Se marier, cela libère de la famille et cela permet de faire tout ce qui, auparavant, était interdit. »

En 1927, le jeune couple déménage à Berlin où le beau-père de Ruth possède une maison d'édition qui, à la fin des années 1920, prend un essor florissant. En 1930, elle rencontre, lors d'une consultation, Karl A., un médecin qui devait devenir son second mari. Ce « coup de foudre » transforme profondément sa vie. Cet amour lui permet de mieux se découvrir elle-même et l'encourage à s'affirmer davantage. Ainsi, elle entre dans le monde de la haute bourgeoisie berlinoise, elle se familiarise avec la peinture et l'art (son mari possède une collection réputée, composée surtout d'œuvres expressionnistes), la vie théâtrale, les concerts ; elle fréquente certains cafés à la mode, tel le Romanisches Café. Elle divorce, mais garde une relation d'amitié profonde avec son premier mari. Elle ne veut pas contraindre au divorce Karl A., qui a une dizaine d'années de plus qu'elle, car celui-ci doit assumer ses responsabilités de père.

« Je ne voulais pas qu'il abandonne sa famille et ses deux enfants. Il adorait surtout sa fille. Lui, il voulait que je passe enfin mon bac et il était d'accord pour que je fasse des études de médecine plus tard... Pour des raisons matérielles, ma famille n'avait pas pu me laisser faire d'études. »

Tout un monde s'ouvre à Ruth au moment même où la réalité politique s'apprête à le détruire. On ne peut s'étonner alors qu'elle n'accorde, comme ses amis d'ailleurs, que peu d'attention au moment fatidique de 1933, année de la prise du pouvoir par les nazis.

« Le début des années 1930 était encore très beau, très intéressant, avec beaucoup de sorties, de très beaux voyages, même à l'étranger. 1933 est arrivé. On ne pouvait pas prendre ça tellement au sérieux, en tout cas pas autant qu'on aurait dû... C'était comme un spectre qui passe rapidement. Non, à l'époque, aucun d'entre nous n'avait pris ça au sérieux... Non, je ne connaissais aucun nazi. Notre cercle d'amis était fait de bons démocrates, nous n'étions pas du Zentrum, ni sociaux-démocrates, mais plutôt de ce nouveau parti, très noir-rouge-or[3]. »

De la même manière, la chronologie proprement politique de ces années apparaît dans son récit comme une suite désordonnée de catastrophes qui, de toute manière, ne sont pas liées entre elles de façon suffisamment logique pour permettre d'en tirer des conséquences pour sa propre vie.

« C'était quelque chose de parfaitement incompréhensible, ce national-socialisme. Puis est arrivée l'affaire Röhm, où, tout d'un coup, ce cauchemar est apparu au grand jour. Ils ont tous été assassinés. Cela a quand même fait réfléchir : fichtre, qu'est-ce que

3. Elle se réfère ici au parti catholique Zentrum et au parti démocratique allemand DDP, remplacé en 1930 par le Deutsche Staatspartei.

tout cela signifiait ? C'était plus sérieux qu'on ne l'avait pensé... 1935, la législation de Nuremberg. On commençait à se faire vraiment du souci. Mon mari n'avait plus droit au titre de docteur. Il a dû se séparer de son personnel domestique, et ne plus employer que de vieilles personnes juives. Très peu confortable, cette situation. »

Mais, une année plus tard, Berlin et les nouveaux maîtres de l'Allemagne se donnaient un visage plus « ouvert » lors des Jeux olympiques. Hélène Meyer, escrimeuse juive allemande, médaille d'or, eut même le privilège de faire le salut allemand devant le drapeau à croix gammée lors de la cérémonie de remise des médailles[4].

Les différentes mesures de discrimination professionnelle — boycott de magasins juifs, exclusion de la fonction publique et de la magistrature dès 1933 — ainsi que les lois raciales de Nuremberg eurent pour conséquence, à Berlin comme dans le reste de l'Allemagne, l'émigration, jusqu'en 1939, de plus de 40 % de la population juive recensée. Les statistiques pour Berlin, établies par Bruno Blau, recensent 172 672 personnes juives (4,30 % de la population) en 1925, 160 564 (3,8 %) en 1933 et 75 344 (1,7 %) en 1939[5].

La propagande générale antisémite ne semble guère avoir affecté Ruth. Par contre, elle rend compte avec davantage de détails des discriminations dont elle a souffert plus directement.

« Les persécutions des juifs étaient encore assez cachées. Et il n'y avait pas encore cette idée fondamentale de l'extermination des juifs. On a vu des pancartes : “ N'achetez pas dans les magasins juifs ” ou “ Les juifs sont notre malheur ”... Curieux, on a laissé passer tout cela sans réfléchir une seule fois, sans se dire : ça suffit, on va quitter l'Allemagne ! Dans les rues, il y avait des vitrines avec des journaux et j'ai regardé le *Stürmer*[6], avec ces images si

4. L. Brandt, *Menschen ohne Schatten. Juden zwischen Untergang und Untergrund 1938-1945,* Berlin, Oberbaum, 1984, p. 20.
5. B. Blau, « Entwicklung der jüdischen Gemeinde Berlin », *Der Weg,* 5, 29/3/1946, p. 3.
6. Le *Stürmer,* édité par Julius Streicher, fut, parmi tous les organes de presse nazis, celui dont l'antisémitisme était le plus violent.

méchantes et si moches. Et bien sûr, cela vous intéresse ce qu'ils écrivent. Ils ont décrit les juifs aux nez très longs et busqués. Jamais je n'en avais vu, même pas à Auschwitz... Pendant deux ans, j'ai pris des cours privés auprès d'un couple de professeurs qui vivaient sur le Kurfürstendamm, et qui avaient été exclus de l'enseignement. Ils étaient juifs. C'est comme ça que j'ai passé l'Abitur. Pendant deux ans, j'ai fréquenté les cours. Et, en 1936, j'ai envoyé à l'université les formulaires d'inscription, bien remplis. Sur le questionnaire, il fallait aussi indiquer : juif. On m'a renvoyé tous les formulaires barrés, sans autre explication. Donc je n'ai pas pu faire d'études de médecine. Mais une amie juive a encore pu s'inscrire dans une discipline littéraire et elle a fait son doctorat de lettres en Allemagne avant d'émigrer. »

Malgré cette discrimination et les difficultés, la vie sociale restait supportable dans les grandes villes, et même agréable pour les familles aisées. « Avec la richesse, on pense toujours que tout ira bien. Quand on a tant d'argent, on se croit intouchable. » La détérioration progressive du statut des juifs s'accomplit, pour ainsi dire, sans imposer des décisions trop brutales. 1938 marque un point de non-retour. Mais à partir de ce moment aussi, le récit de vie de Ruth gagne en contours, tout comme augmentent la responsabilité et le rôle qui lui sont conférés dans cette situation et qui valorisent ses connaissances et son sens pratique[7].

Mode d'assimilation et rapport au social

Du jour au lendemain, la famille A. doit se convaincre de l'inutilité de sa richesse. Les parents de Karl avaient acheté un grand terrain à bâtir dans une banlieue résidentielle. Il est vendu en 1938 et une somme très importante est transférée à leur compte, trois jours avant l'assassinat de Ernst vom Rath à l'ambassade allemande de Paris.

7. Le récit reflète ici ce que Pierre Bourdieu dit plus généralement de la constitution d'une identité sociale qui gagne en contours par la différenciation : P. Bourdieu, *La Distinction,* Paris, Ed. de Minuit, 1979, p. 118.

« Puis ce fameux " impôt punitif " a été décrété, et tout cet argent a été saisi. A nous deux, Karl et moi, il nous restait quelque 220 marks par mois. Nous avions réussi à retirer un peu d'argent juste avant ces mesures[8]. »

La situation des juifs berlinois se dégrade avec une rapidité inouïe. Les communautés juives perdent leur statut d'associations de droit public, les passeports des juifs ne sont plus prolongés et, à la demande de la Suisse qui veut ainsi éviter une « immigration sauvage », ces mêmes passeports sont marqués d'un « J ». L'émigration devient très difficile et entraîne la confiscation de tous les biens. Fin octobre, tous les juifs ressortissants polonais sont expulsés, mesure qui touche plus particulièrement Berlin. Il en est de même de l'internement temporaire de la population masculine juive après la Nuit de cristal. Fin 1938, tous les organes de presse juifs sont interdits ; les juifs n'ont plus le droit d'aller au concert, au théâtre, au cinéma ou au musée. On leur retire toutes les immatriculations de leurs voitures, certaines rues berlinoises leur sont interdites ; le port des noms « Israël » et « Sarah » est imposé début 1939 à tous les juifs. A la même période commencent les déménagements dans des « immeubles juifs »[9].

Dans son récit, Ruth ne peut plus établir la chronologie des différentes mesures. C'est dire qu'après la Nuit de cristal le délai qui subsiste pour réagir est réduit à zéro.

« Avant, je dirais que nous vivions une bonne petite vie, pour ne pas dire une vie allemande... Mais après est arrivé le décret qui imposait les prénoms d'Israël et de Sarah. Une bêtise incroyable, quand on y pense... et puis l'étoile, il fallait être marqué. Car ceux qui ne la portaient pas étaient dénoncés par ceux qui savaient qu'on était juif. »

Dans cette situation, c'est à elle qu'incombe le rôle primordial. Elle se rend compte que son mari tout comme sa famille sont comme paralysés, incapables de prendre des décisions.

8. Il s'agit de l'impôt d'un milliard de marks imposé à la communauté juive suite à l'attentat sur vom Rath, qui avait également fourni le prétexte à l'organisation de la Nuit de cristal.

9. K.J. Ball-Kaduri, « Berlin wird judenfrei », *Jahrbuch für die Geschichte Mittel-und Ostdeutschlands. Publikationsorgan der Historischen Kommission zu Berlin,* Berlin, Colloquium Verlag, 1973, p. 199.

« Avant la naissance de mon mari, deux autres fils étaient morts. Ses parents avaient décidé d'avoir un autre enfant. Un enfant désiré. Ce fut lui, mon mari, Karl. Oui, il avait été élevé dans du coton. Dommage. On l'envoyait à l'école accompagné d'un domestique, qui venait également le chercher à la sortie de l'école. Vous pouvez imaginer ! En dehors de son métier, il était incapable de toute démarche pratique. Il m'a toujours regardée, tout étonné, parce que je savais me débrouiller, il m'a regardée comme une des sept merveilles du monde : " Ah bon, on peut aussi faire comme ça ? " »

Pour mieux faire comprendre la différence entre elle-même, douée de sens pratique, et son mari, Ruth évoque l'opposition entre sa propre éducation et celle de son époux, une éducation grande bourgeoise ayant échappé à la misère de l'après-guerre et aux conséquences de l'inflation. A cela s'ajoutent les principes d'une éducation religieuse dans laquelle la croyance en un destin inchangeable se fondait sur des lois et des règles scrupuleusement respectées. Mais, au-delà de la foi religieuse, Ruth et Karl représentent deux liens différents à la judéité et deux conceptions opposées de l'« assimilation », à l'origine d'attitudes divergentes face à l'émigration. En Allemagne, pays qui ne connaît pas une séparation entre l'Eglise et l'Etat identique à celle de la France, mais où certaines religions jouissent d'un statut officiellement reconnu, l'appartenance religieuse est un critère important de l'identité sociale de tout individu. L'abandon des traditions religieuses, dans le cas de la famille de Ruth, a entraîné chez elle une capacité et une propension à affronter toutes les situations de la vie « d'individu à individu », en faisant abstraction des appartenances de groupe. Ce « déracinement » par rapport à une dimension importante de l'identité sociale pour tout Allemand de l'époque lui a permis d'envisager assez tôt l'émigration.

En revanche, Karl incarne le type même de l'assimilation jugée réussie à l'intérieur d'une société où les organisations religieuses occupent une place importante dans la vie culturelle, l'éducation et les services de santé. Dans cette logique, l'*Encyclopédie juive,* éditée à Berlin en 1927, valorise une assimilation décrite comme une « rationalisation et une sécularisation de la vie juive », assorties du maintien de la « fidélité à l'héritage culturel et religieux ». Par contre, cette encyclopédie juge de façon négative une autre forme d'assimilation comme la « conversion religieuse au christianisme et les mariages mixtes », qui renierait l'héritage traditionnel juif. Cette deuxième forme d'assimilation est le plus souvent, selon l'*Encyclopédie,* facteur de « tensions psychologiques[10] ». La communauté juive berlinoise, avec ses nombreuses écoles, sa bibliothèque, sa collection de tableaux, ses services sociaux et ses hôpitaux, représente le modèle même d'une assimilation collective qui procède par la conquête d'une place reconnue au sein de la société allemande. Consacrant plus de 30 % de son budget aux œuvres sociales, l'assemblée des représentants de la communauté juive berlinoise élue par tous les membres majeurs des deux sexes était composée, à la fin des années 1920, d'une majorité libérale et d'une faible minorité sioniste[11]. Loin de s'opposer, une forte identité juive allait alors souvent de pair avec un patriotisme allemand, et plus particulièrement prussien. Pour une famille qui, comme la famille de Karl, avait tout investi, depuis des générations, dans cette œuvre collective, quitter l'Allemagne revenait à quitter une communauté « modèle », tant du point de vue de son organisation sociale que de ses contributions culturelles à l'histoire moderne allemande et juive. Entrée récemment et de façon plutôt inespérée dans ce monde merveilleux, Ruth est moins sensible que son mari à la perte de ce monde qui n'a pas toujours été le sien et auquel elle n'appartient pas de plein droit.

Comparant parfois leur propre cas à celui de couples amis, Ruth fait également transparaître, sans jamais en faire un objet de réflexion spécifique, l'opposition des attitudes masculine et féminine face aux changements dans la vie sociale, aux difficultés matérielles et à une éventuelle émigration. S'identifiant pleinement avec ce qu'ils considéraient comme le fruit inaliénable de leur travail et de leur héritage, les hommes ne pouvaient guère se séparer de leur propriété privée, ni de leur communauté, ni de l'Allemagne. Plus habituées à décoder des relations sociales à partir d'une position relativement dominée, les femmes assumaient souvent, dans cette situation, les décisions nécessaires et poussaient à l'émigration.

10. « Assimilation », in G. Herlitz, B. Kirschner, Jüdisches Lexikon, Berlin, Jüdischer Verlag, 1927, t. 1, pp. 518-523.
11. *Ibid.*, pp. 891-894.

Dès lors, elle comprend qu'« il fallait surtout ne pas obéir ». Et elle donne en exemple l'obligation qui fut faite aux juifs de déposer leurs objets de valeur.

« On nous demandait de déposer tous les objets de valeur à un endroit déterminé. Bien évidemment, je n'y suis pas allée. Mon mari a rempli deux taxis avec toute l'argenterie de sa famille. Il n'a rien eu de plus pressé que de se rendre là-bas. Sa sœur était tout comme lui : angoissée et méticuleuse. Très honnêtement, je n'aurais jamais fait cela. J'avais donné des bijoux à une amie qui partait pour le Danemark. Et après la guerre, je les ai retrouvés. J'aurais préféré tout jeter dans le canal Landwehr plutôt que de les déposer. »

C'est finalement son mari qui, par sa confiance en un destin voulu par Dieu et par son esprit « prussien », à savoir la foi aveugle dans une Allemagne « Etat de droit », fait échouer tous les plans d'émigration qu'élabore Ruth.

« Régulièrement, tous les vendredis soir, six amis de mon mari, des médecins comme lui, venaient nous voir. On avait des discussions inquiètes. Tous des médecins juifs. L'un après l'autre, trois d'entre eux ont émigré. Toutes nos discussions tournaient autour de l'émigration et sur ce qui allait se passer pour nous tous et pour l'Allemagne. Entre-temps, la guerre avait éclaté. Sur le mur, nous avions fixé une grande carte géographique pour suivre le déroulement de la guerre. Et mon mari, qui s'intéressait beaucoup à la politique et qui était très intelligent, disait, ahuri : Mais qu'est-ce qu'ils font, tous les autres ? La France vaincue, la Pologne vite expédiée... En dix-huit mois, on a assisté à une suite ininterrompue de victoires d'Adolf Hitler en Europe. Comment était-il possible que Chamberlain se soit rendu au Nid d'aigle et qu'il ait voulu faire une sorte de traité avec cet Hitler ? Une folie pure. Tout ça était impossible à comprendre. Et le comble, ça a été quand ils se sont mis d'accord avec la Russie. Adolf Hitler qui accueille avec tous les honneurs Molotov à Berlin. Non, tout ça nous a laissés complètement stupéfaits. J'ai toujours poussé à l'émigration. Jusqu'en 1938, c'était encore très facile : en 1939, c'était devenu très difficile. Il n'y avait plus que la dernière possibilité : partir à Shangai. Personne ne voulait de nous autres juifs. Et on ne pouvait pas imaginer que le choix puisse être : ou Shangai ou mourir. On espérait que la guerre serait vite finie et que la paix reviendrait. Illusion absolue ! Après 1939, ça a été la détresse, la détresse absolue. Bon, nous n'avons pas émigré. Il était très difficile de faire bouger mon mari. Moi, j'étais très sportive, très active. Et j'avais la possibilité de nous procurer de faux papiers. Pour moi, j'avais acheté une carte d'identité. Bien évidemment, il s'agissait d'un faux. Mais ce genre de papier pouvait vous protéger, si par ailleurs on était dans une unité de travail. Pour mon mari, j'avais la possibilité d'acheter un papier officiel de la Croix-Rouge avec photo. Avec cela, il aurait assez bien pu se débrouiller. Mais, à son avis, il ne fallait pas se dresser contre le destin. »

Tous les événements contribuent à étouffer l'espoir. Néanmoins c'est en 1938, année charnière, que se réalise enfin le rêve de Ruth et de Karl : leur mariage. Ruth est enceinte. Elle parle de sa fausse couche tout à la fois avec regret, tristesse et avec un certain soulagement : à quoi son enfant pouvait-il s'attendre ? Après le renvoi imposé des aides médicales, Ruth a pris leur place et s'est encore rapprochée de son mari qui lui transmet les connaissances de base en médecine. Il vient vivre dans son petit appartement ; puis ils doivent le quitter à la fin de l'année, pour emménager dans un « appartement juif ».

« Cela s'est passé avec une révocation du bail en bonne et due forme. Le propriétaire feignait de regretter, mais le fait est qu'il m'a mise à la porte. J'ai dû déménager. On " concentrait " les juifs dans des immeubles appartenant à des juifs. Le 9 novembre, jour de mon déménagement, était une journée de boycott des commerces juifs. (Il s'agit de la journée qui a précédé la Nuit de cristal.) Les déménageurs m'ont regardée et ont pleuré avec moi. Alors eux, ils n'étaient pas pour (le régime), ils étaient certainement communistes et ils ont dit : " Mais qu'est-ce que c'est que ça ? " Ils étaient vraiment choqués. Ils m'ont vue, moi, mon appartement, ma vie. Ils ont pensé : " Pourquoi cette petite dame doit-elle partir d'ici ? " De plus, j'étais enceinte, et le lendemain j'étais censée aller personnellement à la police pour leur apporter mon appareil de radio, objet également interdit aux juifs. »

Tout comme les déménageurs, des amis non juifs lui témoignent leur sympathie. Mais, inexorablement, les relations sociales se disloquent entre « juifs » et « Aryens ». La politique de ségrégation raciale, de « dissimilation » progressive du groupe juif se réalise pleinement, dans la mesure où, dans la vie quotidienne, on pèse les risques de tel ou tel contact. Parfois même, en l'absence de rupture marquée, il est impossible d'établir *a posteriori* l'origine de la rupture d'une relation. Ainsi la plupart des amis rhénans de Ruth n'étaient pas juifs, contrairement au cercle d'amis de son mari qui se recrutait dans la haute bourgeoisie juive berlinoise. Souvent, c'est elle-même qui ne contacte plus ses amis, par peur de les « embarrasser », pour ne pas « leur causer de problèmes ou les exposer à des sanctions », peut-être aussi pour éviter un rejet. Les frontières sociales arbitrairement établies par la politique vont jusqu'à marquer la sympathie et les sentiments. L'adaptation des comportements individuels résulte aussi du souci de ne pas mettre l'autre à l'épreuve par peur d'être déçu. Ainsi, l'épisode suivant est l'un de ceux que Ruth évoque avec le plus de peine et d'hésitation.

« Moi-même, j'avais beaucoup d'amis non juifs. Entre autres, une femme qui m'était très proche. Elle venait d'un milieu hostile à Hitler. Je pense qu'ils étaient sympathisants au Zentrum. Elle s'est fait beaucoup de souci pour moi. Elle voulait que j'émigre. Mais une nuit, c'était la première alerte aérienne à Berlin, en 1940, elle n'a pas voulu que je reste chez elle. Elle m'a renvoyée. Elle avait peur que d'autres puissent la dénoncer pour avoir abrité une juive. Elle avait peur. Et cela, oui, cela m'a donné un coup au cœur. Oui, les Allemands aussi avaient peur. Ils n'avaient pas vu clairement dans quelle aventure ils s'étaient engagés. Ce qui est arrivé, on ne pouvait le prévoir. Et le jour où quelqu'un n'avait plus envie de jouer le jeu, il savait que c'était sa mort. »

Dans une autre séance, elle revient sur cet épisode.

« Ce passage avec la femme qui m'a renvoyée de chez elle pendant le bombardement, peut-être vaut-il mieux ne pas l'écrire. Elle était déjà âgée et occupait une position sociale élevée. Certainement elle avait peur pour sa retraite. Car pendant le bombardement, le surveillant de l'immeuble (Blockwart) aurait pu venir chez elle pour effectuer un contrôle. Bon, ce n'est pas bien beau. Mais peut-on pour autant porter un jugement sur elle ? »

A qui faire confiance, sur qui compter dans la lutte pour la survie quotidienne ? Douloureusement, dès avant sa déportation, elle doit faire l'expérience de la solitude dans la persécution, des limites de l'entraide aussi.

« Mes parents avaient leur existence à Düsseldorf et, quand ils ont pu se rendre compte de l'ampleur des changements, eux aussi sont venus à Berlin. Ils ont cru que, dans une grande ville, il serait toujours plus facile de se débrouiller que dans une ville où tout le monde se connaît. Mon frère a émigré en 1935, d'abord au Danemark et puis en Suède, où il s'est marié. Il a eu deux enfants. Aussi longtemps que possible il nous a écrit par l'intermédiaire de la Croix-Rouge. Après la mort de mon père, il a tout fait pour faire sortir ma mère, pour la faire venir en Suède. Mais on le lui a refusé. La commnunauté juive en Suède, elle aussi était comme ça. Elle ne voulait pas trop de bouches à nourrir. Il a eu deux enfants, et puis il a attrapé la polio. C'était trop. Il ne pouvait plus vivre ainsi. Il s'est suicidé. »

Otages de l'espoir

Dès le début de la guerre, la vie de Ruth est indissociablement liée au destin de la communauté juive berlinoise. Karl, profondément religieux, membre d'une des grandes familles juives berlinoises, avait été avant la guerre proche de la direction de la communauté juive, composée de rabbins et de dignitaires. A ce titre, il avait même occasionnellement participé à des négociations avec l'administration. Juridiquement, les communautés juives en Allemagne avaient joui, jusqu'en 1938, du statut d'associations de droit public, avant d'être transformées, cette même année, en associations de droit privé. En 1939 est créée, au niveau national, la Reichsvereinigung der Juden in Deutschland, regroupant de façon obligatoire toutes les personnes de « race juive » selon les critères des lois de Nuremberg de 1935. Une association volontaire qui regroupe une communauté de croyants est ainsi remplacée par une organisation sous tutelle de l'Etat qui gère tous ceux que l'idéologie raciale définit comme « Juifs ». Ces transformations juridiques ont pour conséquence de réduire d'une façon significative la marge de manœuvre et l'autonomie des communautés juives, les mettant, petit à petit, sous les ordres de la Gestapo.

Néanmoins, jusque vers 1941, la vie culturelle et sociale de la communauté juive berlinoise connaît un certain essor. La communauté juive absorbe dans le Kulturbund la plupart des artistes et intellectuels exclus de la vie culturelle nationale. L'interdiction pour les juifs de fréquenter les cinémas et les théâtres, ainsi que l'exclusion des enfants juifs des écoles publiques augmentent paradoxalement les tâches et l'animation culturelles de la communauté juive. Le nombre d'écoles juives avait encore augmenté en 1940. De même, des groupes de jeunes continuent à exister, avant que certains ne choisissent la clandestinité [12]. Dans le cadre de la politique de dissimilation-émigration, plusieurs internats avaient été autorisés à former de jeunes juifs à l'agriculture afin de les préparer à l'émigration vers la Palestine. Une école de ce type a fonctionné jusqu'en 1943 à Neuendorf, près de Berlin.

Les tâches d'organisation et de gestion sociale de la communauté juive berlinoise augmentaient au fur et à mesure que la population juive devenait plus misérable. Le port de l'étoile est obligatoire à partir du 19 septembre 1941. Fin 1941-début 1942, des restrictions supplémentaires portant sur la participation à la vie publique sont décrétées : interdiction d'utiliser le téléphone, d'acheter des journaux, d'utiliser les transports en commun, d'avoir des animaux domestiques, de posséder des vêtements au-delà du strict nécessaire [13].

Ruth travaille pour l'administration sociale de la communauté juive de 1939 à 1942 ; elle s'occupe de la distribution de vêtements et d'autres formes d'aide matérielle. Sans nécessairement connaître toute la portée de ces différentes tâches, en particulier celles qui sont liées à la préparation des convois vers l'Est, son récit hésitant fait sentir l'état psychologique qui devait régner chez les officiels de

12. Léon Brandt retrace cette histoire émouvante des jeunesses sionistes de la Hechaluz, qui avaient choisi la lutte et la clandestinité à Berlin et, dans le cas du groupe Baum, la résistance armée. L. Brandt, *op. cit.*

13. K.J. Ball-Kaduri, *art. cit.*, p. 204.

la communauté [14]. Les premières déportations vers l'Est commencent dès 1940. Le premier convoi quitte Berlin en octobre 1941.

Que savaient effectivement, en 1941, 1942 et 1943, les juifs berlinois de la destination de ces convois ? Deux sortes de convois quittaient Berlin, les uns en direction de Theresienstadt, les autres en direction de l'« Est ». Dans les premiers n'étaient admis que des dignitaires et des vieillards [15].

« Theresienstadt était considérée comme quelque chose de relativement mieux. La signification précise d'Auschwitz, je ne l'ai pas connue, certainement pas. Hormis la direction Theresienstadt, il s'agissait toujours de convois vers l'" Est " [16]. »

A partir de 1941, les rumeurs sur le sort réel, l'extermination prennent de l'ampleur.

« Ces journées, ces heures étaient remplies d'inquiétude et d'énervement. Autour de nous on entendait dire que tout le monde disparaissait. Et bien sûr, les discussions du vendredi soir avec des collègues médecins tournaient autour de ces thèmes, et nous écoutions les émissions de la BBC, je n'avais pas rendu mon appareil de radio, ce qui pouvait entraîner la mort… Et j'ai entendu le discours de Thomas Mann quand il a dit qu'en Allemagne, au cœur de l'Europe, on assistait au massacre des juifs. Et puis nous avons dit — c'était mon opinion : " C'est pas possible, même celui-là a succombé aux exagérations de la propagande anglaise. C'est

14. Pour les dirigeants de la communauté, quelques articles font ressortir la pression qui pesait sur eux. S. Weltlinger, *Hast Du es schon vergessen ?*, Berlin, Gesellschaft für christlich-jüdische Zusammenarbeit, 1954.

15. En font partie les gens âgés de plus de soixante-cinq ans, les invalides de la Première Guerre mondiale et ceux qui avaient été décorés, les juifs de mariage mixte divorcés, au cas où ils avaient des enfants non juifs, les hauts fonctionnaires de la Reichsvereinigung, les demi-juifs.

16. Ce passage de l'entretien avec Ruth est confirmé par la description que donne Jacob Jacobson dans un rapport écrit peu après la guerre : « Les gens furent séparés en deux groupes, un à destination de l'Est, l'autre de Theresienstadt. Ceux qui recevaient un " T " (pour Theresienstadt) osaient de nouveau respirer. Les autres, par contre, avec un " O " (Est) devenaient tout pâles. Bien que peu de détails fussent connus, il était évident que Theresienstadt était bien mieux que l'Est. Le type de personnes choisies pour Theresienstadt en était un indicateur. » (J. Jacobson, *Terezin. The Daily life, 1943-1945*, s.l.n.d., ronéo. Ce texte fut mis à ma disposition par St. Jersch-Wenzel ; qu'elle en soit ici remerciée.)

impossible. " C'était en 1941. Et puis quand Hitler a déclaré la guerre à la Russie, nous nous sommes penchés sur la carte et nous avons dit : " Avec la Russie en guerre, la guerre est perdue. Mais cela va certainement encore durer quatre ans ! " Mon mari ne s'est pas trompé dans ce calcul. Il m'a dit : " Je ne vais pas survivre. " Dès le départ, il a pensé à la mort. Et puis il m'a dit : " Mais toi, chère enfant, tu survivras ! " Il avait une sorte d'intuition. »

Tandis que les nouvelles radiodiffusées ne suffisent pas à donner foi aux rumeurs, un témoin y réussit.

« Un soir, la préparation d'un convoi a duré plus longtemps et j'ai dû rester au bureau situé à la Münchnerstrasse au-delà de l'heure autorisée pour les juifs. C'était donc après 8 heures. Et il ne faisait pas bon se promener avec l'étoile à cette heure-là. Dans ma détresse, il devait être 8 h 30 passées, je me suis adressée à l'agent de police qui était de service au carrefour de Kaiserallee et Berlinerstrasse. Je me suis adressée à lui : " Je suis juive et je n'ai plus le droit d'être dans la rue. Que faire ? " Et il m'a regardée : " Ecoute, enlève cet Isaac (l'étoile). " Je suis restée auprès de lui, j'ai décousu l'étoile et puis il m'a raccompagnée jusque chez moi. Il est monté chez nous, il s'est assis, et il nous a dit : " Je ne peux que vous conseiller de vous suicider ! " Car il avait été témoin de l'assassinat des juifs de Litzmannstadt (Lodz) abattus devant les tombes qu'ils avaient dû creuser eux-mêmes. Ils y tombaient, et quand on les couvrait de terre, on pouvait encore voir bouger leurs pieds et leurs mains. Cette nouvelle n'était pas très réjouissante. Mais malgré tout, nous ne nous sommes pas suicidés. Mais c'était quelque chose. Nous sommes restés en contact avec cet homme. Il nous apportait du pâté de foie, des petits pains. Il nous voulait du bien. Mais en même temps, il choisissait dans notre appartement ce dont il avait besoin. Je peux très bien comprendre cela, c'est humain. On peut le comprendre. Il savait qu'on nous emmènerait et que tout resterait dans l'appartement, une occasion pour lui de se procurer quelques objets. Et j'aimais autant que ça soit lui plutôt que les agents de la Gestapo. »

Mais, malgré ces informations, ils se sentent relativement à l'abri du danger immédiat. Après avoir été balayeur de rues, son mari fut placé chez Siemens dans le cadre du contingent de juifs soumis au travail obligatoire, disposant en principe du statut de travailleurs indispensables à l'effort de guerre. Dans cette usine, située dans le quartier de Wedding réputé pour être un des fiefs du Parti communiste allemand, Karl jouit de la sympathie et du soutien des ouvriers malgré son manque d'habileté et de force physique.

« Il avait à ouvrir de grandes caisses et à les porter dans la cour. Et les ouvriers l'aidaient tant qu'ils pouvaient, car au début il ne savait guère comment ouvrir les attaches métalliques des caisses. Et un jour il ouvre une caisse et y voit une grande affiche : le Front rouge est vivant *(Rotfront lebt !)*. Et le contremaître l'a vu, il a pris l'affiche et l'a détruite. Si on avait accusé mon mari d'avoir introduit cette affiche, on l'aurait fusillé immédiatement. Mais il n'aurait certainement pas collé des affiches pour le Front rouge, certainement pas. »

Très vite, cependant, ce sentiment de sécurité relative se révèle une illusion.

« En octobre 1942, la communauté juive a dû elle-même proposer une liste de 1000 personnes pour un convoi. Destination inconnue, comme toujours. Et, en principe, les ouvriers indispensables à l'effort de guerre étaient protégés. La communauté juive berlinoise a pensé alors qu'il serait astucieux de mettre sur cette liste les personnes dont les conjoints étaient protégés. C'est pour cela qu'on m'a mise sur la liste. c'est justement pour ce convoi-là que, pour la première fois, on s'est mis à séparer les familles, mari et femme. Il y avait un SS arrivé de Vienne, Brunner. Il voulait en imposer par son comportement : cravache et bottes de cuir. Et il voulait introduire une nouvelle méthode, en concurrence avec celle de M. Prüfer. On m'a effectivement convoquée le lendemain, à 7 heures du matin, à la synagogue de la Oranienburgerstrasse où j'ai reçu l'ordre de préparer un sac à dos, quelques bagages pour le convoi du surlendemain. Et quand j'ai entendu cela, j'ai fait quelque chose que je n'avais jamais fait de ma vie, je suis allée voir mon mari à l'usine. Quand je suis arrivée en pleurant, il a dû sentir de quoi il s'agissait. Tout d'abord, les ouvriers m'ont offert un petit déjeuner, puis ils m'ont cachée dans une grande caisse. A bout de nerfs, après cette longue marche à pied — les transports en commun étaient déjà interdits aux juifs —, j'étais tellement fatiguée que je me suis endormie dans cette caisse. Le soir, nous sommes rentrés ensemble. Et nous voulions en terminer avec la vie parce qu'on voulait nous séparer. Et cela a complètement échoué. Vous voyez bien, je suis toujours ici, devant vous. Dans l'énervement du moment, mon mari n'a pas trouvé les ampoules qu'il aurait dû nous injecter. Tout simplement, il n'aurait pas pu faire ça. Après, j'ai pu comprendre cette attitude. " Mais, je ne peux pas être ton assassin ", m'a-t-il dit, avec l'air de me supplier de le comprendre. Cela a été la nuit la plus horrible de ma vie. Le lendemain matin, j'étais couchée par terre, anéantie par les médicaments que j'avais pris. Et quand la Gestapo est arrivée, ils ont tout simplement dit : " Mais dans cet état-là, on ne peut pas l'emmener. " On avait quand même préparé deux sacs à dos, pour moi et mon mari. Il ne m'aurait pas laissée partir seule. Plus tard, j'ai appris qu'à ma place une jeune femme, médecin à l'hôpital juif, était partie volontairement pour suivre son fiancé. Ainsi le chiffre de 1 000 personnes était atteint et on ne m'a plus cherchée. Il s'est avéré qu'on m'avait rayée des listes et puis j'ai vécu, pour ainsi dire, cachée chez moi pendant six mois, d'octobre 1942 à mars 1943. Bien sûr, je ne recevais plus de cartes alimentaires pendant cette période. Et nous avions très peu à manger. Mais de toute façon, avec les cartes juives, on n'avait le droit de faire des courses qu'après 16 heures, quand il n'y avait plus rien. Mais notre agent de police et un ami de mon mari, un commerçant qui livrait des cigares à la Luftwaffe, nous apportaient à manger. Et lorsque la concierge, une femme simple, apprit que je ne recevais plus rien, elle se mit à déposer tous les matins deux petits pains devant notre porte. »

A la même époque, le père de Ruth meurt. Employé par l'association des juifs du Reich, il est désigné, avec 14 autres personnes, comme otage après un attentat contre un officier dans une caserne berlinoise. Echangé au dernier moment contre quelqu'un d'autre, le père de Ruth meurt d'une crise cardiaque lorsqu'il apprend que les 15 otages ont été fusillés sur-le-champ. Son enterrement au grand cimetière juif de Weissensee est, pour ainsi dire, la dernière réunion familiale.

« Il n'y avait que les amis les plus proches et la famille. Quelque 40 personnes en tout. Bien évidemment il y avait mon mari et les membres de sa famille, ma mère aussi. Et si je me rappelle bien, de tous les gens présents à cet enterrement, je suis la seule à avoir survécu. C'est un fait dur à assumer. Peut-être que deux ou trois autres ont encore réussi à émigrer. C'est possible. Mais je ne connais personne qui soit encore en vie. C'est un vrai miracle que je vive encore. Et je sens toujours en moi cette question : pourquoi vis-tu encore ? Souvent cela vous donne un sentiment de culpabilité. Pouvez-vous me comprendre ? »

L'arrestation

Après la déportation de sa mère au début de 1943, Ruth est arrêtée avec Karl lors des « actions d'usines »[17], quand les ouvriers juifs jusqu'alors protégés par leur statut de travailleurs indispensables à la production de guerre sont arrêtés sur leur lieu de travail. Fidèle à son mari, Ruth renonce à saisir les dernières occasions de s'enfuir ou de rentrer dans la clandestinité.

« Le 23 mars 1943 eut lieu la grande action de déportation des ouvriers et du personnel de la communauté juive. Ce jour-là, mon mari n'était pas allé travailler. Une caisse lui était tombée sur le pied, il ne pouvait pas marcher. Et quand ils sont venus chercher tout le monde, il n'était pas là. Et puis quelques jours plus tard, le 26 mars, des officiels de la communauté juive sont venus nous chercher avec un camion de déménagement. Nous avons pris chacun notre sac à dos, déjà préparé. On nous a demandé d'emporter tous nos outils de travail. Et mon mari prit effectivement tous les médicaments qu'il avait encore. Sur ce camion étaient déjà rassemblées d'autres personnes, et la tournée a continué. On a cherché dans plusieurs immeubles. Certains n'ont pas ouvert. Malheureusement, nous avions ouvert la porte. Notre appartement, un vieil appartement berlinois, avait deux entrées et nous aurions pu partir par la cuisine. Au fond, je n'étais pas obligée de venir. Pour eux, j'étais déjà morte. Mais je suis restée avec mon mari. Seul, il n'aurait jamais supporté tout cela. Moi, j'avais voulu

17. Le 27/28 février 1943, les ouvriers juifs furent arrêtés pour la première fois sur leur lieu de travail pour être déportés.

émigrer. Et j'avais acheté pour nous de faux papiers. Mais lui il ne pouvait pas faire cela. Faire quelque chose contre la loi, il n'en était pas capable. »

3000 à 5000 juifs ont effectivement choisi la clandestinité à Berlin, dont quelque 1400 ont survécu[18]. Ayant décidé de ne jamais se séparer, Ruth et Karl deviennent témoins de la dernière étape du calvaire de la communauté juive berlinoise, de ses derniers signes de fierté, de ses divisions et de ses compromissions aussi.

« On nous a emmenés à la Grosse Hamburger Strasse, où se trouvaient une ancienne maison de retraite et une école juives. A partir de ce moment nous étions déjà des prisonniers, plus de 3000. Et là nous étions installés par terre, sur des matelas sales. Je me rappelle très bien. Mon mari a eu sa première crise d'asthme. Il a beaucoup souffert, et le hasard a voulu qu'il soit installé juste sous une petite plaque de marbre, en souvenir des donateurs de cette salle, qui n'étaient autres que ses parents : Julius A. et Betty, née... Ils n'auraient jamais imaginé qu'un jour leur fils serait couché au pied de cette plaque en train de souffrir. Nous y sommes restés pendant quinze jours. Nous sommes partis de Berlin le 20 avril. Et vers le 18 avril est arrivé un transport de jeunes juifs. Ils venaient de Neuendorf, près de Berlin, où ils avaient suivi un enseignement agricole pour se préparer à leur vie en Israël... Des jeunes pleins d'avenir, gentils, et qui avaient vraiment vécu dans l'espoir de pouvoir se consacrer à l'agriculture[19]... Mais des rumeurs circulaient également comme quoi il fallait se méfier d'indicateurs à la recherche de ceux qui avaient choisi la clandestinité. Initialement nous devions être envoyés à Theresienstadt, avec des feuilles vertes, comme tous les anciens combattants décorés. Mon mari était décoré de la Croix de fer, première classe. Et puis ils ont cherché deux médecins pour accompagner un autre convoi vers l'Est. Et j'ai protesté auprès des organisateurs de la communauté juive. Mais ils

18. Selon St. Jersch-Wenzel (*30 Jahre Jüdische Gemeinde zu Berlin. Katalog zur Ausstellung im Berlin-Museum,* 1971, p. 25), quelque 5000 illégaux ont vécu à Berlin en 1944, dont 70 % ont pu être arrêtés par la Gestapo.

19. Il s'agit d'un groupe Hachscharah auquel il est souvent fait allusion dans la littérature ; voir les extraits d'un témoignage de A. Borinski, in K.J. Ball-Kaduri, *art. cit.*, pp.219-220.

ne m'ont pas écoutée. Notre droit à être envoyés à Theresienstadt n'entrait plus en ligne de compte : ils avaient besoin de médecins et ils nous ont changés de convoi. En contrepartie, si j'ose dire, ils m'ont donné, à moi aussi, le brassard de médecin. Ainsi nous avons pu rester ensemble. Certains de ceux qui organisaient les convois ont peut-être pensé sauver leur peau. J'ai aussi entendu dire qu'il s'agissait à ce moment-là d'hommes qui vivaient en " mariage mixte privilégié "[20]. Oui, je les ai connus. Et aucun d'eux n'est plus en vie. Personne n'est plus là. Tout au contraire, quand j'étais déjà à Auschwitz, fin mai, est arrivé un autre convoi de la communauté juive, toujours de 1000 personnes, dont un certain nombre furent immédiatement battues à mort. Parmi elles, il y avait des indicateurs, vous comprenez, il y avait là une sorte d'auto-justice à Auschwitz, ça a existé. »

Avant le camp de concentration, Ruth doit déjà faire l'expérience de la frontière souvent floue entre coopération et résistance, entre négociations et compromissions. Mêlée elle-même à la préparation des convois avant 1942, elle connaît les raisonnements qui ont pu amener les responsables de la communauté juive à coopérer avec la Gestapo dans l'espoir soit « d'éviter le pire », soit de pouvoir limiter les dégâts par la « ruse ». Ruth a pris conscience du caractère illusoire de ces « choix ». Dans une certaine mesure, les organisations juives sont devenues, par la force des choses, des courroies de transmission de la Gestapo dès le début de la guerre[21], mais elles ont aussi réussi, jusqu'à l'été 1942, à assouplir certaines mesures et à garantir un minimum de services sociaux et de soutiens matériels pour les juifs qui vivaient encore à Berlin[22]. Après la fermeture de toutes les écoles juives, il ne restait effectivement plus, à la fin de 1942, d'autre tâche sociale à remplir que la préparation des convois vers l'Est auxquels les dirigeants et les

20. De fait le travail de la communauté juive a pu être maintenu jusqu'à la dissolution officielle, le 10 juin 1943, grâce au recrutement des juifs vivant en « mariage mixte privilégié ». Par « mariage mixte privilégié », le langage administratif désignait des mariages entre un homme non juif avec une femme juive, ou un homme juif et une femme non juive dont les enfants étaient de religion non juive avant le 15 septembre 1935, journée de mise en application des lois de Nuremberg.

21. C'est l'avis, entre autres, de R. Hilberg, *The Destruction of the European Jewry,* Chicago, Chicago University Press, 1961.

22. K.J. Ball-Kaduri, *art. cit.*, pp. 225-226.

fonctionnaires de la communauté n'échappaient pas non plus. Dans cette situation, et pour être sûr que personne ne lui échappe, la Gestapo avait engagé des indicateurs pour lui désigner les juifs clandestins. Mais, à côté de ces dernières tentatives individuelles d'échanger sa mort contre une collaboration, il faut également signaler le courage des femmes en « mariage mixte privilégié ». Celles-ci avaient réussi en 1943, par une manifestation de rue devant la prison, à faire libérer leurs maris[23].

Ruth refuse de porter un jugement sur les démarches de la communauté juive, car ces démarches sont fondées sur les qualités mêmes qu'elle a toujours admirées chez son mari : correction, ponctualité, obéissance, respect scrupuleux de la loi et de l'ordre. N'ayant pas eu la force, en tant que femme, de faire partager à son mari sa résolution de désobéir ou d'émigrer, seule chance de survie, elle ne peut pas non plus lui en faire le reproche. Après sa dernière tentative pour convaincre son mari de fuir, l'expérience du camp ne pourra que la renforcer dans cette attitude.

« Nous sommes partis de la gare de marchandises Putlitzer Strasse dans des wagons à bétail. Et dans le wagon voisin, une femme enceinte criait, impossible de lui venir en aide. Un seau pour tout le monde, très vite rempli. Et ce qu'on nous avait donné à manger a été vite pourri. Et les pleurs et les plaintes ont commencé... J'ai pu regarder à travers deux planches du wagon. Et j'ai vu des cheminots lever les bras au ciel, épouvantés... Quelque part, en Haute-Silésie, le train s'est arrêté. Attaque aérienne. Et j'ai voulu m'enfuir. Mais mon mari a refusé. Pour lui, c'était le destin. Dans le dernier wagon voyageaient les agents de la Gestapo, parmi lesquels le responsable du transport, M. Prüfer. Non, non, dire qu'ils ne savaient pas, c'est impossible. Ils savaient exactement ce qui se passait à la rampe, à Auschwitz.. Le lendemain, le 21 avril, jour de mon anniversaire, nous sommes arrivés. Des commandos : " Dehors, dehors ! " Les femmes à gauche, les hommes à droite ! Mères avec leurs enfants, vieillards et ceux qui ne pouvaient plus marcher, au milieu. Presque la moitié des gens affluaient vers le milieu où étaient garés les camions de la Croix-Rouge allemande. Les gens avaient toujours confiance en voyant ce signe. Et puis ils demandaient qui était médecin. Bien évidemment,

23. *Ibid.*, p. 212.

je n'ai pas répondu, je n'avais pas les diplômes. Et mon mari qui était déjà monté sur un de ces camions de la Croix-Rouge (qui partaient pour la chambre à gaz) en est redescendu avec peine. Et puis nous nous sommes vus pour la dernière fois. Et à sa manière à lui, si aimable, si gentille, il m'a bénie et m'a embrassée pour la dernière fois. Il avait l'air mille fois plus émouvant que le Christ sur la croix... Et là, quand on nous a séparés, j'ai su qu'il était perdu. Il ne pouvait pas s'en sortir. Lui, Karl A., qui avait eu le monde à ses pieds, fils d'une grande famille, comment aurait-il pu comprendre qu'aux yeux d'un SS il n'était rien, rien du tout ? Sur 1000 personnes, on n'était pas plus de 200 à être conduits au camp. »

Sous une cloche de verre

Ruth décrit le choc de son arrivée dans le camp dans des termes très proches de ceux d'autres récits : mise à nu, douche glaciale, rasage complet du corps, distribution de vêtements provenant des morts, tatouage du numéro. Ce qui distingue son récit, c'est que Ruth dit ne pas avoir souffert physiquement grâce à son « entraînement » et à son « côté sportif ». Pour résumer sa réaction, elle utilise une image qui symbolise une fuite intérieure, un refus de comprendre. Cette sorte d'instinct de survie renforce sa conviction, au détriment de toutes les informations, que sa déportation l'amènera effectivement dans un camp de travail.

« Et dès l'accueil, on entendait : “ tu vois ce nuage, ce sont tes parents qui brûlent ! ” J'ai entendu cela, rien de plus. Et effectivement, à 100 mètres de là, on pouvait voir un grand nuage noir, comme un grand nuage lourd... une image curieuse, inquiétante. “ Ce sont tes parents qui brûlent ! ” Je l'ai entendu, mais compris, non, je ne l'ai pas compris... Après le tatouage, il fallait se mettre en rang par cinq, toujours par cinq. On était debout, là, rasées, grotesques, moi en uniforme russe. On ne savait plus ce qui allait arriver, tout était comme un spectacle d'horreur, incompréhensible. Et je me suis réfugiée sous une cloche de verre, je pouvais tout voir, tout entendre autour de moi, mais je ne comprenais rien. Et je ne voulais certainement pas comprendre. C'était probablement une sorte d'" autoprotection ", je refusais de comprendre, je dois le répéter, j'ai été assise sous cette cloche de verre, pendant longtemps, très longtemps, parce que l'esprit humain ne peut pas mesurer l'ampleur d'une telle chose. »

Comment effectivement trouver un ordre ou une logique dans des mesures parfaitement arbitraires, voire destructives au regard du bon fonctionnement du camp de travail qu'elle croit trouver ?

« La quarantaine était prévue pour éviter l'introduction dans le camp de maladies contagieuses. Et pour nous qui venions d'un endroit relativement propre, c'était complètement absurde. C'est en quarantaine que nous avons attrapé ces maladies. Mon uniforme russe était plein de poux. C'est la première fois de ma vie que j'ai eu des poux. Et je me suis grattée, et c'est en grattant qu'on s'expose encore plus à attraper le typhus... Et effectivement, trois semaines après, jour pour jour — l'incubation dure généralement vingt et un jours — j'ai eu le typhus. Et c'était là le premier miracle que d'avoir survécu à cela, avec l'aide d'une infirmière juive qui avait un médicament pour le cœur qu'elle me donnait au moment où mon pouls flanchait et que je commençais à délirer. J'étais encore en quarantaine. Quelques camarades qui allaient travailler à Auschwitz ont attrapé des grenouilles. Et avec ces grenouilles, nous avons fait une sorte de soupe. C'était la première fois que je mangeais une soupe de grenouilles. Je perdais du poids, j'étais toute maigre. Durant ces trois semaines, on ne nous a presque rien donné à manger... Et pour l'appel, il fallait sortir tous les matins, et rester debout. Et celui qui ne réussissait pas à rester debout était condamné à mort. C'était une méthode tout à fait délibérée : dès que quelqu'un, dans le camp, perdait connaissance, au gaz !... Et pendant l'appel, les autres femmes m'ont tenue des deux côtés pour que je ne tombe pas. En y réfléchissant aujourd'hui, je n'en reviens pas : j'avais des taches noires devant les yeux, je ne pouvais rien voir, j'étais comme aveugle. La fièvre était terrible. Par la suite j'ai su immédiatement reconnaître cette maladie chez les autres, et ce qu'il fallait faire, comment les aider. »

Après la période de quarantaine et sa maladie, Ruth est affectée à différents commandos de travail, plus ou moins durs : récolter des orties pour la cuisine, retourner la terre avec des cuillères, trier les vêtements et les objets des déportés pour préparer leur renvoi « dans le Reich ». Sans pouvoir reconstituer un ordre chronologique, elle se rappelle de multiples changements de bloc, et d'un traitement qui variait en fonction des « aînées de blocs », véritables reines sur leur territoire.

« Si on avait de la chance, on avait une bonne aînée de bloc. Une fois, j'ai été dans un bloc dont l'aînée était une criminelle qui avait poignardé son mari. Elle était l'aînée de bloc la plus sadique qu'on puisse imaginer. Elle s'était fixé pour objectif de tuer une fille par jour. De plus, elle dominait une autre fille, très lesbienne, c'était chose courante au camp. Celle-ci au moins avait le mérite de la calmer pour qu'elle n'achève pas sa victime. »

Sous sa « cloche de verre », toujours, elle est amenée à outrepasser les limites d'un dégoût qu'elle croyait infranchissables. Dans son cas, il s'agit du contact avec les rats.

« Le pire, c'était les rats. Une nuit, je devais sortir pour aller aux latrines. Et tout à coup, j'ai vu un tourbillon autour de moi, comme une tempête qui soulève la poussière et la terre. Je n'arrivais pas à comprendre. Il y avait des centaines, des milliers de rats qui se suivaient, des rats gros comme des lapins. C'était horrible, moi qui avais un tel dégoût des rats. Plus tard, un ami professeur de zoologie m'a expliqué que cela existe, des rats migrateurs... Parfois il y avait des dizaines de rats morts par terre. Et un SS m'a dit : “ Ramassez-les ! ” Jamais de ma vie je n'avais touché un rat. Aujourd'hui cela me serait totalement impossible... A ce moment-là, j'ai fini par m'y habituer. Et dans le bloc hospitalier où je dormais, les rats s'étaient fait leur chemin d'un bout à l'autre de la pièce, et la nuit ils passaient par ma paillasse, en courant sur mon dos. Cela ne me faisait plus rien. »

Dans ce monde qui reste incompréhensible, l'humiliation qui détruit le plus la personnalité, c'est la punition physique, le fait d'être frappé.

« Dans un commando, je devais trier les chaussures par paires, les déposer dans de grands sacs et porter ces sacs d'un endroit à l'autre. C'était trop lourd, je n'y arrivais pas. J'étais assise, mais complètement ailleurs, regardant fixement devant moi. Et alors une gardienne est venue vers moi avec son berger allemand et ses gants en cuir noir. Et elle m'a frappée de ses propres mains. Le chien, comme s'il avait une conscience, a reculé. Elle m'a frappée jusqu'à ce que je perde connaissance. Les autres filles m'ont secouée et m'ont apporté de l'eau. Et j'ai repris connaissance. Mais ne me demandez pas ce que cela veut dire d'être frappé par quelqu'un ! Profondément en vous, quelque chose se casse. On vous a brisé l'échine. Psychiquement, quelque chose a été brisé. C'est ce qu'il y a de pire. De plus, être frappée par une femme, c'est très, très déprimant, très triste... J'ai été frappée une deuxième fois par une kapo. Dans ce commando très dur où il fallait retourner la terre, je me suis donné beaucoup de peine. Un jour, la kapo a vu venir de loin un groupe de SS, deux femmes et trois hommes. Quand ils se sont rapprochés, la Kapo s'est jetée sur moi et m'a frappée en criant : " Va, remue-toi, travaille ! " C'était pour se faire bien voir des SS. Et quand ceux-ci sont partis, elle m'a regardée : " Ah bon, c'est toi, c'est pourtant pas toi que je voulais frapper. " Elle s'était trompée et cela m'avait beaucoup affectée, et je devais faire une drôle de tête. Le soir, j'ai trouvé sur ma paillasse une gamelle de pommes de terre et d'oignons frits. La kapo a dû avoir mauvaise conscience. Et ce repas m'a beaucoup aidée. »

Dans les commandos de travail, ce genre d'humiliations, la faim, détruisent progressivement toute résistance physique et morale. S'ils se laissent aller, les déportés risquent effectivement d'en arriver à un abandon complet de soi, de se transformer en « musulmans » et de correspondre ainsi à l'image de « sous-hommes » que les SS entendent exterminer.

« On n'était vraiment plus en pleine possession de ses capacités mentales. Je crois qu'il y avait parfois du bromure dans la nourriture. Et on avait toujours la gorge sèche, la langue vous pendait de la bouche comme un bout de bois. On était étourdi. Et on avait tellement faim qu'au moment de la distribution des repas, certaines d'entre nous léchaient par terre les quelques gouttes de soupe qui étaient tombées des marmites. Une fois, les SS avaient mis, histoire de " plaisanter ", de l'huile de ricin dans la nourriture. Et celles qui avaient fait dans leur culotte étaient bonnes pour le gaz. »

Prise de conscience et volonté de survie

Son état de semi-conscience, de refus de comprendre ce qui se passe autour d'elle a duré environ six mois. C'est à force d'assiter aux « sélections » qu'elle finit par réaliser ce qui se passe vraiment dans le camp.

« Les sélections dans le camp (par opposition à celles effectuées dans le " Revier ") étaient parfaitement imprévisibles et arbitraires, comme à la loterie. J'en ai vécu six. Un jour, tout le monde debout et aligné devait se compter, de 1 à 514. Et puis on disait : de 501 à 514, un pas en avant. J'étais parmi les 14. Jusqu'à 500, toutes ont été emmenées au gaz. Une autre fois, il fallait compter un-deux, un-deux. Et les filles au numéro un ont disparu. J'ai commencé à comprendre. La fois d'après, même jeu : là j'avais le un. J'ai senti l'angoisse, la peur de la mort. J'ai transpiré, j'ai fait dans ma culotte. Mais cette fois-ci, c'étaient les numéros deux qui ont disparu… Une fois de plus, j'y avais échappé. Six fois en tout. Mais la troisième fois, j'étais déjà complètement apathique. Un jour, je travaillais dans le commando du tri des vêtements.C'était un bloc où on ramassait tous les vêtements des nouveaux arrivés, et il fallait les trier selon leur nature et leur qualité : les chemises, les pantalons, les manteaux… Et un autre commando devait découdre les ourlets des manteaux et des pantalons pour chercher des devises que les déportés y avaient cachées. Effectivement, on y trouvait beaucoup de choses. Et c'était les affaires des gens qu'on emmenait directement au gaz ! Un jour, je suis assise là et, parmi toutes ces affaires, je tombe sur un petit bavoir sur lequel était brodé " le chéri de sa maman ". Là, brusquement, mes yeux se sont ouverts : mais ce sont les affaires des gens qu'on assassine ! Et te voilà, au milieu de tout cela, et même tu t'endors parfois… Ce fut pour moi la grande révélation et un gros frisson d'horreur. Vous comprenez ? Tout d'un coup, je me suis dit que je pourrais aussi bien tomber sur le corsage de ma mère qu'on assassinait au même moment. Là, subitement j'ai compris à quoi on jouait dans ce camp. C'était un système rationnel dont le but était d'exploiter les gens et de les tuer. Pour ainsi dire, c'était tout simplement une entreprise, une usine qui tuait des gens après avoir exploité leur force de travail et après avoir utilisé différentes parties de leur corps : les cheveux, les os, etc. Et ces vêtements, ces montagnes de lunettes, de couronnes dentaires en or, de petites valises, tous ces produits étaient envoyés à Berlin. Pendant au moins six mois, j'étais restée sous ma cloche de verre. J'avais tout entendu, j'avais tout vu, mais rien n'avait pénétré en moi. C'était trop incompréhensible, trop inimaginable. Les morts, les gens battus, les pendus devant lesquels on passait. Tout cela, je l'avais bien vu et entendu, mais je ne l'avais pas réalisé. Au bout de six mois seulement, je me suis avoué à moi-même où j'étais : dans une usine dont la seule fonction était le meurtre. »

Une fois la réalité admise, Ruth peut s'y adapter plus consciemment. Elle apprend ce qu'elle appelle la « technique du camp, ce qu'il ne faut pas faire et ce qu'il faut faire pour arriver au lendemain ». Elle se met à comprendre l'ordre hiérarchique et les règles qui régissent le camp. Elle cherche à comprendre et à savoir. Tout d'abord, elle essaie de retrouver les siens. Elle demande autour d'elle des informations sur les convois venant de Berlin, les jours du départ de sa mère, de la première femme et de la fille de son mari, toutes gazées. Un jour, elle apprend la mort de son mari.

« Je ne connais pas exactement sa fin. Je crois qu'on l'a battu à mort peu de temps après son arrivée. Un jour, deux médecins polonais sont venus au camp des femmes et m'ont cherchée. “ Ah, c'est vous la femme de Karl, oh mon Dieu, il n'a fait que vous appeler par votre nom ! ” “ Est-ce qu'il vit encore ? ” Ils ne m'ont pas répondu, ils m'ont prise dans leurs bras, puis ils sont repartis... Je ne sais pas comment il est mort. Le fait qu'ils ne m'aient rien dit de plus me fait penser que ça a dû être une fin terrible. Et pendant toutes ces années, cette pensée horrible m'est restée. Même l'idée que personne désormais ne pourrait le faire souffrir n'a pu me consoler. »

Dorénavant, ses pensées et toute son énergie sont orientées vers la volonté de survivre. Après la perte des siens et faute de perspectives d'avenir, elle ne vit plus que dans le présent, à l'exception des rêves, très rares, qui lui rappellent son mari.

« Je savais que j'étais dans ce camp pour une seule raison : être tuée. Et la seule pensée que j'ai eue face à cette certitude de la mort est tout simplement que personne ne pourrait plus rien me faire. Mais je ne voulais pas leur laisser le plaisir de ma mort. Et pour cette raison, j'ai appris tout ce dont on a besoin pour survivre. La première chose que j'ai apprise, c'est à ne pas suivre systématiquement les ordres, à ne pas obéir. Par exemple quand l'ordre était donné, dans des circonstances exceptionnelles, de quitter le bloc, quand il fallait se mettre en rang en dehors des appels, je restais dans mon lit, cachée sous ma paillasse, jusqu'à ce que la sélection soit terminée. Je me suis cachée. C'est ainsi que j'ai échappé à la grande action d'" épouillage " qui a coûté tant de vies. Je me suis dit : " Je peux me débrouiller toute seule avec mes poux et mes puces ; je ne prendrai pas de douche. " C'était ce qu'il y avait de plus important, ne pas toujours obéir. Si on obéissait à tous les ordres, on était perdu d'avance. Chaque fois, on pouvait se dire : une fois de plus tu y as échappé, demain tu seras encore là... Oui, on acquiert une sorte de technique du camp, moi comme les autres, je ne prétends pas avoir été meilleure que les autres. »

Elle apprend l'existence de « Canada », ce marché noir alimenté par certains commandos comme celui du tri des vêtements ou celui de la cuisine.

« Certaines ont trouvé des bas de soie et les ont amenés au camp malgré le risque d'être contrôlées par les SS, d'autres avaient un bout de pain, d'autres encore, qui travaillaient dans la cuisine, un petit morceau de margarine. Avec ça, elles pouvaient acheter tout ce qu'elles voulaient. Il y avait de tout, il suffisait d'avoir la contre-valeur, et le moyen de paiement, c'était les cigarettes, une sorte de devise. Au fond, Auschwitz était un Etat autarcique, approvisionné par les déportés qui arrivaient et qui apportaient tout. Nous aussi, nous avions emmené beaucoup de médicaments, mon mari avait mis son meilleur costume, et moi ma tenue de ski la plus chic. Et tout pouvait faire marcher le marché noir. On y trouvait même du rouge à lèvres. Quelle Hongroise serait arrivée sans son rouge à lèvres ! Mais ça coûtait des vies humaines, cet Empire de la mort, tout ce système savamment calculé : une fois dedans, personne ne ressortait. Même les SS étaient liés par leur serment de ne jamais rien en rapporter à l'extérieur. Et ce silence leur a été payé par des bijoux, des devises fortes, des diamants, ils ont pu s'enrichir dans cet Etat. »

Parmi les commandos relativement privilégiés, Ruth cite l'administration (la *Schreibstube*), le ménage dans les familles de SS, la blanchisserie des SS, et même les responsables des latrines (le « commando de la merde »). Les membres de ces commandos jouissaient de certains privilèges tels que de meilleurs endroits pour dormir, un accès plus facile à la nourriture et aux informations, parfois le fait d'être libérés des appels du matin et du soir qui duraient souvent des heures. En général, les commandos qui accomplissaient des services directs pour les SS et qui étaient jugés indispensables au bon fonctionnement du camp offraient plus de sécurité. Cela est aussi vrai pour le service hospitalier (le Revier) et tout son personnel.

L'occasion de rejoindre ce service se présente à Ruth pendant la grande épidémie de typhus, fin 1943-début 1944. « Les microbes ne demandaient pas si on était nazi ou juif. » Cette épidémie avait touché les rangs des SS. Pour endiguer l'épidémie, l'extermination fut accélérée, les blocs et les vêtements furent désinfectés, et les déportés furent vaccinés. Pour ce faire, quiconque avait des connaissances médicales était recruté. Ruth étant arrivée au camp avec un brassard médical, elle est nommée par son aînée de bloc et transférée au Revier, où elle retrouve Erika, médecin originaire de Prague, avec qui elle avait noué des liens d'amitié lors d'une quarantaine pour une cystite.

« Nous sommes devenues de grandes amies. Comme tous les médecins, elle avait été directement affectée au Revier, et lors de la grande action de vaccination, elle m'a prise comme assistante. Pour moi, c'était la grande chance, et elle a tout de suite saisi la situation. Elle était intelligente et elle avait déjà connu la prison pendant deux ans. Et là j'ai rempli la fonction de médecin. Personne ne demandait plus rien, pas de diplômes, etc. »

En ce qui concerne le travail médical proprement dit, elle souligne les limites de ce qu'on pouvait faire, des pansements de temps à autre, mais surtout un soutien psychologique, « écouter et consoler » :

« Elles avaient une grande confiance dans toutes celles qui portaient la blouse blanche. C'était tout ce que je pouvais faire. »

Relations personnelles : la base de toute confiance

A mesure que Ruth s'éloigne, dans l'espace du camp, des commandos du travail ordinaire et se rapproche des groupes privilégiés de déportées, en l'occurrence le personnel médical, son récit devient plus « personnel ». Les noms propres et l'appréciation nuancée des qualités de telle ou telle personne, déportée ou SS, gagnent en importance.

Parlant de relations personnelles entre déportées, Ruth établit une différence profonde entre ce qu'elle a vu et vécu avant et après son recrutement au Revier. Le travail très dur, le manque de nourriture, les appels quotidiens de plusieurs heures, le changement fréquent d'affectation à tel ou tel bloc, à tel ou tel commando de travail, toute l'organisation de la vie dans le camp rendait difficile, voire impossible, les chances de garder ou de nouer des liens durables. Il s'ensuit que les petits groupes d'entraide formés pendant les convois se décomposaient souvent assez vite après l'arrivée au camp. A cela s'ajoute le règne absolu des kapos, caste à part qui, pour maintenir son contrôle, avait, tout comme les SS, tendance à ne pas laisser se mettre en place des réseaux d'entraide et de solidarité. Parlant des relations sexuelles, réservées à ceux et à celles qui avaient échappé aux situations physiquement les plus dégradantes et qui pouvaient se procurer un peu de nourriture supplémentaire, Ruth décrit les très fréquentes activités homosexuelles comme étant soumises aux situations hiérarchiques propres au camp de travail, les kapos constituant parfois autour d'elles de véritables cours.

Par contre, au Revier, le recrutement non seulement du personnel médical mais aussi des kapos — aînées de bloc — était largement décidé par Orli Wald-Reichert, aînée du Revier, et Ena Weiss, médecin-chef. Ce faisant, elles avaient le souci de constituer un groupe qui pouvait travailler et vivre dans une certaine harmonie. Pour décrire ces femmes et l'ambiance ainsi créée, Ruth utilise les mots « elles avaient de la classe », « un certain niveau ».

Ce recrutement, assorti de conditions de vie meilleures et d'une plus grande continuité dans l'occupation des différents postes, permettait la création de relations personnelles plus durables et la reconstitution de couples et de petits groupes d'entraide fondés sur l'amitié, l'amour et le respect d'autrui.

« Erika était pour moi une espèce de nécessité vitale. J'avais beaucoup d'affection pour elle, je l'admirais, elle était très intelligente, elle avait de la classe. Elle était pour moi ce dont tout le monde a besoin et que les psychologues appellent aujourd'hui une personne de référence (*Bezugsperson*). Elle a eu un destin terrible. Elle vivait à Prague ; en 1934, son mari a émigré en Israël en disant : “ Je te ferai venir ”, et puis, plus aucune nouvelle. Je l'admirais et la respectais énormément, presque autant que le docteur Hautval. Elle était unique au monde. Et c'était un véritable cadeau d'avoir pu rencontrer de telles personnes... L'amour, la camaraderie et l'amitié étaient les valeurs suprêmes. Et là, au Revier, contrairement au camp de travail, j'ai appris l'importance d'avoir une personne avec qui on puisse parler et être en confiance. »

Dans son récit, Ruth souligne : « Chacune de nous avait un lien préférentiel. » Dans sa description, elle recourt à un terme actuellement à la mode dans les traités pédagogiques « personne de référence »[24]. Ce faisant, elle met en avant le dénominateur commun d'une multitude de relations de couple : la confiance qui, seule, permet de limiter l'arbitraire et est au fondement de tout sens de la continuité et de l'estime de soi autant que des autres.

A partir de telles relations de couple, des groupes plus larges peuvent être constitués, tel un groupe de médecins-amies qui, lors des moments privilégiés de leurs rencontres, mettent « entre parenthèses la réalité du camp ».

« Nous étions six à nous réunir souvent le soir, chacune de nous racontait sa vie d'avant le camp. Nous étions un petit groupe très uni. Avant, dans le camp de travail, nous passions le temps, les autres femmes et moi, à parler de recettes de cuisine. Au Revier, on

24. *Bezugsperson* désigne en allemand, dans la psychologie du développement, les premières personnes avec lesquelles l'enfant établit des liens durables de confiance.

discutait de problèmes médicaux, ce qu'il fallait faire et dire ou ne pas dire. Mais nous avions aussi choisi de faire chacune de petits exposés sur ce qui nous tenait particulièrement à cœur... C'étaient des heures précieuses... Nous nous sommes, pour ainsi dire, maintenues en vie en maintenant une sorte de vie intérieure... Une fois, j'ai parlé sur Rembrandt, de sa vie, de tout ce que je savais si bien à propos de ses tableaux. Autrefois, j'avais lu beaucoup de livres d'art. Ça me passionnait. Mais mon sujet préféré, c'était Gœthe et *Faust*. Je le connaissais par cœur, la première partie comme la seconde. Les autres en savaient peu de choses : je pouvais leur apprendre énormément. »

Ces liens amicaux ouvrent aussi la voie à l'élaboration d'une attitude commune face aux SS, qui tend à « éviter le pire » ou « à limiter les dégâts ». Ainsi, ne pas indiquer la présence des maladies chroniques et contagieuses devait permettre d'éviter la sélection automatique de ceux qui en étaient atteints. Un effort d'organisation pouvait aussi permettre une meilleure répartition des médicaments. Mais, en contact direct avec le personnel SS, et plus particulièrement avec les médecins SS, ces mêmes personnes devaient toujours décider du degré de leur relation avec ces derniers. Ainsi, on pouvait approcher exceptionnellement les médecins SS pour des raisons personnelles.

« Erika avait placé ses deux filles, pour les cacher, chez des Tchèques en échange de beaucoup d'argent. Mais ceux-ci les avaient livrées aux autorités, et ainsi les deux jumelles, Renée et Irène, sont arrivées un jour au camp des familles à Auschwitz. Or plusieurs femmes de ce même convoi connaissaient Erika. Nous devions les examiner pour voir si elles avaient caché des bijoux dans leur vagin. Et ces femmes dirent à Erika que ses filles étaient arrivées avec elles. Le docteur Mengele s'intéressait à toutes les anomalies physiologiques dans le camp. Il avait là un matériel humain que personne au monde n'aurait pu lui offrir ! Il collectionnait les jumeaux, c'était le centre d'intérêt de ses recherches. Erika savait que ses filles jumelles étaient encore en vie tant que Mengele ne les avait pas examinées pour décider leur sort. Par l'intermédiaire d'Ena Weiss, médecin-chef du Revier, Erika l'avait supplié de les lui rendre. Et il a effectivement appelé ces enfants, leur a demandé qui était leur mère. Et les enfants ont répondu que leur mère, médecin, était morte, ne sachant qu'elle se trouvait à Auschwitz. Et Mengele les a laissées partir au Revier. Et un jour, il les a laissées sortir par la grande porte d'Auschwitz et elles sont arrivées chez nous à Birkenau. Et ce fut un acte humain. »

Erika et Ruth, inséparables, peuvent ainsi s'occuper des enfants et forment une « famille », un terme utilisé également par d'autres déportées pour désigner des liens particulièrement étroits noués au camp entre femmes de générations différentes et enfants qui se sont, pour ainsi dire, « adoptés » réciproquement[25].

Les passages de l'entretien qui se réfèrent aux rapports avec les médecins SS méritent une attention particulière parce qu'ils témoignent très clairement de la tendance de Ruth à ne jamais penser le monde social en termes d'appartenance à un groupe et à ne vouloir considérer que les rapports d'individu à individu.

« Je ne devrais pas le dire, et on va m'en vouloir. Mais même Mengele, l'être le plus froid et le plus glacial du monde, avait des moments humains. Une fois, il est arrivé seul. Il m'a demandé de lui indiquer les maladies de femmes dont j'étais en train de m'occuper. Visiblement, elles avaient le typhus. Mais cela, il ne fallait pas le dire. Donc, j'ai dit : " une diarrhée ". Il m'a regardée et a dû remarquer mon accent. " D'où viens-tu ? " " De Berlin. " " Et votre mari, que faisait-il ? " Ce fut tout à fait exceptionnel. D'habitude, c'était " *Arztin, Du !* " (Médecin, toi !) Jamais un SS ne vouvoyait une déportée. Et là, pour une fois, il a dit " vous ". Et je lui ai indiqué d'autres Berlinoises, et lors de la sélection suivante, j'ai pu en sauver deux. Peut-être faisait-il cette exception parce qu'il se souvenait de ses années d'études à l'université Humboldt. Quand il m'a dit " vous ", il était seul, bien évidemment. Jamais, en présence d'un autre SS, il ne se serait laissé aller ainsi. C'était toujours la même chose. Quand un SS était contrôlé, quand il se sentait observé, il devait correspondre à son rôle et prouver aux autres SS qu'il était dur. Les SS ont toujours commis les plus grandes atrocités en présence d'autres SS. Je me rappelle un SS qui avait la réputation d'assassiner au moins une personne par jour. Quand il traversait le camp seul, sans être observé par d'autres SS, je ne l'ai jamais vu commettre de cruautés. Chaque être a quelque part un côté humain. Dans un rapport d'individu à individu,

25. L. Adelsberger, *Auschwitz*, Berlin, Lettner, 1956, p. 122.

presque personne n'échappe à ces sentiments humains. C'est en groupe, en s'identifiant à des croyances ou à des organisations, et quand on se sent observé, qu'on veut être à la hauteur de son rôle et qu'on arrive à faire tout ce qu'on vous dit de faire. »

L'ambiguïté des rapports sociaux

Dès son arrivée à Auschwitz-Birkenau, Ruth est également confrontée à la concurrence entres groupes de déportées pour l'accès aux positions privilégiées.

« Celles qui étaient déjà depuis longtemps au camp, surtout les Polonaises, avaient déjà l'esprit du camp, elles occupaient les postes dirigeants et savaient jusqu'alors se débrouiller. Nous nous en rendions vite compte. Et les Polonaises, en majorité dans le camp, étaient jalouses de toutes ces Allemandes qui arrivaient et qui risquaient de prendre leurs postes. »

Les déportées de nationalité allemande étaient officiellement favorisées par l'administration du camp. A cela s'ajoute l'avantage de la langue, mais plus encore une compréhension implicite de la discipline et de l'ordre du camp. On pourrait parler d'un fonds commun d'éducation partagé par ceux qui avaient conçu l'ordre du camp et ceux et celles, parmi les déporté(e)s, qui étaient les mieux préparé(e)s aux tâches de maintien d'un tel ordre.

« Pendant les appels du matin, on était souvent debout pendant des heures jusqu'à ce que tous les rangs soient en ordre et le compte fait. Moi, je savais faire ça, se mettre en rang par cinq. J'en avais l'habitude depuis les heures d'éducation physique à l'école. Là aussi, nous devions compter interminablement, un-deux, un-deux, ou en rang par cinq. Et je disais aux autres : “ Ecoutez, mettez-vous bien en rang. ” Mais dès que je regardais ailleurs, il y en avait de nouveau six et non pas cinq dans mon rang. Moi je leur disais “ Cinq ! Nous aurons des ennuis, la sixième doit se mettre ailleurs. ” “ Mais laisse-moi prendre cette place ici, à côté c'est mon enfant. ” C'était une juive polonaise qui disait ça. Elle n'avait tout simplement pas compris l'importance de l'ordre dans le rang. Elles disaient toutes : “ Quelle bêtise que de se mettre en rang par cinq ! ” Seul quelqu'un qui avait connu le dressage prussien (le *Drill*), qui savait ce que c'est que le sens de l'ordre pouvait s'y habituer. Et heureusement, ce sens-là m'avait été transmis. Je l'avais en moi. »

Ce passage de l'entretien, apparemment opposé à l'idée qu'« il ne fallait jamais obéir », indique que les bénéfices de l'obéissance ou de la désobéissance sont fonction des circonstances. Pouvoir, dans une certaine mesure, anticiper les actions et les réactions des SS délimitait les espaces et les moments dans lesquels il valait mieux « obéir » ou « désobéir ». Mais essayer d'influencer ses codétenues dans ce sens peut être interprété comme une complaisance ou une compromission. Parmi toutes les catégories de déportées, celle de juive allemande était tout particulièrement exposée à ce genre de « malentendu ». En tant que juive, Ruth fait partie de la catégorie située au plus bas de l'échelle ; en tant qu'Allemande, par contre, elle appartient à la catégorie supérieure. Pouvoir communiquer avec le médecin SS Mengele a permis, on l'a vu, de sauver les filles d'Erika, mais aussi de faire échapper des Berlinoises aux sélections. Mais chaque personne protégée était remplacée par une autre victime. Sauver une amie pour la seule raison qu'elle avait la même origine géographique que vous était nécessairement perçu par les autres comme un acte de favoritisme injustifié et attirait des critiques sur celles qui agissaient ainsi. La situation parfois ambiguë des juives allemandes, à la fois en bas et en haut de l'échelle, les plus directement menacées et, en même temps, membres d'un groupe linguistique relativement privilégié, en faisant le groupe le plus exposé aux critiques des déportées, mais aussi le plus désorienté : « Au camp, nous n'étions pas aimées. On nous appelait les Jackele. Et nous avions la réputation d'être arrogantes. »

Par ailleurs, la grande hétérogénéité du groupe, tiraillé entre des traditions juives et allemandes, des loyautés religieuses ou culturelles diverses, empêche l'éclosion d'une solidarité de groupe qui aurait pu servir de base à des réseaux d'entraide tels qu'ils s'étaient constitués dans le cas des Françaises ou des Polonaises[26].

26. Ce fait est souligné dans le témoignage de E. Lingens-Reiner, *Prisoners of Fear*, Londres, Victor Gollancz, 1948, p. 119.

Ruth évoque les tensions entre elle, qui avait gardé malgré tout un certain patriotisme et une certaine fierté culturelle, et ses amies déportées d'origine polonaise et française.

« On avait aussi des discussions politiques. Et souvent j'étais attaquée : toi, avec ta germanophilie. Oui, on m'a beaucoup insultée. Et même celles que j'admirais m'attaquaient. Elles détestaient les Allemands. " Qui pourrait aimer des assassins ? " C'est vrai que c'est difficile. Elles avaient peut-être tort aussi de trop généraliser... Une fois, une femme de notre groupe m'a même dit : " Si j'entends encore un mot sur les Allemands, je vais cracher. " Bien sûr, c'est compréhensible. Si on a vécu cela personnellement, comment ne pas désespérer ? Comment comprendre que cela ait pu arriver au " Pays des poètes et des penseurs ", dans cette Allemagne hautement cultivée et admirable ? Nous en étions témoins. Non, personne ne pouvait comprendre ça. Et puis on a oublié que les coupables, ce n'était qu'une certaine catégorie de gens. Moi aussi, par moments, je l'avais oublié. Mais à mon retour, quand j'ai vu ici le désespoir et la désorientation complète des gens, je me le suis rappelé. Il ne faut pas généraliser. Qu'est-ce qu'ils auraient pu faire, les gens ? »

Les critères de l'acceptable

Dans leur secteur, les médecins SS exigeaient des déportées médecins un aspect physique et esthétique « acceptable », rappelant la fonction médicale. Elles devaient avoir des cheveux et porter la blouse blanche. « On ne peut pas dire que les médecins SS avaient de la sympathie pour nous, mais ils montraient une sorte de respect superficiel comme on trouve entre collègues. » De nombreux témoignages décrivent ainsi les relations entre médecins SS et déportées, occupant des positions dirigeantes au Revier, telle l'aînée du Revier et le médecin-chef.

« Je connaissais Ena très bien personnellement. C'était une belle femme, et elle avait occupé, paraît-il, une position élevée dans le service de chirurgie d'un hôpital de Belgrade. Au camp, elle était devenue comme pétrifiée, sans aucune émotion. Mais, dans sa position, elle n'aurait jamais pu se payer le luxe de manifester de l'émotion. Mengele l'avait choisie pour l'accompagner. Elle venait avec lui pour les sélections. Mais elle n'a jamais pris de décision elle-même. Et au fond, si tout cela ne s'était pas passé dans un camp de concentration, on aurait dit qu'ils formaient un beau couple, deux êtres — on ne peut pas dire sympathiques — mais beaux à regarder... Quant à son travail et à sa position, elle disait : " Moi, je peux travailler avec cet homme. Et si ce n'est pas moi qui le fait, dix autres le feront à ma place. Je sauve ce qui peut l'être ! " C'était son point de vue. Elle pouvait parler avec lui, il parlait avec elle d'égal à égal, comme avec une collègue. Mais il ne s'est jamais expliqué sur ce qu'il faisait dans ce camp, sur ce qu'il en pensait. C'est au moins ce qu'Ena m'avait dit, mais il leur arrivait aussi d'être seuls tous les deux. A nous autres, Ena disait toujours : " Il faut le faire, et je le fais au mieux, croyez-moi ! " Moi, je l'ai crue. Elle faisait plutôt grande dame, avec en même temps un côté " dame de fer ". C'était une personnalité. Mais on ne pouvait pas voir à quel point ce travail la faisait souffrir. »

L'épopée du retour

Plus on approche de la fin de la guerre, plus les gardes des camps de concentration sont fréquemment recrutés parmi les soldats blessés, inaptes pour le front, ou parmi les hommes âgés. Ceux-ci arrivent au camp sans aucune préparation spécifique, surtout sans l'endoctrinement idéologique raciste que tout SS a connu dans sa formation. Certains problèmes de discipline dans les rangs mêmes du personnel SS ne sont sûrement pas étrangers à ce recrutement. Dès lors, savoir discerner parmi les gardiens les « bons » et les « méchants » peut être décisif, et cela d'autant plus que le monde des SS et des camps se décompose tout autant que le IIIe Reich, et que le périple du retour met Ruth dans des situations « anarchiques », au milieu de la débandade générale, dont seule une appréciation juste et rapide de l'entourage social permet de triompher.

« Un jour, près du grillage, il y avait un jeune soldat avec un visage d'enfant et de grands yeux bleus. Il me demande : “ Mais pourquoi es-tu ici ? ” Je réponds : “ Je suis juive ! ” Alors il a été complètement ahuri. Et il a dit : “ Quoi, c'est la seule raison ? C'est horrible ! Je ne pourrai plus jamais regarder ma mère droit dans les yeux si je dois collaborer à cela ! ”... Il avait certainement été muté du front. Et il me demande : “ Qu'est-ce que je peux faire pour vous ? ” Je lui demande alors de m'apporter un livre. Et effectivement, le lendemain j'ai trouvé au même endroit un livre. Je me rappelle exactement le titre, *Petite Enclyclopédie des connaissances,* et sous le livre tout un paquet de feuilles de tabac. Et cela avait énormément de valeur. Les cigarettes étaient la monnaie du camp. Et je suis sûre que ce jeune, il n'a pas pu surmonter ce choc. Il a dû se suicider. Voulez-vous que je le condamne ? Ça aussi, on peut le dire, il faut le dire. Je ne peux pas noircir tous les Allemands. Ils étaient différents les uns des autres. Ils n'ont pas tous voulu cela. »

Dans le camp, la survie dépendait du maintien de liens durables, d'une certaine continuité, d'un certain ordre social. Au moment de la libération et du retour à Berlin, elle devient fonction de relations personnelles souvent changeantes. Le récit des derniers mois passés dans divers camps ressemble à un roman d'aventures dans une période où aucun ordre social, aucune continuité ne subsistent. Sans repère, sans orientation qui permettent un minimum de prévisions et de précautions, Ruth ne peut compter que sur ses relations du moment et sur sa ruse.

« La fin, c'est un roman à part, un véritable roman policier. Fin 1944, les Russes approchaient du camp, et on commençait à transporter les déportés dans d'autres camps de la région, souvent des dépendances d'Auschwitz. C'est à ce moment qu'on nous a également envoyées, Erika, ses deux enfants et moi-même, dans un petit camp en Haute-Silésie. Il y avait un chef de camp SS, trois gardiennes SS, une déportée médecin, et des aides médicales et 500 déportées. Nous sommes parties d'Auschwitz dans un vrai train, en compartiments de 3e classe. C'était très étonnant car, à l'époque, il y avait des wagons de 4e classe. Et nos gardes étaient des vieillards en uniforme vert, du Volkssturm — je crois. Erika et ses enfants étaient assises dans un autre wagon, et moi, je voyageais dans un compartiment avec les gardiens. J'avais une blouse blanche du service sanitaire, et sur le dos on m'avait peint une grosse croix rouge, ça avait l'air bizarre. Mais vue de devant, j'avais l'air normal, mes cheveux avaient poussé un peu, j'avais quelques boucles, et on me disait que je devrais garder cette coiffure assez semblable à celle que j'ai actuellement. Un de ces gardiens a partagé son casse-croûte avec moi. Il a dû se rendre compte que je mangeais très vite, que je n'avais pas mangé à ma faim depuis longtemps, et il m'a demandé : “ Qu'est-ce que vous faites ici ? ” Et je lui ai répondu que nous étions des prisonnières. Il ne voulait pas me croire. Je lui ai dit que j'étais juive, mais ça ne lui disait rien de précis. Quelle situation irréelle ! Et vous n'allez pas me croire, il m'a fait des avances, il m'a demandée en mariage ! C'était bizarre, curieux à un point, après plus d'une année dans le camp, je traversais un paysage dans un train de tourisme, de vrais visages... »

« Nous sommes arrivées de nuit à Mielitz, en Haute-Silésie. Et il fallait faire cinq kilomètres à pied. Et il y avait une gardienne SS qui devait nous accompagner et nous remettre au chef du camp. Peut-être y avait-il en plus quelques gardiens en uniforme vert, je ne me rappelle plus. Ce camp Hochweiler pour 500 détenues faisait partie de Gross-Rosen. On y avait installé une briqueterie. A notre arrivée, on nous a montré les paillasses, et pour nous, le personnel médical, une petite chambre avec des lits superposés. Sur la place illuminée du camp nous attendait une cuisine roulante militaire pour nous servir une soupe. Mais les filles avaient vu les hautes cheminées de la briqueterie, et tout le monde était glacé : vous savez bien, à Auschwitz, une cheminée symbolisait la mort. Et tout d'un coup, le silence complet. On aurait pu entendre tomber une aiguille. Nous pensions toutes que nous allions y passer, par cette cheminée. La soupe faisait sans doute partie de la mise en scène pour nous faire tenir tranquilles. On allait nous tuer, toutes... Et puis, petit à petit, nous nous sommes rendu compte que nous pouvions vraiment manger, dormir et survivre. Et tout d'un coup; un vacarme. Tout le monde parlait, de quoi se boucher les oreilles tellement c'était bruyant... Le lendemain matin, le SS chef du camp s'est présenté, petit, assez poli. Et il dit qu'il fallait se soutenir réciproquement, que nous avions à faire tel et tel travail, et qu'on mettait à notre disposition ce camp et le service médical. Alors là, cela sonnait comme le message d'un ange venu sur terre.

« Je n'y suis restée que quinze jours. Une gardienne SS, chef d'un autre petit camp, arriva et demanda une déportée médecin parlant allemand pour s'occuper de son camp. Elle me choisit sans me demander mon avis : “ Je te veux. ” J'étais la seule à pouvoir parler avec elle. Les autres filles du camp étaient presque toutes des Hongroises. Et Erika avait l'accent praguois, et moi j'avais, si vous voulez, l'accent qu'aimait Johanna Feige. C'était son nom. Je dus donc me séparer d'Erika. C'était très triste. Nous étions très attachées l'une à l'autre à cause aussi de ses enfants. Nous nous sommes promis de nous revoir, si jamais nous devions survivre, dans un café à Prague, sur la place Wenceslas, le premier vendredi après-midi après notre libération.

« Notre nouveau camp Sankt Georgental se trouvait au pied de la montagne d'Iser en Tchécoslovaquie. Il y avait d'abord 300 filles, en majorité polonaises, et plus tard encore, 300 Hongroises. Un entrepreneur avait réquisitionné les détenues pour un travail qui consistait à démonter des pièces d'avion, à les dévisser, et les filles le faisaient avec sérieux et application, vis par vis. C'étaient de grosses pièces provenant d'avions qui avaient été descendus. Tout cela devait être réutilisé. Et moi, pour ainsi dire, seul médecin responsable. J'ai choisi trois filles pour m'aider. Et j'ai eu beaucoup de chance. Pendant cette époque, il n'y a rien eu de très grave. On n'avait pas beaucoup de moyens. A nouveau, on ne pouvait faire que des pansements, ouvrir des abcès, et le 2 mai, une naissance, et je l'ai bien réussie et le bébé a survécu. Pendant cette période, il n'y a eu qu'un seul décès, une jeune juive grecque, morte d'épuisement physique. Et cet entrepreneur faisait tout pour que nous soyions bien traitées et nourries. A midi, nous mangions tous ensemble à une grande table et on pouvait même se resservir. Comparé à Auschwitz, c'était le paradis. Et d'abord je ne pouvais pas y croire à cette idylle, je me disais qu'il devait y avoir un “ truc ”. Et en effet, il y en avait un. Il y avait un ordre secret venant de Gross-Rosen, disant que, si l'ennemi approchait jusqu'à 40 kilomètres de notre camp, il fallait liquider les détenues à l'aube. Et pour ce faire, on demandait de recenser les armes et les calibres dont disposaient les SS et de se préoccuper à l'avance de l'enterrement des corps. Comment je savais tout cela ? Ce n'est pas à moi que la Gestapo adressait ce genre de document secret ! C'était tout simplement parce que Johanna Feige, cette brave directrice du camp, ne savait tout bonnement pas lire et écrire. Elle était Berlinoise, mais d'origine très simple, et voilà qu'elle jouait le rôle le plus brillant de sa vie, dans un bel uniforme, décidant de plus de 500 vies humaines... Et ça lui était, bien sûr, monté à la tête...

« Johanna Feige ne savait pas lire, mais elle m'avait prise un peu pour confidente : j'étais allemande, elle me comprenait, je venais moi aussi de Berlin, elle m'appelait : “ Médecin, venez voir ça ! ” Et c'est comme ça que j'ai vu le document secret en forme de télégramme : le jour où les Russes seraient à 40 kilomètres du camp, il fallait liquider tout le monde. C'était dit noir sur blanc. Et on demandait sur ce document si les Waffen SS de notre camp avaient assez d'armes et de cartouches pour cela. Dans la réponse, je compris d'ailleurs qu'il y avait assez d'armes et de munitions pour liquider 500 personnes.

« Johanna Feige allait souvent à Gross-Rosen, où elle avait une liaison avec un SS haut placé. Il lui écrivait des lettres d'amour auxquelles elle ne pouvait pas répondre. Et elle m'a dit : “ Vous ne pourriez pas répondre à ma place ? ” Et cela m'a amusée au plus haut degré d'écrire ces lettres, de faire des déclarations d'amour, de souligner l'importance d'avoir connu ce SS. Je me suis inspirée de certains vers de Gœthe... Ainsi, j'ai rédigé trois longues lettres d'amour. Un jour que les nouvelles étaient devenues franchement mauvaises et qu'on entendait déjà les bruits du front, Feige m'a demandé : “ Qu'est-ce que tu crois, est-ce que la guerre peut encore être gagnée ? ” C'était une question à double tranchant, très, très dangereuse. J'ai répondu : “ Vous me demandez ça dans le cadre du service, ou à titre personnel ? ” Elle a bien compris où je voulais en venir et a dit : “ Question tout à fait personnelle. ” Alors je lui ai dit : “ La guerre est perdue. ” Elle m'a regardée, furieuse : “ Vous savez bien ce que je pourrais faire de vous ! ” Et elle est partie.

« Une autre femme SS, d'origine tchèque, devait également nous garder et nous faisait de temps à autre des cadeaux. Tout à la fin de la guerre, on était venu la chercher pour l'intégrer dans les SS. Et comme je savais ce qui nous attendait, j'ai réuni des amies, des filles auxquelles je pouvais faire confiance, et j'ai également parlé à cette gardienne SS tchèque, Maria. Les ouvriers tchèques qui travaillaient sur une colline près du camp ont chanté en tchèque pour que les Allemands ne puissent pas les comprendre : les Russes sont à tant de kilomètres ! Maria a “ organisé ” une scie à métaux et, pendant la nuit, nous avons scié les grilles de nos fenêtres. A côté de notre logement, un vieux moulin désaffecté, il y avait un ruisseau et on pouvait entendre les pas des soldats qui montaient la garde. Et un soir, nous sommes parties par les fenêtres, nous avons traversé le ruisseau et marché, guidées par les bruits des canons. Il avait été convenu que j'attendrais la SS, Maria à qui nous avions promis de l'emmener avec nous. Et j'ai continué avec elle. Et voilà, le premier tank, c'était un tank russe ! Le village natal de Maria était déjà occupé par les Russes. C'est là que nous avons dormi pour la première fois de nouveau dans un lit. »

Revoir Berlin

Maria, dans son village, rencontre des difficultés pour avoir été intégrée dans les troupes SS. Elle décide d'accompagner Ruth à Berlin. Sans se rappeler en détail cette traversée de l'Allemagne, Ruth évoque des images de Prague où, reconnue comme allemande, elle n'est sauvée de la fureur anti-allemande que par son tatouage et un certificat des troupes soviétiques la désignant comme déportée. Elle se rend au rendez-vous convenu avec Erika, qui, elle, n'est pas encore de retour. Elle l'attend pendant dix jours. A pied, parfois dans des camions qui ramènent des STO français, Maria et elle arrivent à la frontière allemande. Quelque part entre les troupes soviétiques et américaines, elles logent dans un hôpital militaire allemand abandonné par le personnel.

« Il y avait des soldats allemands grièvement blessés. Les médecins et infirmières avaient fui. Et j'ai traité une douzaine de jeunes, fait des pansements avec des draps déchirés. Ils étaient tous jeunes, presque des enfants. Dans cet hôpital, nous avons découvert des réserves de pommes de terre, et cela nous a beaucoup aidées. Et tous ces jeunes gens qui étaient là, en train de mourir, m'ont donné des petits mots destinés à leurs mères. Très, très triste, une vraie tragédie. »

A Dresde aussi, des images de destruction la plus complète. « On avait pensé que plus rien ne pourrait nous toucher. Mais Dresde, c'était choquant. » Faute de papiers, son tatouage de déportée lui sert de document pour utiliser les rares trains qui l'amènent, après de multiples péripéties, à Lankwitz, dans la banlieue sud de Berlin.

« Et me voilà à la gare de Lankwitz, toute seule. Que faire ? Des gens tout à fait étrangers m'ont alors proposé de loger chez eux. Tout le monde était dans la même misère et il y avait beaucoup d'entraide. C'était un chaos, la ville complètement détruite. C'était dur de revoir Berlin dans cet état-là. Ça me donnait une idée de ce que ces gens-là, eux aussi, avaient dû souffrir. Mes amis ont vécu dans une cave pendant trois mois. Toute cette époque était une folie. A tous les coins de rues se formaient des comités, des commissions communistes où l'on devait s'inscrire pour obtenir un logement. Et alors, un vieux nazi, très haut placé, avec des décorations dorées de je ne sais quoi, a tout fait pour qu'on envoie quelqu'un loger chez lui. Il espérait que je lui ferais de la publicité : regardez tout ce qu'il fait pour les juifs, pour les déportés ! Situation très curieuse. Et je ne sais pas comment je me suis retrouvée tout d'un coup chez lui, dans cette famille nombreuse. Et j'ai revu une vie de famille. J'étais choquée, avec la prière à table et tout. Et ils m'ont trouvé une chambre indépendante. Et là, mon premier mari m'a retrouvée. Il avait tout fait pour me trouver. Sa deuxième femme, chrétienne, lui avait sauvé son appartement et il n'avait qu'un seul désir, m'être utile. Et il a fait ce qu'il pouvait. C'était mon meilleur ami. »

Mais retrouver d'anciens amis peut aussi réserver des surprises désagréables. Ainsi Ruth recherche d'anciens voisins. Dans Berlin bombardé, on marquait parfois à la craie sur les murs des ruines la liste des morts et des survivants, avec la nouvelle adresse des derniers. C'est ainsi que Ruth retrouve des amis à qui elle avait confié certaines affaires avant sa déportation.

« Je revois cette femme. Et immédiatement elle me dit : “ Mais nous n'avons plus tes affaires. ” Je pensais qu'elle dirait : “ Dieu merci, tu es vivante ! ” Non, un froid absolu. Tout le monde était occupé par soi-même et par sa survie. Les gens n'étaient touchés que par ce qui les concernait très personnellement eux-mêmes ou leurs proches. Le reste n'existait pas. »

De plus, un mur sépare ceux qui ont connu l'enfer des camps de ceux qui veulent s'informer, aussi bien intentionnée que soit leur quête de l'information. Quand Ruth veut s'inscrire à la faculté de médecine, cinq professeurs l'invitent à leur raconter « la vérité sur Auschwitz ».

« Ils (Ruth a demandé que soit préservé l'anonymat de ces professeurs dont un seul vit encore) étaient assis devant moi et m'ont dit : " Eh bien, racontez-nous comment c'était vraiment. " J'ai répondu : " Je ne peux pas raconter comme ça. Je n'en ai ni la force ni le temps. C'était horrible et inimaginable. Posez plutôt des questions ! " " Est-il possible qu'on ait fait des abat-jour en peau humaine ? " " Mais, Monsieur le Professeur, c'était encore ce qu'il y avait de moins grave. Les abat-jour étaient faits à partir de ce qu'il restait des morts, cela ne leur faisait plus mal. Mais ce qu'ils ont fait aux gens vivants, c'était bien pire ! " Et puis, ils m'ont demandé des détails. Mais je ne pouvais pas leur en donner. Je ne pouvais que dire : " J'ai vu de mes propres yeux l'arrivée quotidienne d'une masse de gens. Je les ai vus sortir des trains, entrer dans le camp. Et puis je ne les ai plus vus. Mais jour et nuit les fours crématoires brûlaient. On dit qu'il y en avait quatre, j'en ai compté trois. Ce qui est sûr, c'est qu'on les a tous gazés et brûlés... Et lorsque la capacité des fours crématoires a été insuffisante, on les a brûlés tout simplement sur des bûchers. Ça s'est passé comme ça. Que voulez-vous entendre de plus ? Si je suis assise ici devant vous, ce n'est que pur hasard. J'ai eu de la chance. Si on peut appeler ça de la chance. Est-ce une chance d'échapper à cet enfer ? J'en souffre beaucoup et je ne sais absolument pas si j'aurai la force de refouler tout cela. " Alors l'un d'eux m'a dit : " Mais ma chère Ruth A., vous devriez écrire tout cela, ça vous soulagera et vous sauvera. " C'était l'entrevue avec les cinq professeurs. Ils étaient quand même un peu émus. Et ils ont dû se rendre compte que je n'avais pas dit un seul mot de trop. Je me suis demandé : " Est-ce qu'ils n'ont vraiment rien su ? S'ils avaient su, ils ne m'auraient pas interrogée de cette manière. " Il semble quand même que beaucoup de gens n'en savaient rien. »

La difficulté qu'éprouve Ruth à vivre pendant les premières années d'après guerre, qu'on a pu appeler l'« année zéro », s'aggrave encore du fait de la perte de son amie Erika.

« Un jour d'août 1945, j'ai reçu par l'intermédiaire des organisations juives internationales un colis envoyé par Erika. Elle s'était installée à Tel-Aviv. Comme pour beaucoup d'autres, notre séparation avait été très douloureuse. Nous avions voulu vivre ensemble et monter une affaire de produits cosmétiques. Et puis, j'ai appris deux ans plus tard qu'elle s'était suicidée. Elle n'a pas supporté cette atmosphère de ghetto. Et là, je me suis fait des reproches. Peut-être aurait-elle mieux su dépasser ses déceptions si j'avais été avec elle. Et toute seule, face à tous les problèmes de survie — c'était l'anné zéro — j'étais très déprimée et je me suis dit en toute clarté : " C'est l'un ou l'autre. Soit tu en finis avec la vie, soit tu tires un trait sur le passé et tu recommences avec une attitude positive. " C'était un choix très clair. La mort ne me faisait plus peur du tout. Et je me suis dit : " Une fois encore, je veux remettre à sa place ce monde et ce siècle. " J'ai voulu me prouver, une dernière fois, que je pouvais vivre. »

Tandis que rien dans son récit sur la période passée à Auschwitz-Birkenau ne laisse transparaître la moindre idée suicidaire, elle présente sa situation d'après guerre comme le choix délibéré, quoique difficile, de la vie. En même temps, elle opte très consciemment contre une émigration jugée trop difficile pour des raisons d'âge, de langue et de culture, et pour une nouvelle vie à Berlin. Dès lors, ce choix se traduit par une insertion sociale qui s'accompagne d'un certain silence sur son passé concentrationnaire. Sans rien oublier, sans rien renier de son passé, elle essaie de reconstruire une vie « normale », en même temps que se « normalise » la vie dans l'Allemagne d'après guerre.

Etrangère chez soi

Ce processus ne va pas sans poser de problèmes. Tout d'abord ces problèmes sont d'ordre administratif. N'ayant aucun document prouvant son identité, on lui accorde de nouveaux papiers sur la base du certificat établi par les troupes soviétiques en Tchécoslovaquie lors de sa libération. Or les Russes avaient fait une erreur de date de naissance, mais les fonctionnaires berlinois accordent plus de foi à ce document qu'à la parole de Ruth. D'abord elle reste indifférente à ce « rajeunissement de trois ans ». Mais les problèmes ressurgissent quand, en 1953, elle veut faire refaire ses papiers sur la base des registres de l'état civil, en vue de sa retraite future. C'est à ce moment qu'elle peut faire corriger son année de naissance, et prouver son état civil de veuve. Elle est alors contrainte à une démarche supplémentaire pour rechanger son prénom, « Sarah », le nom octroyé à toutes les femmes juives, figurant au registre des mariages de l'état civil de 1938 comme son seul prénom.

Dès 1945, son statut de déportée lui donne droit à certains avantages, comme de meilleures cartes alimentaires, et lui rappelle également en permanence son passé. Parfois ce statut provoque des jalousies.

« Un jour, j'arrive au bureau pour chercher mes cartes d'alimentation. J'avais droit à une certaine catégorie. Mais l'employé me l'a refusée en me disant : " Tout le monde peut se faire un tel tatouage. " Je ne savais pas quoi répondre. Si on subit une telle injustice, on ne sait pas comment faire face. J'étais toute muette. J'avais très envie de prendre l'encrier et de le lui jeter à la tête. Je suis partie sans les cartes. Mais on me les a renvoyées plus tard.

« Certes, directement après la guerre personne n'aurait osé dire quelque chose contre les juifs. D'une certaine manière, on avait le champ libre et certaines demandes étaient accordées d'avance. »

Mais cette situation donne aussi lieu à un marché noir particulier qui, sous une forme très différente, perpétue une sorte de statut spécifique. On en trouve de multiples traces dans les publications de la communauté juive de l'époque. Ainsi d'anciens nazis prétendent s'être distingués par leur soutien aux juifs pour prévenir la perte de leurs biens ou de leurs droits dans les procès de dénazification[27]. On

27. L'hebdomadaire juif *Der Weg* écrit dans son n° 3 (15/3/1946, p. 1) : « ... On ne trouve guère de demandes par des camarades du parti (membres du NSDAP) adressées à l'administration sans au moins une attestation dans laquelle un juif fait acte de sa reconnaissance et du soutien qu'il a reçu... Nous ne voulons pas croire qu'un juif accepterait actuellement de fournir de telles attestations contre de l'argent... » On assiste même au renversement des « preuves aryennes » qui avaient donné lieu à la dénégation de la paternité, pour sauver les enfants de mariages mixtes. Ainsi *Der Weg* écrit dans son n° 4 (22/3/1946, p. 3) : « Nous nous souvenons des procès, peu dignes, dans lesquels de vieilles dames témoignaient qu'elles n'avaient pas eu leurs enfants de leur mari, pour les sauver. Et nous savons que des mères cherchent aujourd'hui des pères juifs, parce que leurs maris étaient membres du parti. »

assiste même à l'émergence d'un marché d'« attestations de bonne conduite » établies par des particuliers juifs au bénéfice de tel ou tel fonctionnaire nazi. Par conséquent, la communauté juive de Berlin, recréée en 1945, établit un tribunal d'honneur pour ce genre d'affaires en mars 1946 et décide en septembre de la même année : « Un membre de la communauté juive de Berlin qui prend position, d'une façon légère, en faveur d'un membre du NSDAP (Nationalsozialistische Deutsche Arbeiter Partei) ou d'une des organisations annexes lors de procès et de procédures de dénazification, ou alors qui omet de se porter témoin dans des cas qu'il connaît, bien qu'il puisse faire des dépositions à leur insu, peut être exclu par simple décision de tous les services sociaux rendus par la communauté[28]. »

Pendant les premières années d'après guerre, Ruth jouit du soutien de la communauté juive, elle reçoit régulièrement des paquets en provenance d'organisations juives internationales et américaines. En 1946, une femme venant du Danemark la retrouve grâce aux recherches de la Croix-Rouge et lui remet les bijoux qu'elle avait confiés à une amie avant sa déportation. Quand elle veut les vendre sur le marché noir, elle fait de nouveau l'expérience qu'il n'est pas facile d'être à la fois « juive » et « allemande ». « Je me rendis au camp des anciens déportés (UNRA) au bord du Schlachtensee pour échanger un sac à main en argent contre du beurre. C'était un des centres du marché noir. Et ils ne voulaient pas me laisser entrer au camp parce qu'ils ne voulaient pas croire que j'étais juive. »

Des scènes de la vie quotidienne lui rappellent sans cesse que les frontières sociales que le nazisme avait solidifiées avec tellement de violence allaient rester encore longtemps vivantes, tant elles avaient envahi les mentalités et les sentiments. Mais, plus importante que ces scènes qu'on pourrait trouver anecdotiques, sa vie professionnelle témoigne d'une continuité entre son expérience du camp et celle de l'après guerre. Refusée à l'université faute d'attestations prouvant qu'elle a passé son bac en cours privés, ses professeurs n'ayant pas survécu, elle ne peut pas réaliser son rêve d'entreprendre des études de médecine. Mais en 1945 déjà, le Sénat de Berlin, dont les services médicaux doivent faire face à des risques d'épidémie et aux difficultés entraînées par le développement des maladies vénériennes, lui propose un emploi. Elle doit cette offre « à ses

28. *Der Weg,* 28, 6/9/1946, p. 1.

expériences dans la lutte contre les épidémies à Auschwitz-Birkenau ».

Vers 1953, et toujours à cause de son expérience personnelle, on lui demande de s'occuper du service de distribution des indemnités aux « victimes du fascisme et aux persécutés raciaux », réglées à Berlin par la législation de 1951 et 1952. Quand elle évoque cette politique, elle souligne d'un côté son aspect humiliant, de l'autre les abus commis dans les pratiques d'indemnisation. Ainsi, le fonctionnaire qui s'occupe du cas de sa mère lui établit avec minutie le calcul de tant de marks correspondant à tant de jours de déportation avant sa mort en chambre à gaz. Profondément écœurée, elle refuse cette somme. Par contre, dans son propre travail elle traite des demandes qu'elle juge « abusives » et trouve même que « certains se sont enrichis ».

Ce qui est en question ici, ce n'est pas uniquement une loi, ni même le principe des indemnisations financières, mais les effets sur les destinataires de sa mise en œuvre pratique. De plus, il ne faut pas oublier que la législation des indemnités financières pour une dette « politique » et « morale » s'inscrit dans un processus plus large de « normalisation » de la vie publique en Allemagne, qui est marqué notamment par la création des deux Républiques en 1949 : intégration de chacun des Etats allemands dans un des blocs idéologiques et militaires d'un côté, « réconciliation intérieure » de l'autre. Le lien intime, dans le cadre de la « réconciliation intérieure », entre les victimes du nazisme d'un côté et de l'autre ceux qui avaient soutenu activement le régime ressort du développement simultané des mesures d'indemnisation des uns et de la réintégration progressive des autres dans la fonction publique. On le voit, la « normalisation intérieure » dédommage les victimes et réhabilite les « nazis moyens ».

Ruth a l'occasion d'en faire l'expérience : le chef de l'administration d'arrondissement où elle s'occupe des indemnisations des déportés est un ancien membre de la Waffen SS. Et quand, un jour, le silence habituel entre celui dont le passé n'a rien de secret et celle que le tatouage marque pour la vie se rompt, Ruth doit encaisser cette phrase de la part de son chef : « Mais enfin, si des gens, et d'ailleurs vous-même, ont survécu, ça ne devait pas être aussi terrible que ça. »

Même si de telles scènes ne se répètent pas tous les jours, il faut se protéger, « rentrer dans sa coquille ». Cela se traduit par un contrôle permanent de ce qu'on laisse transparaître de soi-même lors des différents échanges sociaux. Et si, à plusieurs reprises dans l'entretien, Ruth déclare « ne jamais avoir parlé de son expérience à Birkenau », « avoir tout refoulé pour pouvoir vivre », elle explique indirectement cette attitude par l'absence de liens sociaux qui lui auraient permis d'en parler et de surmonter ainsi le souvenir grâce à un travail de constitution d'une mémoire collective.

C'est en ce sens qu'elle constate avec regret l'opposition dans le traitement des déportés entre l'Allemagne fédérale, où on a réglé tous les problèmes par des indemnisations financières, et la République démocratique allemande, où on a conféré un sens à la souffrance, en reconnaissant et en honorant au même titre toutes les victimes du fascisme. C'est dans les mêmes termes qu'elle parle des associations d'anciens déportés en France dont elle a entendu parler. Par contre, elle ne se reconnaît pleinement dans aucun des groupes à base politique ou religieuse qui, en Allemagne fédérale, intègrent la mémoire des victimes dans leur philosophie plus générale.

Malgré toutes les difficultés qu'engendre dans la vie quotidienne ce rapport au passé, Ruth réussit à construire une vie professionnelle et privée qu'elle juge heureuse. Mais cette réussite découle largement d'une disposition qui consiste à ne jamais « politiser » sa mémoire, à ne pas penser le social en termes d'appartenance et de collectif, mais de relations d'individu à individu. Par contre, on retrouve toutes les difficultés que pose la redéfinition d'une identité juive en Allemagne au niveau collectif. Ainsi, les premières années de l'hebdomadaire *Der Weg,* témoignent de la difficulté, pour les représentants de la communauté, à définir leur fonction, les traditions avec lesquelles ils veulent renouer aussi. S'agit-il de garantir un service social pour une population en transit qui n'attend que la possibilité d'émigrer ? Les communautés juives installées en Allemagne ne sont-elles que des « associations de liquidation »[29] ? Faut-il se définir comme des « juifs en Allemagne » ou des « juifs allemands »[30] ? Ou alors, le statut de

29. W.G.H.M., « Die problematische Stellung der Juden in Deutschland », *Der Weg,* 1, 1/3/1946, p. 2 ; H.E. Fabian, « Liquidationsgemeinden ? », *Der Weg,* 18 ·2/5/1947, p. 18.

30. *Der Weg,* 6, 5/4/1946, p. 3.

victimes confère-t-il un rôle spécifique au groupe juif dans la construction de la nouvelle démocratie allemande et l'abolition des traditions totalitaires ? Ne faut-il pas classer les victimes juives parmi les résistants[31] ? Avec quel héritage culturel renouer ? La fierté relative d'appartenir à une grande tradition, la tradition allemande, est assortie de doutes quant à la fonction culturelle des juifs allemands dans l'ensemble de la culture juive. Ainsi, certains articles insistent sur l'actualité du rôle de médiateur qu'ont joué les juifs allemands entre les juifs occidentaux et ceux de l'Est[32], tandis que d'autres remarquent le peu d'avenir qu'accordent les organisations juives internationales à une communauté aussi affaiblie[33]. Une série d'articles met en lumière la contribution juive à la grande culture allemande[34]. A cela vient s'ajouter, bien que d'une façon annexe, le vieux débat sur l'assimilation[35].

Garder le silence sans rien oublier

A un moment de l'entretien, Ruth dit :

« J'ai malheureusement eu tort quand j'ai pensé que j'avais rangé tout cela dans le dernier petit coin de mon cerveau, et que tout le passé y était bien enterré. Et puis, depuis que nous nous rencontrons, je me rends compte que je n'ai rien oublié, et que tout est présent comme au moment où je l'ai vécu. »

Un passé qui reste muet est peut-être moins le produit de l'oubli que d'une gestion de la mémoire selon les possibilités de communication à tel ou tel moment de la vie. Ainsi toute la vie sociale actuelle de Ruth peut apparaître à la fois comme le résultat et le reflet d'un tel mode de gestion de la mémoire. Sans foi religieuse,

31. H. Galinski, « Unsere Widerstandskimpfer », *Der Weg*, 11, 14/3/1947, p. 11.
32. H.E. Fabian, « Liquidationsgemeinden ? », *art. cit.*
33. H.E. Fabian, « Ein Blick von draussen », *Der Weg*, 27, 4/7/1947, pp. 1-2.
34. Une rubrique spéciale (dans laquelle sont présentés entre autres Henri Heine, Moses-Mendelsohn, Ernst Rathenau, etc.) de l'hebdomadaire *Der Weg* s'intitule « La contribution juive à la culture allemande ».
35. *Der Weg*, 27, 4/7/1947, p. 3.

elle n'a gardé que des liens lointains avec la communauté juive : par contre, elle fréquente régulièrement une loge maçonnique juive où beaucoup de conférences et de discussions portent sur les traditions culturelles. Elle a renoué de vieilles relations appartenant au milieu médical de son mari et elle fait partie d'un groupe d'amies de sa génération, réunies par des liens d'entraide et de solidarité souvent établis après la guerre dans cette ville de femmes, veuves et célibataires[36].

Ainsi sa volonté de continuer à vivre à Berlin pourrait également, sous certains aspects, être interprétée comme le choix d'un lieu où une certaine compréhension peut exister sans qu'il y ait besoin d'explications. Dans peu de villes les conséquences de la guerre sont aussi visibles qu'à Berlin, tant dans l'urbanisme que dans la composition sociale de la population. Elle peut y vivre des contradictions difficiles à gérer et à faire comprendre ailleurs.

Pendant tout l'entretien, la signification des mots « allemande » et « juive » change en fonction des situations qui apparaissent dans le récit. A plusieurs reprises, Ruth a souligné : « Que vous le croyiez ou pas, j'aime l'Allemagne et les Allemands. » Souvent, cette affirmation était suivie de la phrase : « J'espère que vous ne m'en voulez pas. » En même temps cet amour ne l'aveugle nullement, pas plus qu'il ne lui donne des illusions sur ce qui s'est passé ou sur ce qui se passe en Allemagne.

« Après la guerre, les opinions étaient très partagées. Une partie de la population était vraiment choquée par ce qui s'était passé pendant ces douze années. Ils avaient glissé là-dedans totalement inconscients. D'autres étaient déçus par cette fin peu glorieuse : s'il n'y avait pas eu ceci ou cela, on aurait gagné la guerre ! Oui, ça s'entendait encore assez souvent. Et si on pouvait jeter un regard dans le cœur des gens, on s'apercevrait que beaucoup de gens sont au fond restés les mêmes. Seulement, la loi les dérange, ils ont peur. Personne n'a plus le courage de proclamer ouvertement une telle opinion. »

A d'autres endroits de l'entretien, elle parle avec une certaine fierté de ce peuple auquel elle ne pourra plus jamais complètement s'identifier.

36. S. Meyer, E. Schulze, *Wie wir das alles geschafft haben. Alleinstehende Frauen berichten über ihr Leben nach* 1945, Munich, Beck, 1984.

« Je vis et je vis bien. D'une façon incroyable, et bien évidemment grâce à l'aide Marshall, l'Allemagne a su refaire son économie. Il faut le reconnaître, les Allemands sont courageux, assidus au travail et insolents. Ce sont des faits. Ils ont une capacité d'imposer leur volonté et ils sont arrogants. En même temps, c'est un peuple avec beaucoup de côtés qu'on peut aimer. J'ai eu beaucoup d'amis et j'ai de nouveau rencontré des amis, et il serait faux de ma part si je les condamnais en vrac. Je n'ai rien de plus à dire. »

Certes, elle ne peut plus complètement se reconnaître dans l'adjectif « allemand » qu'elle utilise presque toujours pour désigner les autres, tendance encore renforcée par la situation de l'entretien qui a porté principalement sur la période nazie. En même temps, elle ne peut pas non plus complètement se reconnaître dans la définition qui l'a transformée en victime, c'est-à-dire son appartenance juive. C'est en Israël, dont elle parle avec une certaine admiration, qu'elle se rendra compte qu'il ne suffit pas d'avoir souffert pour être admise pleinement dans un groupe.

« Dans mon hôtel, il y avait surtout des groupes de touristes juifs américains. C'était au début des années 1960. Et pour eux, je n'étais pas " acceptable " parce que je vivais en Allemagne, dans le pays des assassins de mes parents, de mes frères et sœurs. Comment pouvais-je y vivre ? Ils ne l'ont pas accepté. Personne ne m'a comprise quand j'ai dit que c'était ma patrie, au moins que ça avait été ma patrie, et que j'aimais ce pays. Ils ont plutôt pensé que je n'étais pas normale. Et j'étais quasiment obligée de m'excuser. Mais enfin, est-ce que j'avais besoin de me justifier devant eux du fait que je vivais en Allemagne ? »

C'est ainsi qu'elle définit sa « patrie », à un autre endroit de l'entretien :

« Ma patrie, c'est ma langue, la poésie que j'aime énormément, et des gens, des amis, des Allemands que j'aime, mais non pas l'Allemagne en tant que telle, prise dans son ensemble. »

On imagine la difficulté que pose aux survivants d'un camp de concentration un tel travail de construction d'une cohérence et d'une continuité de leur propre histoire, et plus particulièrement à ceux qui ont choisi de rester en Allemagne. On comprend alors qu'en l'absence de tout sentiment de pouvoir arriver à se faire comprendre, le silence sur soi — différent de l'oubli — peut être une condition nécessaire (présumée ou réelle) pour le maintien de la communication avec l'environnement. Les raisons de ce silence traversent d'ailleurs tout l'entretien avec Ruth et en constituent d'une certaine manière le fil conducteur.

Ainsi les difficultés et blocages qui sont apparus tout au long de l'entretien n'étaient jamais le fait de trous de mémoire ou d'oublis, mais d'une réflexion sur l'utilité même de parler et transmettre son histoire. On trouve au principe de ces difficultés la tension liée à un statut social que l'évolution politique a rendu ambigu, voire intenable. En utilisant les termes « allemand » ou « juif », Ruth tantôt s'intègre, tantôt s'exclut du groupe et des caractéristiques ainsi désignées. Etre « allemande » et « juive », cette question insistante avec laquelle Ruth m'avait accueilli à notre première rencontre, est au principe aussi d'une attitude envers la vie qui interdit de porter un jugement sur un individu en fonction d'un quelconque critère d'appartenance. Cette attitude a façonné sa vision de la réalité concentrationnaire, en même temps que celle-ci a renforcé, en retour, cette vision du monde.

C'est un parti pris pour la vie, et surtout pour la confiance et l'amour, qu'elle invoque comme les qualités les plus importantes qu'elle garde en souvenir de ses expériences à Birkenau. Plus que tout autre chose, avoir su maintenir un îlot de relations fondées sur la confiance et l'amour reste pour elle le facteur décisif de sa survie. Ce sont ces mêmes qualités qu'elle valorise quand elle résume sa pensée : « Je t'aime. En quoi ça te regarde ? »

3. *Paris : Myriam*

> *« Je lis ce qui se passe au Salvador, par exemple, ou bien en Argentine, au Liban, ou bien en Afghanistan, que ce soit de gauche ou de droite, ça me bouleverse, parce que j'ai vu. Je n'ai pas besoin d'imagination, j'ai vu ce que des gens sont capables de faire. »*
>
> (Myriam, à la fin d'un entretien au mois de mars 1983.)

J'ai connu Myriam par l'intermédiaire d'un collègue et ami. Après avoir lu le témoignage de Margareta, celui-ci m'avait suggéré de rencontrer cette amie d'enfance de sa mère. Mis à part une déposition judiciaire faite pendant les années 1960 dans le cadre de procès contre des SS, Myriam me dit ne jamais avoir témoigné publiquement sur cette période de sa vie.

Notre première rencontre, comme toutes les suivantes, eut lieu dans son domicile parisien. Le fait de lui parler de certaines déportées que j'avais interwievées, qu'elle avait connues au camp et perdues de vue après sa libération, lui fit visiblement plaisir. Les savoir en vie, recevoir quelques informations sur leur vie personnelle et familiale d'après-guerre, loin de la replonger dans les sombres souvenirs d'Auschwitz, semblait faire remonter dans sa mémoire les portraits de femmes avec lesquelles elle avait partagé d'intenses moments d'amitié et d'échange. Mais dès notre deuxième rencontre, le ton changea. Tout en replaçant ses souvenirs d'Auschwitz dans sa trajectoire personnelle, elle parla peu de ses amitiés et rencontres, prenant plutôt l'attitude du « témoin officiel » qui, avant de parler, a mûrement réfléchi et organisé son récit.

On pouvait avoir l'impression d'entendre un récit préparé de très longue date et peaufiné au fil des années. L'occasion de le rendre public était enfin arrivée. Si beaucoup de rescapés lisent la littérature biographique d'autres survivants, Myriam avait développé tout particulièrement cette attitude. Elle me montra ainsi sa bibliothèque et attira mon attention sur tel ou tel livre confirmant ses interprétations. Toutefois, tout au long de son entretien, elle a bien distingué entre les événements dont elle avait été le témoin oculaire et ceux dont elle avait entendu parler. Cette observation renforce le constat selon lequel Myriam est, en quelque sorte, un « témoin en mal de situation de témoignage ». Vu sa situation familiale d'après guerre et son mariage avec un survivant qui supportait mal toute conversation sur le camp, elle a peu fréquenté les amicales et renoncé à toute tentative de réaliser ce qu'elle voulait faire depuis son arrivée à Auschwitz : témoigner.

Par ailleurs, nos rencontres, essentiellement pendant l'année universitaire 1982-1983, prirent vite une forme assez protocolaire. Pendant à peu près deux heures, Myriam retraçait sa vie et donnait son analyse du camp et de ses séquelles. Ce discours clairement ordonné, jalonné de peu d'hésitations et d'interruptions, était visiblement destiné à contribuer à un témoignage et à une mémoire générale afin de la sauver de l'oubli. Dans cette situation, elle parlait moins à moi qui était venu l'interwiever, qu'au magnétophone, garant technique de la préservation de son message. D'où aussi son souci que le magnétophone soit bien installé et que l'enregistrement se fasse dans les meilleures conditions. De même, et contrairement à la plupart des autres interwievées, elle s'arrêtait de parler à chaque changement de cassette sans jamais perdre le fil.

Le passage de cette partie officielle et publique à la partie plus personnelle correspondait à celui, presque rituel, de la salle à manger où j'avais installé le magnétophone, aux fauteuils du salon où Myriam m'invitait chaque fois à prendre le thé et des petits gâteaux vers cinq heures de l'après-midi. Malgré cet aspect formel, rappelant la « part anglaise de son éducation », cette heure du thé précédant mon départ faisait apparaître une femme chaleureuse et pleine de compassion humaine qui, par son éducation familiale et professionnelle, avait appris à garder et à apprécier les qualités de distance et de retenue.

Beaucoup d'interwievées ont demandé à voir la transcription de leur entretien avant la publication, afin d'en éliminer « toute erreur ou maladresse ». Myriam, elle aussi, m'a demandé une copie de son récit. Mais contrairement au souci de l'image de soi couramment associé à cette demande, Myriam n'a jamais exprimé le désir de rediscuter ou de « corriger » le texte. Elle voulait tout simplement pouvoir donner la transcription de l'entretien à sa fille, « qui s'est toujours intéressée à cette histoire ».

En situation d'entretien, l'attitude de Myriam s'était rapprochée de celle d'un témoin officiel, minimisant, dans le récit, les dimensions privées de sa vie au profit du message plus général dont il se sent investi[1]. En donnant son témoignage à sa fille sans le corriger ou le revoir, elle montrait le peu de souci qu'elle avait finalement de l'image de soi laissée dans ce texte : preuve supplémentaire d'assurance de soi.

Fidélité aux origines et modernité

Née de parents juifs ukrainiens en 1909 dans la partie de la Pologne sous administration russe, Myriam évolue dans une famille marquée à la fois par les traditions juives et le désir d'émancipation au travers de la culture et du savoir modernes.

« Mon père avait commencé des études rabbiniques dans une famille extrêmement pieuse et orthodoxe, où il n'était même pas question de lire un livre de littérature russe ou française. Rien n'existait en dehors de la culture juive, les prières, les habitudes, etc. Mais il avait l'esprit très curieux et, à un moment donné, il a rejeté tout ça et s'est mis à lire de la littérature russe. Il a appris le français, il a appris toutes sortes de langues, il en connaissait cinq. Quand mes parents sont partis, ça a été fini, sauf pour me raconter, parce qu'il est resté très fidèle. »

Cette histoire familiale rappelle le mouvement plus général, observable dès les années 1870, par lequel la jeune génération juive

1. Pour les différentes catégories de témoins, voir « Questions à l'histoire orale », *Cahiers de l'I.H.T.P.*, 4, 1967 (surtout la contribution de Danièle Voldman).

essaie d'échapper à l'antisémitisme de l'Europe de l'Est en même temps qu'au climat étouffant des ghettos et des shtetl[2].

A la veille de la Première Guerre mondiale, les parents de Myriam décident d'émigrer et de s'installer en Angleterre, où le père monte deux usines et un commerce de draperie. Alors que le père prépare l'installation de la famille à Londres, le début de la guerre empêche la mère et ses deux filles de le suivre. Retenues en Suisse, elles ne le rejoindront qu'en 1918. Grâce aux services d'interprète rendus pendant la guerre, son père acquiert sans difficultés la nationalité anglaise pour lui-même et toute la famille. Le père se décide néanmoins pour ses filles en faveur d'une éducation française, l'incarnation « des Lumières, de la liberté d'esprit et de la modernité ». Dès lors, Myriam évolue dans un « milieu bourgeois, d'intellectuels ou d'hommes d'affaires ».

« Le Lycée français, c'était un lycée international. Il y avait de tout. Ce lycée avait été fondé pendant la guerre de 14-18 pour les Belges qui se sauvaient quand l'Allemagne a envahi la Belgique. Après, ils ont fermé le lycée à la fin de la guerre. Vers 1920, ils l'ont rouvert... D'abord il y avait la colonie française, ce qu'il restait de la colonie belge, des Russes blancs arrivés en Angleterre, des rescapés de la Révolution. Il y avait des Anglais appartenant à certaines familles universitaires qui voulaient apprendre le français. Donc on s'est trouvées, ma sœur et moi, dans un milieu international et très mélangé. Et avec de très bons professeurs, de jeunes agrégés envoyés au Lycée de Londres en premier poste. Et pour le bachot, on nous a envoyées le passer en France. »

Très studieuse, Myriam passe brillamment le bac, étant major de français dans sa session. En 1928, elle commence des études de médecine à Paris, où s'installe toute la famille à la fin des années 1920 à la suite de la faillite du commerce paternel en Angleterre.

Après avoir souligné ne pas avoir été confrontée pendant son enfance à l'antisémitisme dans ce milieu, mis à part l'antisémitisme larvé de certains Russes blancs émigrés, elle raconte l'histoire de sa sœur, traitée à l'école de « sale juive » par les filles du cuisinier

2. Voir : R. Ertel, *Le Shtetl. La bourgade juive de Pologne.* Paris, Payot, 1982 ; Ch. Roland, *Du ghetto à l'Occident : deux générations yiddish en France,* Paris, Ed. de Minuit, 1962.

français d'un grand hôtel : « Alors il y avait deux espèces de pimbêches qui un jour ont traité ma sœur de sale juive. Je la rencontre dans l'escalier avec des larmes aux yeux. " Qu'est-ce que c'est ? " Oh, j'étais furieuse. J'ai été voir la directrice tout de suite. Alors là, j'avais quatorze ans, j'ai dit : " Voilà ce qui se passe, je n'admets pas et je pense que vous non plus ! " Et ça a été fini. »

L'autre séquence qui illustre bien son rapport à la judéité concerne sa rencontre avec une collègue d'études qui, issue d'un milieu catholique, est restée sa meilleure amie tout au long de sa vie. Elle retrace la discussion sur les religions qu'elles avaient eue lors de leur première rencontre.

« Alors là, je lui ai dit, comme ça, dès le premier jour : " Vous savez, moi je suis juive. Je refuse d'être catholique. Si vous n'aimez pas les juifs, que vous êtes antisémite, hop, c'est fini ! On ne se parle plus. Maintenant, si vous avez des idées larges comme tout le monde, moi, je veux bien être votre amie. " Voilà, j'avais seize ans ! Alors qu'est-ce qu'elle m'a dit ? Elle m'a dit : " Le peuple juif est le peuple élu de Dieu ! " Eh bien, à ce moment-là, on a été amies à mort toutes deux. On ne s'est jamais quittées depuis. »

Fruit d'une éducation moderne et ouverte, exceptionnelle à l'époque pour les filles, en même temps que consciente et fière des traditions d'origine, Myriam développe dès sa jeunesse une assurance de soi par rapport à la judéité autant que par rapport à son rôle de femme dans la vie professionnelle.

Femme et médecin

Jusqu'au début de la guerre, la politique n'intervient guère dans la vie de Myriam, qui épouse, en 1935, un collègue de faculté. Avant de soutenir sa thèse de médecine en 1937, elle commence à travailler comme assistante de son directeur de thèse, et continue ce travail à mi-temps après la naissance de sa fille en 1936. Le début de la guerre bouleverse sa vie. Très vite, elle doit assumer seule les responsabilités d'un chef de famille.

Craignant des bombardements sur Paris, Myriam et son mari, lui-même mobilisé, décident d'accepter l'offre d'un confrère et louent son cabinet à Tulle pendant son absence due à la mobilisation. Après la libération et le retour, en octobre 1940, des médecins français faits prisonniers de guerre, Myriam doit quitter le cabinet de Tulle et chercher une solution dans le cadre du statut des juifs[3]. Son mari passe le plus rapidement possible sa thèse à Montpellier pour pouvoir s'installer à la campagne, à Chamberet, en Corrèze.

Si la situation des juifs se détériore rapidement, la confiance dans les autorités françaises reste, dans le cas de Myriam et de beaucoup d'autres, intacte. Celle-ci repose également sur le sort différent réservé aux juifs en zone libre et en zone occupée. La première ordonnance concernant les juifs date du 21 septembre 1940. Elle donne les définitions reprises de la législation allemande, impose aux juifs habitant en zone occupée de se faire recenser, et interdit le retour à leur résidence habituelle de ceux que l'exode avait conduits en zone libre. A un moment où circulent informations et rumeurs sur le sort des juifs allemands, les personnes concernées, en France, pouvaient ressentir l'interdiction du retour comme une protection relative, malgré la perte de leurs biens matériels. L'aryanisation des biens juifs s'étend vite à tout le territoire et l'accès à certaines professions leur est interdit. En août 1941, les juifs doivent rendre leurs appareils de radio, ce qui les coupe un peu plus encore de la vie sociale. Les déportations commencent dès 1942, d'abord dans la zone occupée, et plus tard le régime de Vichy accepte la déportation des juifs étrangers sous son contrôle, avant de céder complètement à la pression de l'occupant, parfois même en l'anticipant. Comme partout ailleurs, la Gestapo réussit à s'assurer, en France, de la collaboration indispensable des administrations locales et des instances de la communauté juive dans l'enregistrement de la population[4]. La seule différence qui put nourrir l'espoir des juifs en zone sud fut de ne pas être soumis, comme leurs coreligionaires au nord du pays à partir du 29 mai 1942, au port de l'étoile jaune.

Dans ce cadre, le décret du 11 août 1941, « réglementant en ce

3. Ph. Héraclès, *La Loi nazie en France,* Paris, Guy Authier, 1974, pp. 176-196 ; voir également *La Gazette du Palais,* le *Journal officiel* de l'époque.

4. Voir surtout : M.R. Marrus, R.O. Paxton, *Vichy et les juifs.* Paris, Calman-Lévy, 1981 ; S. Klarsfeld, *Vichy-Auschwitz. Le rôle de Vichy dans la solution finale de la question juive en France,* 2 tomes, Paris, Fayard, 1983 et 1985 ; J. Billig, *Le Commissariat général aux Affaires juives, 1941-1944,* Paris, Ed. du Centre, 1960 ; M. Rajsfus, *Des juifs dans la collaboration. L'UGIF 1941-1944,* Paris, EDC, 1980.

qui concerne les juifs la profession de médecin[5] », frappe plus directement Myriam et son mari. Conformément aux quotas de médecins d'origine juive par département, Myriam doit renoncer à exercer sa profession.

« Il y a eu le statut qui disait qu'on avait droit à 3 % de médecins juifs par département... On ne pouvait pas y échapper. A la préfecture de Tulle, tout le monde savait que le médecin militaire au grade de général, notre cousin, était juif. Ma belle-mère, qui était très, très snob, s'était vantée de sa parenté avec ce cousin. Donc, on a été obligés de s'inscrire. Si on avait été des gens absolument anonymes, j'aurais pu ne pas m'inscrire... Après, les gens m'ont dit : “ Mais pourquoi vous êtes-vous déclarée ? ” J'ai dit : “ C'était la loi française. Je n'ai pas honte d'être juive, je suis juive ! ” »

On ne peut pas imputer cette honnêteté à une sorte de naïveté politique, voire à de l'insouciance. Les situations de la vie quotidienne de l'époque étaient d'une grande ambiguïté et les dangers perçus comme évidents *a postériori* n'étaient pas forcément ressentis comme aussi menaçants au moment même de leur maturation. Ainsi, dans le cas de Myriam et de son mari, le courage et l'affirmation de soi en tant que juifs avaient été payants à plusieurs reprises avant l'arrestation de Myriam en 1944. En disant au président du Syndicat des médecins, à propos d'un confrère collaborateur, « moi, j'aime mieux être juif que canaille », son mari avait notamment réussi à éveiller l'admiration et le dévouement de celui-ci plutôt que de subir une sanction.

Après la mort de son mari dans un accident de voiture qui suivit de peu leur installation à Chamberet, Myriam doit reprendre son travail. Dans cette situation, c'est ce même président du Syndicat des médecins « qui arrange les choses ». Car, de père anglais, et française uniquement par mariage, Myriam n'aurait pas pu officiellement acquérir le droit à l'exercice de la médecine. De plus, l'autre médecin installé dans le village voyait en elle une concurrente, dont il aurait bien aimé se débarrasser. Vichyssois et antisémite notoire, ce médecin est, de surcroît, le maire.

5. Décret du 11 août 1941, *Gazette du Palais,* tome V, Paris, juillet-septembre 1941, pp. 400-404.

Jusqu'au début 1944, et malgré l'occupation de la zone sud par les Allemands[6], Myriam dit avoir vécu une vie relativement « normale ». En effet, dans ce village de quelques centaines d'habitants, une cohabitation put s'installer entre familles politiques divergentes, les clivages étant connus par tout le monde. Dans le cas de Myriam, les lignes de partage de la vie sociale entre partisans de la Résistance et vichyssois correspondent aux frontières entre sa clientèle et celle du médecin maire. L'attitude du maire contribue à développer la clientèle de Myriam parmi les sympathisants de la Résistance, nombreux dans la région.

Très vite, elle est donc de fait mêlée à la Résistance, sans l'avoir cherché par un choix politique délibéré. Car c'est à elle que font appel les Résistants pour traiter des blessures de combat dont la dénonciation les livrerait aux autorités. Objectivement victime de la politique, Myriam se trouve impliquée dans celle-ci et en assume les conséquences. Son engagement politique ne dépasse guère un engagement éthique et la sincérité avec laquelle elle interprète le serment d'Hippocrate, à savoir accorder de l'aide et des soins à tous ceux qui les sollicitent et qui en ont besoin.

A la limite, on pourrait poser la question de savoir ce qui l'a empêchée de prendre des mesures plus importantes de sécurité, y compris l'émigration. Française seulement par alliance, elle aurait pu solliciter une protection de la part des autorités diplomatiques suisses représentant les intérêts des ressortissants britanniques auprès du gouvernement de Vichy. Or à aucun moment elle n'entreprend cette démarche. Cette attitude a plusieurs explications. Tout d'abord, l'option pour la France et la confiance extrêmement forte dans les valeurs de civilisation, de droit et de justice associées à l'image de la France avaient marqué son éducation familiale et scolaire. A cela s'ajoute l'extrême difficulté de choisir l'inconnu quand on doit nourrir son enfant, plus sa mère, sa sœur et son beau-frère, tous réfugiés chez elle. Mais le facteur le plus important de son choix, ou mieux de son absence de choix, est le sentiment de sécurité que procure l'insertion sociale dans le village et les contacts avec les paysans résistants, qui sont pour elle autant de sources d'entraide. Par ailleurs, le soutien accordé par les

6. La zone libre est occupée le 8 novembre 1942 à la suite du débarquement américain en Afrique du Nord. Selon le récit de Myriam, cette occupation ne change pas immédiatement la vie quotidienne dans le village.

villageois à sa mère après son arrestation devait pleinement justifier cette confiance.

Plusieurs jours avant son arrestation, le 5 avril 1944, elle conseille à son beau-frère de partir, parce que les Allemands « cherchent tous les hommes juifs et résistants ». A ce moment-là encore, elle croit « les femmes en sécurité ». Le jour même où Myriam décide enfin de se cacher à cause de la concentration croissante des Allemands autour du village, une urgence l'empêche de s'occuper de sa propre sécurité et de celle des siens.

« Les Allemands ont commencé par aller dans tous les villages demander la liste des gens (juifs et résistants). La secrétaire de la mairie leur avait dit qu'il n'y avait pas de telle liste. Seulement le maire, un collaborateur et mon ennemi intime, leur a donné mon nom. Quand ils sont venus m'arrêter — il leur avait dit " docteur " —, ils ont pensé que j'étais un homme. Et ils ont trouvé une femme. Alors ils ne m'ont pas fusillée parce qu'ils ne fusillaient pas les femmes à ce moment-là. Mais ils m'ont emmenée.

« Alors, la veille, j'avais fait les bagages en disant " on va s'en aller ", mais où ? Alors j'ai eu un accouchement qui n'en finissait pas. Je ne pouvais pas laisser la bonne femme avec cet accouchement. Ensuite, la petite fille d'un des chefs de la Résistance me fait une crise d'appendicite. Je ne savais pas comment faire, si je pouvais la laisser avec une vessie de glace ou s'il fallait essayer de la faire opérer en ville. Je suis restée des heures avec elle. De toute façon, elle n'est pas morte, l'autre a accouché, et puis voilà, on m'a arrêtée... J'étais vexée, vexée ! J'ai dit, " le débarquement va arriver et on m'arrête sur le moment "... Ce sont des périodes terribles. »

Juste avant son arrestation, Myriam réussit à placer sa fille de sept ans chez la voisine pour qu'elle la cache. Son beau-frère et sa sœur arrivent à se sauver chez un paysan qu'elle leur avait indiqué. Après la guerre, elle les retrouve tous. L'institutrice du village, femme d'un dirigeant du maquis, avait placé sa fille dans une ferme comme une « enfant de la famille ». Sa mère avait été cachée pendant une année, sans que personne ne s'en rende compte, en plein milieu du village, par une femme « à la réputation d'être une fille légère » et que Myriam avait traitée à plusieurs reprises.

Dans son premier interrogatoire à l'école du village, Myriam feint l'ignorance, attitude qu'elle maintiendra dans les interrogatoires successifs, d'abord à la prison de Treignac, plus tard à celle de Limoges. Elle reconnaît avoir une fille et l'avoir placée auprès d'une femme catholique dont elle ignore tout. Elle dit avoir perdu de vue le reste de sa famille. A l'accusation d'avoir été en contact avec des maquisards et de les avoir soignés, elle répond avoir soigné tout le monde et ne pas connaître le maquis.

Portant, au moment de l'accusation, dans son sac les cartes d'alimentation de toute la famille et une carte postale envoyée par une amie de Paris, Myriam vit des moments d'angoisse. Sur cette carte, son amie lui signale d'une façon déguisée avoir caché son mari (d'origine juive). Ces papiers, tout en minant la crédibilité de sa défense, auraient pu livrer ses amis parisiens à la Gestapo. Elle réussit à fourrer ces papiers dans un pupitre, laissant derrière elle les traces visibles de ses liens familiaux et amicaux. Retrouvés par l'institutrice du village, ces papiers ne lui ont causé aucun tort.

Après une nuit passée à Treignac et une autre à Eymoutiers dans de minuscules cellules partagées avec des résistants arrêtés le même jour, elle est transférée à la prison de Limoges où les juifs sont séparés des autres, soit libérés soit déportés en tant que résistants. Par l'intermédiaire d'une femme libérée à ce moment-là, Myriam réussit à faire déposer 50 000 francs pour sa fille auprès d'un notaire, une somme d'argent qu'elle retrouvera effectivement à son retour en 1945. Pendant une dizaine de jours elle est enfermée avec huit autres femmes, avant d'être transférée à Drancy.

Pour la première fois, elle entre en rapport direct avec des soldats allemands lors de ces transferts successifs. A l'abri dans son petit village, elle n'avait pas encore appris à reconnaître les différents uniformes et leur signification. Ainsi, elle interprète l'appartenance de ses premiers gardes en fonction de leur âge : « Des Jeunesses hitlériennes, probablement ». De même, son étonnement est grand de voir parmi les Allemands des « Asiatiques ou Mongols » et d'entendre des soldats en uniforme allemand parler entre eux en russe : « J'ai regretté après, parce que je connaissais quelques mots de russe. Peut-être que si j'avais eu l'idée de leur parler en russe, peut-être qu'ils m'auraient laissée en route quelque part. Mais, non, c'était trop tard, je l'ai pensé seulement après, des mois après. » Il s'agissait, sans aucun doute, d'auxiliaires recrutés dans les territoires occupés à l'Est ou de membres des unités de Russes blancs intégrés à la fin de la guerre dans les SS[7]. Si Myriam ne dispose pas, à l'époque, des informations qui lui auraient permis de comprendre la présence de ces gardiens allemands-russes, elle relate les rumeurs qui circulaient dans la région : « On a eu une peur épouvantable. Le bruit courait que tous ces Asiatiques violaient les femmes. »

Malgré le caractère incompréhensible de l'univers de ses gardiens, elle se rend vite compte qu'il est composé de personnes très différentes, allant du jeune officier hautain qui cherche tous les prétextes pour humilier et brutaliser les prisonniers à celui qui, un soir, la tire discrètement par la manche pour lui tendre un morceau de pain. De même, elle découvre à quel point les gardes traitent différemment les prisonniers d'un statut social élevé et ceux qui ne portent aucun titre. A plusieurs reprises, elle revient, pendant l'entretien, sur ce qu'elle appelle la « logique allemande » associant mépris de la personne et respect du statut social[8]. Dès les premières journées de son incarcération, son statut de médecin lui procure des avantages.

« Je parle de la logique de l'Allemand. Nous sommes huit femmes dans cette cellule... Le premier jour, le gardien est arrivé. Il apportait un seau d'eau, avec une serpillière et un balai. Il regarde, il voit que je suis la plus jeune et dit : " Lave par terre. "

« Moi, je dois dire que depuis j'ai appris à laver par terre, mais à ce moment-là absolument pas. Je n'avais pas envie de me salir. J'ai pris ma serpillière comme ça, je ne l'ai pas égouttée, je l'ai passée avec le balai, et puis c'est tout. Il revient dix minutes après. Des hurlements, des hurlements ! Il s'adresse à moi : " Qu'est-ce que c'est que ça ? tout est mouillé, ça n'a pas été essoré ", etc. Alors moi, je ne dis rien. Il y a une femme qui était là, une Alsacienne, qui lui dit en allemand : " Mais écoutez, qu'est-ce que vous voulez, madame est docteur, vous lui demandez de laver par terre, mais elle ne sait pas laver par terre, parce qu'elle n'a jamais lavé par terre. " L'autre qui crie : " *Eine Arztin !* " Il a demandé à un docteur de

7. En prévision du débarquement allié en France, les Allemands ont renforcé leur position notamment par le transfert d'unités de l'armée Vlassov et de la Waffen SS du front de l'Est. Voir J. Thorwald, *L'Illusion. Les soldats de l'Armée rouge dans les troupes de Hitler,* Paris, Albin Michel, 1975, pp. 184-185.

8. Cette description porte toutes les caractéristiques de la personnalité autoritaire mise en évidence par Th. W. Adorno, et al., *The Authoritarian Personality,* New York, Harper and Row, 1950.

laver par terre, mais c'est une catastrophe ! C'est épouvantable ! Il se précipite hors de la cabine — de la prison —, il va chercher deux de ses camarades qui viennent voir qui est le docteur à qui on a osé demander de laver par terre. Ecoutez, c'était... ça pourrait être une comédie. Alors à partir de ce moment-là, je n'ai pas eu à laver par terre, et pas seulement ça, mais ils m'emmenaient deux fois par jour, quand il n'y avait personne, quand il n'y avait pas de Gestapo ni rien, pour que je puisse faire ma toilette tranquillement. C'est ça la logique allemande !

« Il y a aussi un bel officier qui est arrivé, jeune. Il a demandé les feuilles d'alimentation de tout le monde. Et nous, comme médecins, on avait des feuilles doubles. Alors tout de suite, il a vu. " Qu'est-ce que ça veut dire ? Comment ça se fait que vous avez des feuilles doubles ? Le marché noir... " Alors une dame très gentille à côté de moi lui dit : " Mais madame est docteur. " " Comment docteur ! docteur en quoi ? " " Docteur en médecine. " Ah ! il reste comme ça, il regarde... " Elle est juive ? elle n'a pas l'air juive. " Alors la dame dit : " Son père est anglais. " " Ah ! " Il m'a regardée : " *Schade* " (dommage). C'était assez mauvais, ce *Schade*. Puis, je ne l'ai plus revu. Quand nous sommes partis un peu après à Drancy — la Croix-Rouge nous avait apporté un sandwich pour le voyage —, le voilà qui s'amène, avec un deuxième sandwich. Il me l'a apporté... Le fait d'être médecin, ça comptait pour eux, pour les Allemands. Tout au moins loin d'Auschwitz. »

Drancy : le refus de l'impensable

Pendant deux semaines Myriam vit au camp de Drancy. Malgré certaines brutalités commises par les gardes et membres de l'administration juive du camp, plusieurs facteurs contribuent à maintenir la confiance et à faire croire que les convois au départ de Drancy s'acheminent réellement vers des camps de travail. Ainsi, on peut officiellement échanger bijoux, objets de valeur et argent contre des « bons valables dans les camps de travail ». De plus, l'administration demande aux déportés de se faire envoyer des instruments de travail, des couvertures et des vêtements chauds. La bonne organisation du camp, de surcroît juive, les dortoirs, la cuisine, le partage du travail collectif, l'existence d'une infirmerie avec des médecins et même un dentiste contribuent à dissiper les craintes du pire[9], et ce malgré les rumeurs qui circulent dans le camp.

Se méfiant des conséquences de toute communication avec des amis ou des parents en dehors du camp, Myriam n'écrit ni carte ni lettre à ses proches, et continue à se retrancher dans une attitude de solitaire coupée de ses amis et de toute sa famille. Une seule fois, elle rompt ce silence pour donner de ses nouvelles à sa belle-sœur par l'intermédiaire du dentiste de Drancy chez qui elle se fait réparer une dent.

Après le choc de l'arrestation, les quinze jours à Drancy, relativement « calmes » en comparaison des journées de transfert d'un village à l'autre, permettent à Myriam de réfléchir sur sa situation et de penser à des solutions qui, dans la confusion des événements, ne lui étaient pas venus à l'esprit auparavant. En effet, deux ou trois personnes ayant pu prouver leurs origines non juives ont été libérées pendant son séjour à Drancy. Mais quand elle veut faire valoir sa nationalité anglaise et entrer en contact avec les instances diplomatiques suisses, un membre de l'administration du camp en qui elle avait confiance la décourage d'utiliser cet argument : « Ecoutez, si vous n'avez pas vraiment la preuve de ça, ne dites rien. Vous n'arriverez à rien qu'à vous faire martyriser et torturer. »

Le 29 avril 1944, elle part de Drancy[10]. Mais pour où ? Malgré les rumeurs circulant à Drancy, malgré aussi les informations données par Radio Londres en 1943 et dont Myriam a eu connaissance, elle refuse de croire, au moment de son départ, à l'impensable.

« La seule chose qu'on pouvait savoir, c'est que, probablement, on allait être amenés en Allemagne... Mais on ne craignait absolument pas une extermination. La seule chose, je l'avais entendue une fois à la radio, en prenant clandestinement Radio Londres en anglais : ils avaient raconté comment les Allemands gazaient les juifs en Lituanie et en Pologne, mais ils ne parlaient

9. Pour d'autres témoignages sur Drancy, voir : Archives du camp de Drancy, CDJC, cartons CCCLXXV à CCCLXXVIII ; voir également H. Allainmat, *Auschwitz en France,* Paris, Presses de la cité, 1974.

10. Il s'agit du convoi n° 72 du 29 avril 1944. Voir : S. Klarsfeld, *Le Mémorial de la déportation des juifs de France,* Paris, B. et S. Klarsfeld, 1978.

pas d'Auschwitz. Ils parlaient des wagons où ils avaient asphyxié les gens avec l'oxyde de carbone... Je l'ai cru, oui. Sur le moment, je l'ai cru. Je me rappelle que j'ai eu des frissons d'horreur. C'était la seule information que j'ai eue à deux reprises. Seulement, l'esprit n'accepte pas des choses comme ça. On s'est dit : “ Bon, c'est arrivé, mais ça ne veut pas dire qu'ils vont emmener tous les juifs pour leur faire subir ça. ” »

Durant le transport, elle occupe la fonction d'infirmière marquée par un brassard. Très vite, elle se rend compte des horreurs qui l'attendent et des difficultés qu'éprouvent la plupart des prisonniers pour s'adapter à cette situation inimaginable, en rupture avec toutes leurs expériences antérieures.

« C'est le départ en wagons qui a été le plus épouvantable. On a mis dans le wagon sanitaire tous les vieillards et les femmes qui venaient d'accoucher. On emmenait les bébés. Il y avait un amiral excessivement distingué, il devait avoir quatre-vingt-dix ans, décoré, à moitié aveugle. Il pouvait à peine marcher. Dans le wagon sanitaire, il y avait de la paille et on était un tout petit peu moins nombreux que dans les autres wagons ; on pouvait coucher les gens. Mais c'est tout ! Il y avait une espèce de seau qui servait de seau hygiénique... J'ai rencontré à Drancy un neurologue, le docteur C., un homme charmant. Lui, je l'ai retrouvé après la guerre. Il était avec son père paralysé, très vieux, sa mère malade et encore quelqu'un de sa famille... Lorsqu'on s'est retrouvés dans le dernier dortoir avant le transport, il me dit : “ Vous savez, ce qui m'ennuie le plus, c'est que j'ai oublié mon marteau à réflexes ”... Il était dans un autre camp, mais il m'avait recommandé sa mère, en me disant : “ Elle va certainement se trouver chez vous, la pauvre femme. ” Tous ces gens sont allés au gaz à l'arrivée. La seule fois où je l'ai vu, c'était à un arrêt en Allemagne. En traversant les champs, quelquefois le train s'arrêtait et ils laissaient les gens descendre pour faire leurs besoins, devant tout le monde, en pleine nature. Et alors, lui, il est sorti du wagon et on s'est regardés. Il était tout maculé de suie, quelque chose d'épouvantable. On commençait à se demander ce qui nous attendait...

« ... On nous avait donné de la nourriture, des sandwichs avant le départ. Et je me rappelle R., l'autre infirmière me disant : “ Je ne peux pas manger ça, c'est pas kasher. ” Je lui ai dit : “ Ecoutez, même le pape a permis que le vendredi, dans certaines circonstances, ils ne fassent pas maigre. Vous allez dans un camp, il faut manger ce qu'on vous donne, vous n'avez pas le choix ! " Elle était d'une famille très pieuse, incapable de s'adapter à tout ça. »

Auschwitz : la fin des illusions et des espoirs

« Après trois jours le train arrive à destination tout, tout doucement, dans un silence terrible, puis s'arrêtait. Il sifflait. Ce sifflement m'est resté dans le crâne pendant... et encore maintenant. Et là, les wagons s'immobilisaient pendant des heures. Je ne sais pas pour quelle raison. Nous avons essayé de regarder par une petite lucarne et on a vu " Auschwitz "... Il y avait des gens qui avaient entendu parler d'Auschwitz, mais ils ne savaient pas ce que c'était... Et là, tout d'un coup, des hurlements, des vociférations d'Allemands, des coups de feu tirés en l'air, des aboiements de chiens, enfin un bruit infernal et les portes se sont ouvertes. Vous savez les wagons, s'il n'y a pas de quai, ça se trouve à cette hauteur, et alors tout de suite : " *Raus ! Raus !* " (Dehors). On a vu arriver des groupes vêtus de rayé. On a compris après que c'était les déportés qui devaient aider les gens à descendre. Il y en a un qui s'est précipité vers moi dans le wagon où j'avais la charge de tous ces malades. Il s'est précipité sur moi, mais en tournant le dos aux Allemands. Entre ses dents, il m'a murmuré : " Dites que vous êtes médecin, dites que vous êtes médecin, ne restez pas là, dites que vous êtes médecin "...

« Il était vraiment angoissé. Il ne pouvait rien me dire de plus que : " dites que vous êtes médecin ! " Alors je suis descendue. Il a dit : " Ne restez pas là. " Ils ont descendu les gens comme des paquets à coups de trique. " Et les bagages ? " " Les bagages, vous les aurez plus tard. " On s'est retrouvés sur le quai. Il y avait des officiers allemands, des camions, des ambulances. Et Mengele s'est mis à trier. (C'était le Mengele en question, je l'ai su après.) Alors il regardait les gens et à gauche, et à droite, et tous les gens qui étaient... par exemple des personne âgées, qui avaient des enfants, étaient répartis d'un côté ou de l'autre. Le déporté en question me regardait comme ça. Alors moi, quand mon tour est arrivé, je dis

“ je suis Arztin, Doktor ”... Il m'a dévisagée. Et après il a dit : “ Que ceux qui sont fatigués aillent par là, ils iront... en camion, les autres doivent aller à pied. ” »

Avec une centaine seulement sur plus de mille déportés, Myriam se trouve du « bon côté »[11]. Le rituel d'enregistrement a un effet d'autant plus traumatisant que les déportés en provenance de Drancy, ayant pour la plupart d'entre eux été pris dans des rafles, n'ont en général pas fait de prison et, contrairement aux déportés politiques, ne sont pas préparés mentalement à ce qui les attend. Le traitement brutal par d'autres déportées chargées de surveiller le déshabillage, la douche, le rasage, l'octroi de vêtements sans aucune relation avec la taille des déportées, tous ces éléments créent une atmosphère de monde irréel, inimaginable.

« Nous avons marché, il commençait à faire nuit. On marchait encadrés par les soldats. Ils disaient : “ Si vous avez des bijoux, vous feriez bien de me les confier, je vous les rendrai, parce dans le camp, on va tout vous prendre... ” J'ai appris un peu d'allemand au lycée et j'arrivais à comprendre les choses ordinaires de la conversation. Alors j'entendais “ *Gold* ” (or). Certains ont enlevé leur alliance. Ces Allemands cherchaient de l'or partout pour eux. Nous sommes donc arrivées dans le camp. On nous a mises dans une salle, et là, il y avait des femmes, c'était des déportées, d'anciennes déportées mais pas des Françaises, c'était des Slovaques. Elles étaient épouvantables, elles ont commencé par nous injurier, parce que nous arrivions en 1944 alors qu'elles étaient déjà là depuis plus d'un an. Alors elles disaient : “ Vous allez voir ce qui va vous arriver ! ” Elles nous ont beaucoup brutalisées. Puis là a commencé la séance de déshabillage complet devant les soldats, il fallait se mettre tout nu... Ils ne regardaient pas, mais enfin tout de même, on n'avait pas beaucoup l'habitude de ce genre de choses. On nous a tatoué les chiffres sur les bras, puis rasées et finalement passées sous une espèce de douche.

« La seule exception qu'il y ait eu pour notre convoi, une espèce

11. *Ibid.* « Ce convoi emporte 1004 juifs, dont 398 hommes et 606 femmes. A l'arrivée à Auschwitz, 48 hommes furent sélectionnés avec les matricules 186 596 à 186 643, et 52 femmes, dont les matricules se situent aux environs de 80600. En 1945, il y avait 37 survivants, dont 25 femmes.

d'illogisme dans les habitudes allemandes, c'est qu'on ne nous a pas complètement rasées. On nous a coupé les cheveux très, très court, mais pas rasé. Ça mettait en rogne les bonnes femmes qui étaient là. Elles étaient furieuses parce qu'elles ne devaient pas nous raser. Une des jeunes femmes parisiennes qui était furieuse contre ce maniement brutal a été rasée par représailles ! »

Après une nuit passée en attente dans un amphithéâtre, les nouveaux arrivés passent par les formalités administratives. Fidèle à son attitude prise dès son arrestation, Myriam se présente comme solitaire, sans relations familiales vivantes. Les deux seules photos qu'elle réussit à passer dans le camp montrent deux parents proches déjà morts : son père et son mari. Dans le bloc de quarantaine où passaient toutes les déportées avant d'être distribuées entre les différents commandos de travail du camp, Myriam dut faire l'expérience des règles du camp.

Pendant la période de sa quarantaine, Myriam est affectée à un commando de construction qui doit creuser des fondations, porter des briques et faire du ciment. Classée, tout comme les autres femmes de son convoi, comme « juive » par un trait rouge sur le dos des vêtements [12], elle se trouve dans la catégorie vouée aux travaux les plus durs et à l'extermination. Sa profession de « médecin », dont l'annonce avait contribué à la sauver lors de la sélection à l'arrivée du train, ne compte plus dans cette situation. Face aux difficultés, beaucoup de femmes, découragées, abandonnent l'effort pour maintenir un minimum de propreté et d'hygiène.

« A trois heures du matin... en général trois heures, on était réveillées. Il y avait un commando qui allait chercher le café, c'est-à-dire le café c'était de l'eau... je ne sais quoi... enfin marron, chaude au moins. C'était des bidons comme ça qu'elles devaient transporter de la cuisine, on nous en donnait à peu près un petit verre, c'est tout, ça c'était notre petit déjeuner. Après donc on sortait. Pour faire sa toilette, et aller aux latrines qui étaient à l'autre bout du camp, il fallait se battre. Pour se laver, ça, c'était une affaire dans ce camp, il y avait un baraquement avec des cuvettes et des robinets, comme on en voit quelquefois dans les

12. Le trait rouge, introduit en 1944 pour rendre plus difficile toute tentative de fuite, remplaçait à la fin du camp l'étiquetage par le triangle jaune.

casernes ou quoi... un tuyau comme ça... de la boue par terre. Pour rentrer dans cet endroit, il y avait toujours une Blokova ou enfin une déportée quelconque qui était là avec une matraque. Et elle tapait sur tous les gens qui rentraient. Ça, c'était le principe. Paf ! sur la tête ! Après, vous rentriez. Alors il fallait se laver ou le haut, ou le bas, mais on ne pouvait pas se laver le tout ensemble, parce que vous enleviez vos vêtements. Il fallait y aller avec une amie : car où mettre vos vêtements ? Alors un jour c'est vous qui vous laviez, l'autre jour c'était elle. Parce qu'on se tenait les habits. Alors ils mettaient le robinet, puis dès qu'on était un peu savonnées, hop ! l'eau chaude ou l'eau froide s'arrêtait et plus d'eau ! Plus moyen de se rincer. Ça, c'était le système du camp.

« Les latrines étaient à l'autre bout du camp, les femmes n'étaient pas habituées à ça, les hommes, bon, avaient peut-être l'habitude... quand ils faisaient leur service militaire ou enfin... mais c'était épouvantable. Tout de suite, les gens ont eu une espèce de diarrhée. Ils n'avaient pas le temps d'aller du bloc là-bas et revenir que ça recommençait ! »

Avant d'être informée des différentes possibilités d'accès à un poste de médecin au Revier, sans connaître ce qu'elle décrit à un autre endroit de l'entretien comme le « filon » pour se faire nommer quelque part, Myriam a la chance d'être découverte par une ancienne camarade d'études.

« Et quelques temps après je crois, dans la journée, j'ai eu la visite de plusieurs personnes. Parce que les Françaises du Revier venaient voir si elles ne connaissaient pas quelqu'un quand elles apprenaient l'arrivée d'un train de Paris. Effectivement, j'ai eu la surprise de voir une camarade qui était arrivée deux transports avant moi. Je l'ai reconnue et je lui ai demandé : “ Dites-moi ce qu'on raconte ? ” Parce que j'avais entendu dire les Slovaques à l'entrée “ toute votre famille, est réduite en fumée, ils sont en train de brûler ”, en réponse aux questions : “ Où est la famille ? ” Personne ne voulait les croire. Et moi, tout d'un coup, je me suis rappelée ce que j'avais entendu à la radio. Alors j'étais terriblement angoissée ; je me suis dit “ est-ce possible ? ” Alors le crématoire, quand ça flambait à plein feu, les flammes sortaient, des cendres sortaient. Ça sentait la viande grillée... Alors là, j'ai dit à mon amie — enfin devenue mon amie —, je lui dis : “ Est-ce que c'est vrai ce qu'on raconte ? " Elle m'a prise à part et m'a dit : " C'est vrai, c'est vrai. Mais ne le dites à personne. Il ne faut pas créer de panique. " Je n'ai rien dit. »

Effectivement, sa collègue, devenue sa meilleure amie dans le camp, réussit assez rapidement à la faire nommer médecin dans le Revier, ce qui raccourcit sensiblement le temps qu'elle doit passer en quarantaine : deux semaines au lieu du mois habituel.

Omniprésence de la mort et volonté de survie

Ce qui marque le récit de Myriam, ce n'est pas tant la menace permanente de sa propre mort que l'omniprésence du climat de mort dans le camp ; sous forme de mépris de la personne et de cynisme d'abord ; sous forme de cohabitation avec des « musulmans » qui n'attendent plus que la mort ; sous forme de sélections ; et finalement sous forme d'arrivées ininterrompues de nouveaux candidats à la mort, et des cadavres ramassés tous les matins aux quatre coins du camp. L'arrivée de Myriam à Birkenau au moment des déportations des juifs hongrois correspond à un moment particulièrement actif de cette machine infernale.

D'autres récits laissent conclure au découragement et à la désensibilisation psychique dans un tel univers. Dans le cas de Myriam, le manque de tout respect de l'homme et le mépris qu'elle voit à l'œuvre dans cette entreprise meurtrière renforcent plutôt sa volonté inflexible de survivre. S'y entremêlent le désir de revoir sa fille et celui, plus politique, de témoigner.

« J'avais la ferme volonté de rentrer et probablement ma profession a dû beaucoup m'aider. J'avais quand même vu des morts à l'hôpital. Dans les hôpitaux, on voit des choses affreuses. J'ai été dans un service de cancéreux de la face, eh bien, je vous assure que c'est quelque chose d'horrible, vraiment horrible. Il y a des fois où j'avais été obligée de sortir et où la tête me tournait. Je me rappelle d'un jour où un professeur enfonçait une aiguille là pour une névralgie faciale. C'est une grande aiguille. Ainsi, on atteint un certain point pour éviter ces douleurs épouvantables.

J'étais en train de tenir la tête puis tout d'un coup je pose mes mains et je m'en vais. Il portait des lunettes, il m'a regardée par-dessus ses lunettes comme ça, sans rien dire. Quand je suis revenue au bout de cinq minutes, la tête me tournait... alors il s'est mis à sourire, il m'a dit : " Ça ne va pas ? " Bon j'étais pourtant depuis déjà cinq ans en médecine, il y a des choses qui vous retournent. Mais n'empêche que j'étais tout de même aguerrie pour certains spectacles, pas celui que j'ai vu dans le camp, mais enfin peu à peu. Eh bien moi j'ai gardé... j'ai l'impression que j'ai gardé ma tête tout le temps, parce que je voulais absolument revenir et je voulais pouvoir aussi témoigner. Je me disais... il faut raconter, il faut qu'on sache, personne ne peut imaginer des choses comme ça.

« Il y avait autre chose aussi qui me turlupinait beaucoup : les gens qui mouraient, ils mouraient comme des mouches, ils étaient traînés... quand on dit toujours qu'on a un tel respect pour les morts de sa famille, pour tout... et là un mort, c'était rien, il était traîné tout nu hors du bloc, et mis par terre devant l'entrée du bloc comme ça. Les matins il y avait très souvent, presque tous les jours, des piles de morts entassés les uns au-dessus des autres, qui étaient là comme ça, avec leurs membres n'importe comment. Bouche ouverte, enfin nus... c'était absolument horrible et il y avait un commando qui venait avec des chariots et posait ces morts dessus. En général, je ne sais pas pourquoi ça se trouvait comme ça, c'était toujours la tête qui trainait par terre et les pieds en l'air. C'était des espèces de... non pas des brouettes, mais enfin des chariots à deux roues, donc qui basculent, vous savez... avec les brancards. Et en les voyant passer, je me suis dit : " Tout, mais je ne veux pas être un mort qu'on promène comme ça sur ce chariot ", c'était pour moi la pire des choses. Vous savez au point de vue dignité humaine, je disais : " Mais ce n'est pas possible qu'on traîne les morts comme ça ", enfin des gens qui ont été vivants, et puis qu'on promène comme ça à travers le camp où personne ne fait attention. Mais cette charrette et ces corps nus, quelquefois même il arrivait qu'il y ait encore quelqu'un qui bouge dessous... c'était horrible... Et je me souviens de cette mère et de sa fille, qui avait quinze ans, arrivées de France. La mère n'a pas tenu le coup, elle est rentrée au Revier et sa fille venait toujours me demander de ses nouvelles. Elle était fillette, c'était une gamine quoi. Sa mère est morte. Un jour elle est venue voir sa mère, et elle a vu ce corps dehors. C'était quelque chose d'affreux. Alors après je l'ai rencontrée et je lui ai dit : " Ta maman est morte, elle ne souffre plus... " Et elle n'a rien dit. Elle n'a rien dit, elle m'a regardée comme ça, puis elle est partie. »

Comment maintenir, à plus long terme, espoir et volonté de survie ? Beaucoup de déportés insistent, dans ce contexte, sur l'importance d'avoir su garder des liens réels avec des proches en liberté : par l'échange de cartes ou de lettres, même rares et insignifiantes[13], et par les informations recueillies auprès des déportés arrivant du même pays, de la même région ou de la même ville. Contrairement à cette attitude, Myriam ne cherche pas à savoir. Elle se méfie de tout ce qui aurait pu l'informer sur sa famille, peut-être aussi pour se mettre à l'abri de nouvelles douloureuses.

« Chaque fois qu'un train arrivait, je me disais : " Mais d'où est-ce qu'il vient ? d'où est-ce qu'il vient ? pourvu qu'il ne vienne pas de France ! " Je ne savais pas si je n'allais pas retrouver quelqu'un de ma famille... Alors là tout d'un coup... on devient... je ne dis pas égoïste, mais enfin tout de même, on dit " Ah, c'est un train de Belgique. " Ah ! je disais, mon Dieu, une chance de moins... Quand arrivait un train de Paris, mon amie allait voir qui était arrivé. Moi, je n'y allais pas, je me disais : " Si je retrouve quelqu'un de ma famille, je ne sais pas ce que je fais... " Alors pendant vingt-quatre heures ou quarante-huit heures je me répétais : " Pourvu que personne ne me demande ", parce que les gens quand ils arrivaient, n'est-ce pas, ils venaient demander : est-ce que vous connaissez une telle ou une telle... Et moi, j'étais là en espérant que personne ne me demande... Et finalement, j'ai eu une fois... j'ai eu à soigner une petite jeune fille, et elle me dit : " Ah ! vous êtes Myriam N., moi je suis de la famille X. " Alors je lui demande " Vous avez des nouvelles de ma famille ? " Mais elle, elle ne se rappelait plus, elle dit : " Ah, il y a quelqu'un qui a été arrêté chez vous, de votre famille, c'est votre sœur je crois ou bien votre beau-frère. " Et pendant quelques jours j'étais à me demander : " Vraiment est-ce que ma sœur... est-ce que c'est elle qui a été arrêtée ou est-ce que c'est mon beau-frère ? " Et finalement, elle

13. Pour l'importance des relations par courrier, voir l'exemple de Margareta ci-dessus, ainsi que : D. Diamant, *Par-delà les barbelés*, Paris, Erlich, 1986.

s'est rappelée, elle m'a dit : " Non, non, c'est le beau-frère. " Alors j'ai essayé de savoir s'il était à Birkenau. Par les médecins : " Vous ne pourriez pas savoir si un tel... " Je ne l'ai jamais trouvé, il n'était pas à Auschwitz. »

La description que donne Myriam du camp s'écarte d'un récit biographique ordinaire : en tant que personne, elle s'efface dans son récit. Celui-ci représente en quelque sorte une sociologie implicite de l'univers concentrationnaire. Deux raisons à cela. Dès son arrestation, et par souci de sécurité pour ses proches, Myriam s'efforce de tout « oublier » d'eux, du nom à leur lieu de résidence. Elle choisit, en quelque sorte, de mettre « entre parenthèses » sa vie antérieure et d'accepter un certain isolement et la solitude. Cela la place dans une perspective privilégiée d'observateur soucieux de distance — qualité valorisée par son éducation et son désir de témoignage. Dans la présentation de son entretien, il convient donc de renoncer à une logique chronologique et de suivre la structure plutôt thématique de son récit.

La médecine : un décor

« Mengele, ça lui était égal ce qu'on faisait. Je veux dire, il fallait être là quand il venait, il fallait être là et avoir marqué n'importe quoi, parce qu'il ne vérifiait pas. Mengele ne s'approchait jamais des malades. Du point de vue médical, ça ne l'intéressait pas. Sauf si on lui avait signalé une anomalie quelconque, quelque chose d'extraordinaire. Ce qui l'intéressait, c'est le protocole. Il passait, il voyait la feuille de température, il fallait qu'il y ait un diagnostic en latin. Alors bon, si je lui mettais sinusite frontale, j'étais oto-rhino, il n'allait pas regarder, ça ne l'intéressait absolument pas. Je n'allais pas lui mettre paralysie par avitaminose, parce qu'elle était bonne pour le crématoire sur le champ. Il fallait avoir un semblant. Ce qu'il voulait, c'était un décorum. Il avait son hôpital, ses salles. Il fallait avoir la blouse blanche, un stéthoscope, il y en avait suffisamment avec tous les gens qui arrivaient. Il fallait avoir l'air propre, et puis c'est tout.

« Il voulait surtout que les médecins conservent leurs cheveux, non pas des cheveux ondulés, mais des cheveux coupés court. Ça lui déplaisait d'avoir des médecins avec la tête rasée. Du moment qu'on était là au garde-à-vous quand il passait, avec le stéthoscope, avec la blouse blanche, qu'on ait des cheveux, ça lui suffisait. Vous savez, la mentalité allemande à l'époque, chez les nazis, était absolument illogique. Si vous étiez tondue, alors vous étiez moins que rien, des *Untermenschen* comme ils disaient, quelque chose de méprisable. La même personne, avec ses cheveux, était déjà quelqu'un de mieux. C'est pour cela qu'ils ne voulaient pas que les médecins soient tondus. Il leur fallait un certain décorum et ils estimaient que le fait d'être tondu, c'était une indignité. Bon, de temps en temps, il nous hurlait après pour une raison ou une autre, mais je ne l'ai pas vu punir quelqu'un de façon très grave. Le système était déjà assez grave.

« Les vases de nuit, on n'avait pas le droit de s'en servir. Ils étaient là pour le décorum. Entre chaque lit, il y avait un vase de nuit blanc, et autour, sur le ciment, il y avait une peinture blanche. La peinture était censée être du grésil, un désinfectant. C'était un signe d'hygiène. Il y avait deux portes au bloc. A chaque porte, il y avait toujours une femme avec un seau et une serpillière. Et il y avait quelqu'un dehors pour surveiller. Il y avait donc quatre personnes. Et quand quelqu'un arrivait, elles criaient : " Achtung ! Attention ! L'Allemand arrive. " C'était quelquefois Mengele, quelquefois König, ou bien encore le soldat, le fameux Hans. Il n'y en avait qu'un qui se promenait dans tout le Revier. Il n'était pas méchant. La seule fois qu'il a été méchant, c'est lorsqu'il a reçu son ordre pour partir en Russie. Ce jour-là, il s'est saoulé. Auschwitz, pour les soldats allemands, c'était une planque. Ils y étaient très bien. Ils n'avaient pas du tout envie d'aller en Russie... Alors dès qu'il arrivait, la personne avec le seau trempait la serpillière et puis passait tout le long du passage et l'autre en faisait autant dans l'autre sens pour que ça soit mouillé. C'était soi-disant propre. »

Dans la vie courante, les institutions, en dispensant les services indispensables, structurent l'ordre social et contribuent à sa pérennité. Même s'il n'y a pratiquement pas de possibilité de soins au Revier, celui-ci, présenté en termes de « décorum », remplit des fonctions importantes. En témoignent beaucoup de déportés, pour qui le Revier symbolisait simultanément espoir et angoisse de mort. Car si les rumeurs circulaient parmi les déportés qu'on « n'en sort pas vivant », le Revier restait, à leurs yeux, un des seuls endroits où ils pouvaient trouver, pendant quelques jours, le repos indispensable pour reprendre quelque force[14].

Comme le suggère ce récit, le Revier, en tant que domaine réservé des médecins SS, est jalousement gardé par ceux-ci contre toute ingérence extérieure, y compris de la part d'autres instances SS. Il leur fournit un « matériel humain » inépuisable pour leurs expériences, qu'il s'agisse des expérimentations de stérilisation ou du projet de recherche sur les jumeaux, mené par Mengele en collaboration avec un institut de recherche berlinois[15]. D'où la sauvegarde jalouse de « leur » territoire par les médecins SS, qui se traduit notamment par le maintien, à tout prix, des signes extérieurs d'un univers médical, et par la défense de « leur » personnel face aux exigences d'autres SS.

« Il y a eu un incident. Mon amie était une fille très, très jolie. Avec ses yeux bleu pervenche on la voyait de loin. Elle était blonde, enfin elle était mignonne. Elle se promenait dans le Revier les mains dans les poches. Or les Allemands ne supportent pas ça ! La gardienne-chef, la Aufseherin Mandel, arrive et la voit. En principe, elle n'avait pas le droit, mais elle venait tout de même au Revier. Elle voit O. les mains dans les poches, et elle lui flanque une de ces gifles... Elle l'a démolie. Eh bien, Mengele était furieux.

« Pendant une période, je logeais avec des Polonaises qui travaillaient dans les bureaux de l'administration du camp, la Schreibstube, où on enregistrait les arrivées et les morts. Il y avait également des infirmières et des médecins. Les Polonaises avaient des accointances avec Canada. Elles faisaient apporter ce qu'elles voulaient. Elles voulaient avoir leur confort, on avait des paillasses, elles avaient des draps, des oreillers avec des dentelles parce que c'était pris là aussi, elles avaient du parfum, des savonnettes, toutes sortes de choses. Le tout était gardé sous leur matelas. En principe personne ne venait vérifier. Alors elles étaient toujours très bien soignées, elles avaient leurs cheveux relativement longs, elles étaient bien habillées, enfin elles portaient des blouses, et elles

14. De nombreux témoignages rassemblés par H. Langbein, *Menschen in Auschwitz,* Vienne, Europa, 1972, attestent cette perception ambiguë du Revier.

15. R.J. Lifton, *Les Médecins nazis. Le meurtre médical et la psychologie du génocide,* Paris, Robert Laffont, 1989, p. 219.

étaient très soignées. Elles recevaient d'ailleurs des colis de Pologne : du parfum, je me rappelle de choses comme ça. Alors la Mandel, ce jour-là, s'amène avec une équipe, pour une vérification. J'avais obtenu de quelque part un petit drap, je ne possédais rien d'autre, je ne possédais même pas de linge de rechange ni rien. Alors, elle arrive, elle s'aperçoit de tout ça, fait un scandale, emmène toutes les affaires, fait enlever tout, tout, tout, puis va alors se plaindre à Mengele. Mengele, ça devait l'embêter parce qu'au fond ça lui était égal. C'était son Revier, ce qui se passait dans le camp, ça, c'était autre chose... Alors il nous a réunies et nous a fait un grand discours en disant qu'on n'avait pas le droit de faire des choses comme ça, que c'est dégoûtant, enfin je ne sais pas ce qu'il a dit en allemand, il a dit que nous étions toutes des demi-mondaines ! C'était sa grande injure ! Finalement on a beaucoup ricané, puis l'incident a été clos, il n'a puni personne. Et puis quelques jours après tout le monde avait... enfin surtout les Polonaises avaient de nouveau ce qu'elles voulaient. »

Cette protection relative avait fait du Revier, à côté de la Schreibstube (l'administration interne du camp), un des points de convergence des stratégies collectives et individuelles visant à se procurer des positions avec l'aide de celles qui y travaillaient déjà. Même sans compétences médicales, certaines déportées ont pu réussir à y trouver une position — phénomène mis en évidence dans les entretiens de Margareta et de Ruth. Si ces positions procuraient une certaine sécurité, elles plaçaient tous ceux qui les occupaient dans une situation très délicate en les exposant à des choix qui, sans intention aucune de leur part, pouvaient les rapprocher des médecins SS.

Le travail du médecin : un dilemme moral permanent

En plus des hospitalisations, les déportées peuvent venir se faire soigner le soir après le travail. La plupart du temps il s'agit du traitement de plaies et de blessures. A certaines heures, les médecins peuvent être appelés dans un des blocs où logent les commandos de travail. Encore moins bien équipé que le Revier du camp des hommes à Auschwitz, celui de Birkenau n'avait qu'une petite station chirurgicale pour des interventions mineures, telle l'ouverture de furoncles ou d'abcès. Pour les opérations plus importantes, le médecin-chef déporté peut demander au médecin SS l'autorisation de procéder à cette opération dans le camp des hommes.

« Il est arrivé qu'il y ait des cas, une appendicite, une mastoïdite, nécessitant une intervention, une opération. On demandait alors l'autorisation à Mengele. Il l'accordait. Lui, ça lui était égal, il l'accordait, c'est la logique allemande. Même pour une juive, ils accordaient la permission, mais un mois après il pouvait y avoir une sélection et on l'envoyait au gaz !

« Je n'ai pas connu, personnellement, de cas où on l'ait refusée. On emmenait la malade nous-mêmes. Tout le monde se portait volontaire, elles avaient envie de voir ces messieurs de l'autre côté, ça changeait un petit peu, ils nous préparaient une soupe ! Et alors donc on portait — mais alors il fallait la porter 4 km sur le brancard, c'était dur. Je me rappelle une fois par la neige, c'était assez dur. Et bon, alors on assistait à l'opération et quand l'opération était terminée, on ramenait la malade. Les hommes se débrouillaient mieux, parce que souvent ça intéressait les médecins allemands. Par exemple, il y avait un médecin français alsacien qui était très bon chirurgien. Je me rappelle même qu'il a fait une fois une conférence en allemand, à laquelle j'ai assisté parce qu'il s'est trouvé que j'étais là. Il m'a dit, entre autres, « je vais leur montrer ce qu'un chirurgien français sait, ça leur apprendra ». C'était sur quelque chose d'un peu spécial, près de la colonne vertébrale, les ganglions, je ne sais pas, je ne me rappelle plus[16].

« Dans l'ensemble, on ne pouvait pas faire grand-chose, malheureusement, parce qu'on n'avait pas de médicaments. Et d'autre part, même si on avait pu avoir quelques médicaments, c'était des traitements beaucoup trop long. Quelques personnes rentraient surtout pour se reposer ou parce qu'elles avaient des plaies ou des choses comme ça. La plus grande maladie, en plus de l'épuisement, c'était la diarrhée. C'était une diarrhée due à un manque complet de vitamines, avec une fonte des graisses, des muscles. Il ne restait

16. Voir également le récit de Margareta sur les relations entre le camp de femmes et celui des hommes, et sur son opération effectuée au camp d'hommes.

plus que la peau sur les os. Ces gens perdaient toute volonté... Ils ne réagissaient pas, on aurait pu peut-être leur couper un bras, ils n'auraient pas... ils étaient là à moitié endormis, c'est ceux qu'on appelait les musulmans.

« Nous, les médecins, nous ne pouvions pas faire grand chose. Vraiment, entre la médecine que nous pratiquions dans la vie et la médecine qu'on pouvait pratiquer là-bas... Les médicaments étaient introduits en petite quantité, il y avait une pharmacie dans le camp... Le matin, cette pharmacie distribuait dans tous les blocs du Revier un bol, un bol blanc, dans lequel il y avait des médicaments en vrac. Un tube de ça, une ampoule... Et il fallait se débrouiller avec ce bol pour soigner tout le monde, 300 personnes dans le bloc juif. Il y avait les lits, les châlits, là à trois étages. Il y avait la cheminée en briques, avec le feu, de chaque côté un passage, ensuite il y avait un petit rebord en ciment, et alors les lits. Il y avait souvent deux malades par paillasse, il n'y avait pas de draps, il y avait une espèce de paillasse en grosse toile et une couverture genre couverture militaire marron. Qu'ils aient la diarrhée ou qu'ils soient couverts de boutons, de pustules, d'impétigo, de tout ce que vous voulez, les gens étaient couchés sur le même lit l'un à côté de l'autre, donc ils se passaient n'importe quel microbe. Ce fond de paillasse leur éraflait la peau, une peau qui n'avait plus aucune résistance. Quand le médecin SS passait, il fallait que leur couverture soit tendue impeccablement, on ne devait voir que les têtes. Alors, de temps en temps, on envoyait des choses à la désinfection, à l'étuve, mais ce n'était jamais lavé. Vous savez quand on désinfecte comme ça, rien n'est lavé. Et avec les médicaments que nous avions, qu'est-ce que l'on pouvait faire ? Il fallait... ou on choisissait une malade en se disant : “ Celle-là a des chances d'être sauvée, tandis que l'autre, celle qui est dans le coma, qu'est-ce que vous voulez qu'on fasse ? ” Si vous aviez ce fameux médicament qu'est la Tanalbine, ce sont des comprimés à base de tanin qui étaient le seul traitement contre la diarrhée qu'il y avait, il aurait fallu en donner au moins dix comprimés par malade. Alors s'ils vous donnaient dix comprimés pour tout le bloc ou vingt comprimés, mais des petites tablettes, c'est tout ce qu'on avait. Alors la seule chose qu'on pouvait faire, si on avait quelqu'un avec qui on était en bons termes, c'était de faire du troc. Ça m'est arrivé de prendre une ampoule de n'importe quoi, et d'aller dans le bloc à côté en disant “ Est-ce que vous ne pourriez pas me donner en échange... ” Enfin on pouvait faire ça, mais c'était une solution pour un jour, on ne pouvait rien faire d'autre. La seule chose que j'ai faite, c'est d'essayer d'encourager les gens avec qui je pouvais parler. Qu'ils ne se laissent pas aller. Je crois qu'on pouvait s'en sortir, si on voulait, si on voulait faire un effort. Soutenir cet effort par la parole, c'était tout. »

Ce dilemme — « à qui donner prioritairement les quelques médicaments ? » — marque tous les rapports médecin-malade dans le camp. Les doctoresses ressentent d'autant plus douloureusement ce dilemme qu'elles se trouvent souvent en face de malades qui ne veulent ou ne peuvent pas imaginer le peu de moyens dont les médecins disposent.

« J'en reviens à ma pauvre dame. Elle était toute petite, menue, elle vient avec sa belle-sœur, et puis alors elle me dit : " Vous pouvez... ", je lui soigne son oreille, alors elle me dit : " Vous pouvez me donner le tube ? " Je lui dis : " Non je ne peux pas vous donner le tube, parce que ce petit tube d'oxyde de mercure, c'est le seul que j'ai pu avoir à la pharmacie, je suis obligée de soigner tout le monde avec. " " Oui, mais vous savez... vous ne savez pas qui je suis. " Alors je dis " non ". " Je suis Madame Une telle. Vous avez entendu mon nom. " Je dis : " Oui, très bien. " " Alors vous savez qui je suis ? " J'ai dit : " Oui, bien sûr, je sais. " " Alors vous me donnez le tube ? " Je dis : " Non, je ne veux pas vous donner le tube. " Alors elle est revenue une autre fois avec sa belle-sœur, et qu'est-ce qu'elle me tend ? une montre-bracelet en platine toute sertie de brillants. Elle était arrivée à la cacher, je ne sais comment, en arrivant. Alors elle me dit : " Vous savez, je vous donnerai ça contre le tube. " Je lui dit : " Qu'est-ce que vous voulez que je fasse de votre montre ? et puis il n'y a rien à faire, j'ai ce tube pour tous mes malades, pour tout le camp, je n'ai qu'un tube, je ne peux pas vous le donner. " Alors quelque temps après, je la rencontre, elle me dit : " Oh ben vous savez, j'ai quarante-cinq ans ou quarante-huit ans, je ne sais pas, je veux aller absolument au Revier. " Alors je lui dis : " Ecoutez, si j'ai quelque chose... un conseil à vous donner, n'y allez pas. " " Oui mais écoutez, vous savez, moi je ne suis plus très jeune et je suis fatiguée et ma belle-sœur aussi. " Je dis : " Ecoutez, ne le dites pas, ne le dites pas ! Si vous le dites à Mengele, il vous arrivera malheur ! Ne le dites pas ! " Il n'y avait pas moyen de lui faire comprendre. »

Réussir à sauver dans ces circonstances un petit nombre de personnes, grâce à l'encouragement moral et à des médicaments supplémentaires « organisés », reste un souvenir marquant. Car il prouve que, même dans une situation aussi désespérée et extrême que le camp de concentration, l'espoir et l'effort ne sont pas synonymes d'illusion.

« Quand les différents commandos rentraient, nous avions ce qu'ils appelaient " ambulance " — ça veut dire une consultation. Alors les gens venaient se faire faire des pansements, ils avaient des brûlures, des piqûres, des déchirures. Et alors s'amène cette personne, une jeune femme à peu près de mon âge, et je lui dis : " Je vous connais ". Elle ne me connaissait pas. Je lui dis : " Vous savez, je vous ai vue en France, je vous ai vue quelque part, il y a très longtemps, mais je vous ai vue, je vous reconnais. " Alors finalement je lui dis : " Est-ce que vous n'étiez pas à Saint-Lunaire, en Bretagne ? " Elle me dit " oui ". J'ai dit : " Nous avions quinze ans toutes les deux. Ça se passait il y a vraiment longtemps. Et je me rappelle, vous vous appeliez Andrée, nous jouions au tennis ensemble. " Alors bon, on sympathise un peu, elle me raconte sa vie et tout — elle avait eu une histoire terrible, son mari était mort en prison, ses parents et sa sœur étaient morts à Auschwitz, elle avait laissé deux filles à Paris, enfin en France. Et elle avait des plaies aux jambes, elle avait des brûlures aux yeux dues au soleil, elle pouvait à peine marcher. Je lui ai fait des pansements, j'ai dit : " Revenez demain ou après-demain je vous referai un autre pansement. " Alors elle me dit : " Est-ce que vous ne pouvez pas m'hospitaliser ? " Je lui dis : " Non, pas question, revenez. " Alors plusieurs fois, elle est venue, elle était dans un état épouvantable, elle avait je crois 40 de fièvre et je ne voulais pas — parce qu'on avait parlé de sélection, alors finalement je lui dis : " Ecoutez, Andrée il faut que je vous dise la vérité. " C'était une personne enfin avec une certaine responsabilité. " Vous risquez la mort si je vous fais rentrer à l'hôpital actuellement, je ne pourrai pas vous faire sortir à temps, parce qu'on craint une sélection, vous savez ce que c'est qu'une sélection. " Elle en avait vaguement entendu parler. Bon, elle a encore attendu et elle est revenue deux jours après, elle me dit : " Ecoutez, moi tant pis, je mourrai dans la chambre à gaz, ça m'est égal, ou je meurs là, je ne peux plus tenir, je ne peux plus. " Alors je me suis dit " qu'est-ce que je fais ? " et je me suis dit " je vais la mettre aux infectieux. " Il y avait un pavillon pour les infectieux. Avec la logique des Allemands, ils n'y rentraient jamais. Il y avait des typhoïdes, il y avait des scarlatines, il y avait tout ce qu'on veut. Alors j'ai dit : " Vous savez, Andrée, je vais vous faire rentrer là, parce qu'on ne fait jamais de sélection aux infectieux, mais dans l'état où vous êtes vous risquez d'attraper n'importe quoi, vous y restez ? " Elle me dit : " Ça m'est égal. Ça m'est égal, mettez-moi où vous voulez, je n'en peux plus. " Bon je la mets donc aux infectieux. Elle m'attrape... je ne sais plus quoi là-dedans... elle a fait je crois une typhoïde avec une jaunisse, et elle s'en est sortie. Je lui apportais à manger quand je pouvais avoir un peu de soupe, parce que là-bas dans ce baraquement, on donnait encore moins à manger, et puis personne ne voulait y pénétrer. Elle est restée là-bas près d'un mois, elle s'est retapée. Il y a des miracles ! Et puis, à ce moment-là, il y a eu un changement dans le régime du camp. Tout d'un coup Himmler a décidé qu'on ne ferait plus de sélection, plus de gazage. Ça, c'était au début du mois de novembre 1944. Alors, à ce moment-là, je l'ai sortie des infectieux et je l'ai mise dans mon baraquement. Et elle est revenue en France après. Ça, c'était quelque chose... Mais alors ce qu'il y a de terrible, avec ces ambulances, quand les gens venaient vous voir et qu'ils étaient visiblement à bout de forces, et qu'on ne pouvait pas... qu'on ne voulait pas les rentrer à l'hôpital. Quand c'était tout de suite après une sélection, on pouvait le faire, mais quand depuis quelque temps il n'y avait pas eu de sélection...

« Je vais vous raconter une autre histoire. Je suis très contente de cette histoire très positive. On avait tellement peu de possibilités de sauver quelqu'un, de soigner quelqu'un parce qu'on n'avait pas de médicaments. Et puis quelquefois on n'avait pas le temps, non plus, parce que, d'une sélection à l'autre, on ne savait pas. Une jeune femme de mon convoi, que j'avais connue et qui avait perdu toute sa famille, s'est présentée un jour. Avec le travail terrible, sans manger, sans rien, elle a eu une paralysie complète, une polynévrite par avitaminose. Elle ne tenait plus debout, elle tombait et elle avait même les bras paralysés. Elle était couchée dans le Revier et je me suis dit " que faire, que faire ? " C'était une jeune femme, trente-deux ans peut-être. On était devenues un petit peu amies. Impossible d'avoir des médicaments chez nous dans le camp. Il m'arrivait de prendre une ampoule de quelque chose, d'aller quelque part ailleurs chercher si quelqu'un pouvait m'échanger... et puis moi-même j'avais tellement peu de nourriture, j'étais tellement faible aussi que donner un médicament contre mon pain, j'aurais pas tenu le coup non plus. C'était comme ça que ça se passait, quand on voulait quelque chose. La chance a voulu qu'un jour j'ai amené une malade à opérer au Revier des hommes. J'ai parlé aux uns aux autres comme ça, à un pharmacien qui était là, un juif polonais de Paris. Et je lui ai dit : “ Il me faut absolument des vitamines B, et puis un peu de strychnine, quelque chose à base de strychnine pour une amie parce que s'il y a une sélection, elle y passe. ” Alors il m'a dit : “ Je ferai mon possible ”, et il m'a donné une ampoule. Il m'a dit : “ Bon je vais essayer de m'arranger. ” Alors il m'avait déjà donné une ampoule de vitamines que je lui ai fait en piqûre. Et puis alors, à peu près tous les deux jours, il me faisait appeler, la nuit. J'entendais : “ Docteur, on vous demande en face du bloc numéro un tel. ” Donc il fallait que j'y aille. C'était la nuit. C'était interdit, et d'autre part c'était interdit de s'envoyer des choses par-dessus les barbelés. Il y avait le mirador, il y avait le soldat avec sa mitraillette, et d'autre part il y avait des phares qui balayaient comme ça. Alors moi, je me glissais et lui de l'autre côté, et quand il y avait l'obscurité, il m'envoyait par-dessus les barbelés... les barbelés étaient à peu près à la hauteur, à peu près à 2,50 m je pense, il m'envoyait un petit paquet, une ampoule de vitamines, une ampoule de strychnine, à base de strychnine. Et alors j'ai pu faire ces piqûres pendant trois semaines. Elle était toujours couchée, puis je lui faisais la morale. Je lui avais procuré un peigne, les cheveux commençaient à pousser. Je lui dis : “ Il y a une chose qu'il faut savoir, c'est que l'Allemand veut qu'on soit propre, il ne faut pas avoir l'air négligé, les cheveux pleins de paille, le visage avec des traînées noires ou des choses comme ça. ” Je disais : “ Passez de la salive sur la figure, mais le visage propre ! Si vous vous mettez debout, debout bien droite et puis voilà. ” Et tous les jours je lui faisais la morale. Et elle ne pouvait pas se mettre debout pendant longtemps. En plus de ça j'avais rencontré un groupe de filles communistes, des Françaises qui se tenaient bien ensemble et qui se débrouillaient un petit peu, et j'avais dit à l'une d'elles : “ Il me faut une soupe supplémentaire quand vous pouvez, arrangez-vous, mais apportez-moi une soupe. ” Je lui ai expliqué pourquoi. Alors, de temps en temps, elle m'apportait une soupe que je portais toujours à cette jeune femme. Et un beau jour, il y a eu la sélection et elle s'est mise debout. Elle y a échappé, elle est rentrée. »

Le code de conduite

Peu après le recrutement de Myriam au Revier, Mantzy, neurologue juive slovaque, la contacte pour l'initier au « code de conduite » que les médecins déportés ont dû adopter afin de « limiter les dégâts ». Mantzy fait partie du cercle restreint à la tête du Revier, en étroite relation avec Orli Wald-Reichert, grâce à laquelle Margareta Glas-Larsson avait réussi à se faire coopter[17]. En même temps, Mantzy a constitué autour d'elle un réseau de doctoresses que Myriam décrit comme « particulièrement sérieuses et consciencieuses ». Ce groupe informel, soudé par des liens affectifs et amicaux, s'autodéfinit comme « un centre de résistance dans les limites du possible ». Il s'agit d'abord de nouer des contacts et des liens de solidarité entre médecins déportés et d'admettre une sorte de code de conduite implicite et cohérent face aux exigences des médecins SS.

Ce code porte essentiellement sur les actes à ne pas faire. Ainsi certains diagnostics, dont l'annonce aurait constitué une condamnation à mort irrévocable, sont-ils bannis. En font partie toutes les maladies chroniques et celles qui demandent des soins prolongés — la tuberculose, le diabète, mais aussi des maladies plus facilement curables, mais contagieuses, telle la gale. De temps à autre, et même en dehors des sélections, des médecins avaient l'habitude de demander une liste avec les numéros de toutes celles atteintes de ces maladies, les réclamant prioritairement dans les sélections suivantes, voire les transférant en groupe au bloc 25, le « bloc des morts ». Il faut donc éviter de nommer ces maladies sur les fiches et les dossiers individuels. Grâce au peu d'intérêt que les médecins SS portent aux malades lors de leurs passages au Revier, cette

17. Mantzy (Manca Svalbova) apparaît dans de nombreux témoignages. Margareta, Ruth et Myriam parlent d'elle en termes très élogieux. Dans la littérature, l'orthographe de son prénon varie entre Manca, Mantzy. Voir : H. Langbein, *op. cit.*, pp. 152 sq et 379 sq.

démarche n'implique que des risques assez limités. Myriam applique également cette règle quand Mengele lui demande, en tant qu'oto-rhino, d'effectuer des mesures sur des jumeaux et des nains. Elle décide de ne jamais signaler la moindre anomalie.

Une deuxième règle officialise des conduites individuelles spontanées dans une situation de pénurie de médicaments : à savoir, concentrer les soins sur les malades effectivement susceptibles d'être sauvées. Officialiser cette conduite spontanée contribue, partiellement du moins, à contenir une autre conduite spontanée qui consiste à dispenser les soins en fonction de la seule sympathie ou de critères d'appartenance (la plupart du temps, nationale). Par cette règle qui substitue aux critères « subjectifs » de sympathie ceux plus équitables et, si l'on veut, « objectifs » de l'espérance de survie établie par le diagnostic, les doctoresses introduisent également un critère d'ordre dans le troc des médicaments.

Mais la règle de conduite la plus importante consiste à dissuader autant que possible les gens de vouloir se faire hospitaliser, et cela surtout pendant les journées qui précèdent une sélection. Parallèlement, il faut faire sortir le plus grand nombre de malades pendant ces mêmes périodes. Finalement, ces médecins s'en tiennent à une « éthique du moindre mal » dans des situations limites. En cas de grossesse, surtout de femmes juives, on procède à l'avortement ou, si c'est trop tard, les doctoresses déportées acceptent de sacrifier le nouveau-né pour protéger la mère, qui sinon aurait été envoyée au gaz avec son bébé. A cela s'ajoutent, parmi les raisons et justifications invoquées, les chances infimes de survie du nouveau-né[18].

Aussi logiques et plausibles que puissent paraître ces règles de conduite dans une lecture à froid, des dizaines d'années après les événements, leur mise en œuvre implique des risques, des crises de conscience, ainsi qu'une communication et une organisation difficiles à faire fonctionner dans les conditions du camp.

Beaucoup de témoignages évoquent ces règles de conduite. Mais ils varient en ce qui concerne les origines de ces règles, leur transmission et leur contrôle. Myriam parle de « groupe de

18. R.J. Lifton, *Les Médecins nazis, op. cit.*, pp. 247-288, consacre un chapitre entier à ces problèmes de contrainte, de compromission et de résistance des médecins prisonniers. Voir également H. Langbein, *op. cit.*, pp. 268-276.

résistantes », en disant par ailleurs que « toutes les Françaises n'étaient pas au courant ».

A côté de ce « groupe de résistantes » soudé par une commune éthique médicale, les doctoresses polonaises forment un groupe homogène dans le Revier. Grâce aux relations avec l'extérieur par voie de courrier ou de contacts avec des ouvriers polonais venant travailler au camp, elles disposent d'accès supplémentaires aux médicaments et à la nourriture. Ces avantages, redistribués en priorité parmi les Polonaises, font de celles-ci un monde à part, y compris au sein des réseaux de résistance. Un groupe d'Allemandes s'était d'autre part formé autour de Orli Wald-Reichert, prisonnière politique de la première heure, et qui, en 1942, avait été mise au poste de doyenne du Revier par l'administration SS, justement pour contrecarrer les réseaux et la cohésion des Polonaises. On trouve dans ce groupe, décrit par celles qui en sont exclues comme la « cour de Orli », Ena Weiss, qui accompagnait les médecins SS lors de leur visite, et Margareta Glas-Larsson.

Entre ces différents réseaux existent de multiples liens. Mantzy apparaît dans la littérature comme un personnage central au Revier en raison de ses capacités (linguistique, politique, ouverture d'esprit) de mise en relation de gens d'horizons divers.

Le degré de participation à ces réseaux dépend de la confiance et de la fidélité réciproque. Car la moindre défaillance ou dénonciation peut mettre en danger tout le réseau. Myriam participe ainsi au système d'échange de médicaments, surveille les diagnostics et est informée d'avance des sélections pour pouvoir faire sortir à temps le plus grand nombre du Revier. Par contre, elle ignore tout des relations proprement politiques.

A cet égard, le passage concernant Mala Zimetbaum est typique. Mala, qui s'était enfuie d'Auschwitz avec Edek, également déporté, apparaît souvent dans la littérature de témoignages (voir plus loin). Avant sa tentative de fuite, Mala Zimetbaum avait été hospitalisée pour qu'elle puisse laisser pousser ses cheveux. C'est à cette occasion que Myriam fait sa connaissance.

« Mala et son ami polonais avaient décidé de s'évader vers la fin août, septembre... Ils s'étaient procuré des uniformes allemands et ils avaient un plan... Mais il fallait avoir des cheveux. Même ceux qui gardaient leurs cheveux les avaient coupés très court. Elle est arrivée à dissimuler ses cheveux en les roulant... Et pour se préparer, elle s'est fait hospitaliser, et les gens qui étaient autour étaient au courant... enfin certains savaient qu'ils allaient s'échapper. Moi, je ne le savais pas exactement. Mais on m'avait dit : " Mala, il ne faut pas qu'on voie ses cheveux. " »

La clandestinité implique de réduire au strict minimum les informations dont dispose chaque membre d'un réseau sur l'étendue de celui-ci aussi bien que sur son fonctionnement. Car, si les règles de conduite correspondent à l'officialisation du « bon sens » en situation extrême, leur mise en œuvre peut être compliquée et conflictuelle. Comment, par exemple, substituer un système de troc des médicaments « équitable » à un marché noir anarchique où règnent les critères de proximité et d'appartenance ? Comment faire fonctionner un système de communication avec la « Schreibstube » (l'administration), indispensable pour être informé du jour des sélections et pour manipuler les statistiques des commandos du travail afin de pouvoir placer les malades, à leur sortie du Revier, à des postes moins durs ?

En effet, le personnel de la Schreibstube disposait de certaines informations concernant le Revier bien avant les médecins déportés : notamment les dates des sélections, déduites des ordres en langage codé qui passaient par leurs mains. Chaque sélection s'accompagnait d'une « Blocksperre », l'interdiction aux déportés de quitter leur bloc et de faire sortir les malades du Revier.

Les papiers de sortie du Revier, établis par la Schreibstube sur demande d'un médecin, étaient assortis d'une nouvelle affectation à un commando de travail, souvent distinct de celui précédant l'hospitalisation. De là une multitude de possibilités d'intervention dans des cas individuels. Coûteuse en temps et en démarches administratives, la possibilité de faire sortir des malades à temps avant une sélection impliquait donc la connaissance, au moins par rumeurs, de sa date, quelques jours avant l'annonce d'une Blocksperre.

Bien évidemment, toutes ces activités devaient se dérouler dans la plus stricte confidentialité, pour ne pas dire dans le silence. Officiellement tenue secrète, l'extermination ne pouvait pas être nommée par une internée devant les gardes SS. Mais il y a des exceptions ; ainsi, à l'accueil dans le camp, l'annonce par des kapos slovaques que les autres membres de la famille « sont en train de brûler » est non seulement tolérée par les SS présents, mais considérée comme un élément du rite de passage visant la dépersonnalisation et la destruction de tout espoir.

Par contre, après l'intégration dans la quotidienneté du camp, nommer l'extermination était tabou entre déportés en dehors des contacts les plus proches et les plus intimes. Ce n'est certainement pas par hasard si la première personne qui met Myriam au courant, et qui confirme ainsi ses pires angoisses, lui interdit en même temps d'en parler, pour « éviter la panique ». Au Revier, ce souci renvoie bien évidemment aux réactions imprévisibles qu'aurait pu susciter la rumeur d'une sélection imminente.

Le terme de « terrifiant secret »[19] s'applique tout particulièrement à cette situation. L'impossibilité de faire sortir tout le monde du Revier impose un choix, et place, par la force des choses, les doctoresses déportées face au dilemme d'une sorte de « présélection ». De plus, leur souci d'« éviter la panique » rejoint le souci d'ordre des dirigeants et médecins SS. Les compromis faits au nom d'une morale du « moindre mal », à quel moment se transforment-ils en compromission ? Comment celles qui occupent une position médicale peuvent-elles échapper à de telles situations déchirantes ?

Le prix de la morale

A trois reprises, dans son récit, Myriam parle des sélections au Revier. La première fois, elle décrit, rapidement, les « scènes épouvantables, parce que les femmes qui étaient choisies comprenaient que c'était leur tour. Il y en a qui se cachaient sous les lits, on les cherchait à coups de crochet, de bâton... Ils les entassaient sur des camions comme des bêtes, et puis ils les emmenaient au crématoire. »

Sa deuxième description, davantage détaillée, résulte des questions plus précises que je lui avais posées. Myriam y relate l'horreur des scènes au moment du départ des sélectionnées vers le bloc 25,

19. W. Laqueur, *Le Terrifiant secret. « La solution finale » et l'information étouffée*, Paris, Gallimard, 1980.

où elles restaient enfermées souvent pendant quelques jours, sans nourriture, avant d'être envoyées aux chambres à gaz. Elle décrit également les personnes présentes et le rôle qui leur était assigné. Il s'agit d'une sélection effectuée par le médecin Mengele, accompagné d'Ena Weiss, et d'une gardienne SS qui prenait les numéros. Sont également présentes la blokova, en l'occurrence Margareta Glas-Larsson, avec ses aides. Par contre, les médecins et infirmières du bloc ne sont pas directement présentes.

« A l'entrée du bloc, à l'intérieur il y avait une espèce de passage, comme une antichambre. D'un côté, il y avait le petit cagibi de la blokova, de l'autre côté, il y avait un autre cagibi où nous dormions... Officiellement, on n'était pas présentes. C'est-à-dire, la sélection, on avait pu la voir. Toutes les malades devaient descendre de leur lit, toutes nues, et passer devant Mengele qui les faisaient tourner comme si on achetait une vache, un mouton... Mais après, quand on venait chercher ces femmes, on était enfermées dans notre cagibi. »

Lors d'une des dernières de nos rencontres régulières, au printemps 1983, Myriam revient sur le code de conduite de résistance que les médecins devaient observer afin de sauver le plus grand nombre, et sur les contraintes inhérentes aux positions privilégiées.

« Les Allemands avaient décidé qu'un des médecins déportés devait être médecin-chef responsable pour parler avec Mengele quand il venait. Nous étions trois médecins dans le bloc. Alors les autres m'ont demandé si je pouvais. J'ai dit : " Rien du tout, je ne fais pas de carrière dans le camp et je ne parle pas allemand. Alors je ne vois pas comment je pourrais parler avec Mengele. " C'était une Polonaise qui avait pris cette place, pas juive, une femme très bien, très digne et très croyante, très catholique. Et quand Mengele lui a demandé de désigner les malades pour une sélection, elle a refusé et elle lui a dit — ça l'avait mis dans une colère noire — elle lui a dit : " Il n'y a que Dieu qui sache si une malade doit mourir ou non, parce que même les mourantes peuvent survivre. " Alors, il était parti furieux en disant qu'il choisirait lui-même n'importe qui, ce qui fait qu'elle s'est décidée, quand il y avait une sélection, à indiquer celles qui étaient déjà dans le coma... Elle a dit : " S'il faut lui indiquer des gens, il vaut mieux choisir celle-là que de choisir celle qui est vivante et a des chances de s'en sortir. " »

A la question explicite de savoir si elle avait été elle-même mise dans une telle situation, Myriam répond : « Je ne parlais pas allemand, puis je me désintéressais de la question, enfin ils avaient un médecin-chef, une qui était responsable de notre groupe, et moi je n'ai jamais voulu prendre de responsabilité de ce genre. »

Le thème des sélections et de la participation des médecins déportés est indissociablement lié à celui du refus de toute responsabilité officielle dans l'univers concentrationnaire. C'est ainsi seulement qu'on peut, selon Myriam, échapper à la compromission avec les bourreaux. En quelque sorte, ce message est le fil conducteur de son récit. Elle va jusqu'à dire que, même dans les conditions du camp, on pouvait agir en restant fidèle à sa conscience et sa morale, qu'on pouvait contourner les choix compromettants.

« Il y avait une autre femme médecin, non juive, qui était à Auschwitz pour avoir caché des juifs. Elle était avec nous dans le bloc juif. Mengele voulait qu'elle aille travailler pour lui dans le bloc expérimental d'Auschwitz. Elle a refusé... Je crois qu'avec les Allemands, on n'était pas obligé de faire quelque chose contre sa propre conscience. Je vois les médecins que j'ai connus à Auschwitz. Eh bien, moi, si on m'avait demandé d'aller au bloc expérimental, j'aurais dit non, puis c'est tout. On n'avait aucune responsabilité vis-à-vis de Mengele. Enfin, admettons, en cas de refus ou parce qu'une des médecins ne lui convenait pas pour une raison quelconque, il l'aurait envoyée au Strafkommando[20], qui était un commando très dur, où elle était obligé de bêcher la terre ou porter des poids lourds. Mais il ne l'aurait pas envoyée au gaz pour ça. »

Elle donne un autre exemple qui met en lumière des solutions possibles permettant de sortir des situations les plus déchirantes.

20. Il s'agit du regroupement de déportés récalcitrants dans des commandos ayant une chance de survie particulièrement faible ; cf. H. Langbein, *op. cit.*, p. 510.

« J'ai connu une femme qui a eu un bébé là-bas et, pour sauver sa peau, elle a tué l'enfant. Elle l'a intoxiqué avec du Gardénal. Alors moi, j'étais dans le bloc, le bloc juif, avec cette Polonaise, une femme très catholique, très croyante, très honnête. Elle était évidemment contre. Elle a dit " on ne doit pas tuer cet enfant ". Elle l'a su, parce que je lui en avais parlé. Elle m'a dit : " Mais si elle me l'avait dit, j'aurais pris cet enfant, je l'aurais confié à une Polonaise qui aurait dit que c'était son enfant. " Elle était prête à faire ça, prendre l'enfant et le confier à une autre, à une aryenne, pour qu'on puisse sauver cet enfant. »

Le maintien, tout au long de son expérience concentrationnaire, d'une démarche en accord avec sa morale et sa conception de la dignité façonne la vision que Myriam a de sa propre position. Elle reconnaît avoir bénéficié de certains avantages : pas d'appel le matin, dispense des travaux manuels les plus durs, accès aux douches. Mais tous ces avantages ne la classent pas, selon ses propres termes, parmi les « privilégiées » du camp, telles « les filles travaillant à Canada ou dans les cuisines, et qui avaient la possibilité d'améliorer leur régime alimentaire ». Contrairement à d'autres témoignages, Myriam associe le terme « privilège », non pas aux positions à l'abri du danger immédiat, mais uniquement à l'accès à la nourriture et à d'autres biens.

Par ailleurs, son récit témoigne d'une faible connaissance du fonctionnement du marché noir et de son incapacité d'« organiser ». Ce qu'elle a pu se procurer, tels une robe, des chaussures, une petite table pour son ambulance, un soutien-gorge, elle l'a eu en grande partie grâce aux gestes de remerciement de la part de celles qu'elle avait soignées.

Dans une certaine mesure, les mêmes facteurs qui permettent à Myriam de sauvegarder ses convictions éthiques la coupent des ressources qui auraient pu, dans sa position de médecin, améliorer son sort. Le refus de communiquer en allemand, y compris avec d'autres déportées, l'aide à rester à l'écart de relations compromettantes avec les médecins SS. Mais, simultanément, ce refus et le fait de rester isolée empêchent toute intervention en faveur d'amis ou de proches. De temps à autre, Mengele accordait, dans le pur style d'une société de cour[21], une audience au personnel du Revier.

21. N. Elias, *La Société de cour,* Paris, Calman-Lévy, 1974.

« A un moment donné, Mengele a reçu quelques personnes du Revier qui venaient le supplier de sauver quelqu'un... Et moi, j'ai essayé, mais je ne connaissais pas bien l'allemand. Il est resté de glace. Il me regardait, un regard épouvantable, et il me dit : “ *Nun?...* (Eh, alors?) ” Alors je dis : “ Ma cousine... ” Rien. Il me fait comme ça... Il n'a pas voulu. J'ai essayé, mais je ne savais pas comment lui parler. »

Au nom de la protection des siens, Myriam avait adopté une attitude de silence sur elle-même. Au nom de la sauvegarde de ses convictions morales, elle s'isole au camp et y noue très peu de relations d'amitié. Elle est également séparée de son amie, qui l'avait fait entrer au Revier et qui est nommée au service médicale de Rajsko, la station de recherche botanique installée à proximité du camp. Si elle ne « demande rien à personne », elle doit se rendre compte également que, dans son isolement, elle ne peut rien faire pour les autres, y compris les proches.

Evacuation et libération

Après les dernières grandes sélections à l'occasion des fêtes juives en septembre et octobre 1944, on arrête officiellement les sélections à Birkenau début novembre 1944. Pendant les derniers mois précédant l'évacuation du camp, les règles sont quelque peu relâchées, ce qui permet l'émergence d'une certaine vie sociale autour d'intérêts culturels communs. Myriam fréquente d'autres Françaises pour discuter de littérature et pour reconstituer en commun des poèmes de du Bellay. Noël 1944 est fêté avec de la musique et de la danse.

Les plus dures épreuves de sa déportation sont la marche de Auschwitz-Birkenau à Ravensbrück et les dernières semaines avant sa libération, passées à Neustadt-Glewe, un camp annexe de Ravensbrück, où elle fait partie d'un commando qui doit creuser des tranchées.

Pendant la marche à pied et en train — cinq jours en tout — Myriam perd les forces physiques qu'elle avait pu sauver à

Birkenau. Pratiquement sans nourriture, dans un froid glacial, elle est à la merci d'une défaillance, qui peut coûter la vie dans cette marche. Peu de survivantes arrivent à Ravensbrück, et elles y sont très mal accueillies par les internées déjà sur place.

« Dans un camp, chacun s'organise, chacun à sa vie, sa place... On vous amène des milliers de personnes qui sont inattendues, ça met du désordre. Alors, non seulement on a à se battre contre les chefs, mais également contre les autres déportées. Elles nous ont très, très mal accueillies. " Qu'est-ce que c'est que toute cette masse de gens qui arrivent, et des juives en plus ", parce qu'à Ravensbrück, il n'y avait pas tellement de juives... On a eu affaire non seulement aux Allemandes, mais aux prisonnières russes. Comme je comprends le russe, je comprenais tout ce qu'elles disaient... Elles étaient terriblement antisémites. Elles savaient que je venais d'Auschwitz et que j'étais juive... Il y a eu des appels dans la neige. Un appel a duré sept heures ! Sept heures de garde-à-vous sans manger... Alors, finalement, on nous a donné un bout de pain et j'ai entendu trois Russes dire : " On va se jeter sur celle-là, on va lui prendre son pain "... Alors je me suis méfiée, j'ai tenu, je leur donnais des coups de pied, elles ont arrêté... C'était la dernière fois que je me suis battue pour un morceau de pain... On nous a amenées dans un autre camp, Neustadt-Glewe, un petit camp qui dépendait de Ravensbrück. C'était la même chose. Il n'y avait pas de place pour nous. Il n'y avait pas de lits. Il n'y avait pas de sanitaires. Il n'y avait rien. Nous sommes arrivées vers le 10 ou 15 février, et on est restées jusqu'à la libération. Ça a été encore plus pénible. Il n'y avait plus de gazage, mais au point de vue hygiène, nourriture et physique, ça a été pire qu'ailleurs. J'avais déjà un œdème des jambes, je pouvais à peine marcher. Alors là, il n'y avait plus de médecin qui comptait. Il y avait une autre malade et on a tenu le coup comme on a pu, pendant quelque temps. Même le soldat qui devait nous garder avait pitié de moi. Alors il bêchait à ma place. Quand il voyait l'officier arriver, il me rendait ma bêche. »

Situé à la limite de la ligne de démarcation fixée entre les armées soviétique et américaine, le camp reste délaissé pendant trois jours après la capitulation de l'Allemagne, le 8 mai 1945, pour être repris en main définitivement par les troupes soviétiques. Découvertes par des prisonniers de guerre français internés dans la même région, les malades françaises sont transférées aux autorités américaines et rapatriées, à partir de Hanovre, à la fin mai : « Cette impression quand on est passées en avion au-dessus des Vosges et que le pilote a dit : “ Nous sommes en France. ” Ça paraissait vraiment le miracle. »

A son retour à Paris, Myriam retrouve sa fille, sa mère et sa belle-sœur. Ne pesant plus qu'une trentaine de kilos, elle est réduite à un état squelettique, ne se reconnaît plus elle-même.

« Un des premiers jours après mon retour à Paris, dans l'appartement de ma belle-sœur, je m'amène devant le miroir. Il y avait un grand miroir au-dessus de la cheminée. Je me trouve en face de moi-même. Je ne me reconnaissais pas, et je me retourne derrière pour voir qui était là. Moi qui voyais les gens dans le camp avec la tête qu'ils avaient, je n'ai pas imaginé que c'est la mienne. Je me suis retournée... après j'ai compris que c'était moi. Un cadavre. Il n'y avait plus de peau, une tête épouvantable... Quelques jours de plus, quinze jours de plus — je n'aurais pas tenu. Et pourtant, j'avais un moral formidable. »

Pendant trois mois, Myriam doit rester à l'hôpital et, pendant plusieurs mois, en maison de convalescence. Elle fait connaissance d'un déporté, qu'elle épouse et avec qui elle a une deuxième fille. Si l'expérience commune de la déportation est un des fondements de la profonde compréhension de l'un pour l'autre et de leur amour, le rapport très différent à la déportation est également source de tensions. A la volonté de témoigner de Myriam s'oppose le désir de tout oublier de son mari. D'où le silence sur ce sujet qui s'installe entre eux ; un silence d'autant plus pesant que le mari de Myriam, lui-même déporté à Monowitz, un camp annexe loin des fours crématoires de Auschwitz, avait, tout au long de sa déportation, refusé de croire à l'extermination.

« Il n'avait jamais cru à toutes ces histoires de gazage et tout, ils étaient loin, à Monowitz. Il avait été arrêté avec sa femme et son bébé de quinze mois, et ses parents, sa sœur, son demi-frère, toute sa famille, et de toute cette famille, il n'a retrouvé que son frère. Les autres ont été gazés. Alors, quand on racontait ces histoires, tous ces hommes qui étaient là n'y croyaient pas. Même étant à côté, on ne le croyait pas. Ils disaient : “ C'est la boulangerie. ” Après on a dit : “ Ce sont les morts qu'on est en train de brûler. ” Pendant les sélections, ils savaient... non, ils ont commencé à le savoir... puisqu'au moment des sélections les gens se cachaient, enfin... ils savaient qu'ils couraient un danger. »

Les deux filles, elles aussi, développent des attitudes contrastées. Celle du premier mariage, séparée de sa mère dans des circonstances tragiques, n'avait cessé de penser aux retrouvailles et d'en rêver. Jamais elle n'acceptera l'intrusion d'un homme dans sa relation avec sa mère, dont elle ne veut plus se séparer mais qu'elle refuse aussi de partager. Pendant les mois de séparation, elle avait rêvé et imaginé ce qui pouvait être le sort de sa mère. Maintenant, elle veut savoir. Elle ne se lasse jamais de ces récits. A ses yeux, sa mère, d'une dignité et d'une rigueur exemplaires, sort grandie de cette histoire. Au nom de la vie, la fille issue du deuxième mariage, quant à elle, refuse de se laisser immerger dans le passé, en accord dans ce refus avec son père : La configuration familiale est profondément marquée par ce clivage. Et quand Myriam dit comprendre chacune de ces attitudes, elle le dit avec regret. La compréhension à l'égard de ces deux attitudes contrastées concernant la gestion de la mémoire — transmission d'un côté, refoulement de l'autre — ne suffit pas à instaurer des relations familiales harmonieuses. Visiblement, Myriam n'aime pas parler de ce problème. Jamais elle ne surmontera complètement les séquelles physiques de la déportation. Pendant plusieurs années, elle ne pourra reprendre son travail qu'à temps partiel. Si elle doit constater la faible volonté d'écoute des autres, elle fait à plusieurs reprises l'expérience de gestes pleins de compassion et de sympathie. Ainsi, à l'hôpital où elle travaille, tous les membres du personnel la soutiennent et l'épaulent quand ils se rendent compte des raisons de sa faiblesse physique. Une fois, au restaurant, le patron refuse d'accepter le règlement de l'addition et lui apporte un gâteau supplémentaire. D'origine canadienne, il avait été parmi les premiers soldats alliés à participer à la libération du camp Bergen-Belsen. Dès lors, l'image d'êtres affamés ne l'avait plus quitté et, chaque fois qu'il voyait des déportés, il voulait par un surcroît de gentillesse et d'humanité réparer une injustice que pourtant, il n'avait pas causée.

Ces anecdoctes confirment Myriam dans ses convictions et dans sa vision de la culture du pays où sa famille d'origine avait décidé de s'installer : la France, pays des Lumières et de l'humanisme universel. Certes, elle a été dénoncée et livrée aux Allemands par un Français. Elle est parfaitement lucide sur la contribution du régime de Vichy à la déportation des juifs. Mais elle garde également le souvenir des paysans résistants qui ont sauvé sa fille, sa mère et d'autres membres de sa famille et qui, à un niveau plus général, ont sauvé l'honneur de la France. L'assurance d'avoir su sauvegarder son estime de soi et les valeurs de dignité humaine contre l'avilissement propre au camp s'accompagne d'une grande modestie et de l'absence de toute héroïsation de soi-même, cette autre composante de son éthique.

« On ne pouvait pas faire grand-chose. Alors, dernièrement, il y a quelques années, j'étais au congrès de l'Amicale d'Auschwitz... C'étaient des réjouissances. Moi, finalement, je ne reconnaissais presque personne, mais eux, ils me connaissaient, c'était différent. Et il y en a une qui me dit : " Vous savez, vous m'avez sauvé la vie. " Alors, j'ai dit : " Oui, qu'est-ce que je vous ai fait ? " " Oh, vous m'avez fait sortir du Revier à temps. " Enfin, c'était ça en général, mon rôle de médecin... une autre m'a dit : " Ah oui, vous êtes la doctoresse qui a sauvé des centaines de personnes. " Alors, je lui ai dit : " Non, je n'ai pas sauvé des centaines de personnes. Si j'en ai sauvé deux ou trois, c'est déjà très bien. Mais pas des centaines. " »

Une première lecture de ces trois entretiens fait apparaître la diversité des ressources auxquelles Margareta, Ruth et Myriam recourent pour maîtriser des situations marquées par l'incertitude. Si Margareta utilise les ressources typiquement associées à la féminité — à savoir séduction, beauté physique, voyance, cosmétique — Myriam s'appuie essentiellement sur sa compétence professionnelle : la médecine. Ruth représente un cas de figure intermédiaire.

Ces différentes ressources produisent des effets opposés. Dans sa démarche, Margareta doit « se montrer » et « se faire remarquer ». Elle y a tellement bien réussi que la plupart de ses camarades gardent le souvenir de cette femme extravagante. Forte d'un savoir valorisé dans le camp, Myriam n'a pas besoin de se valoriser. Elle choisit l'attitude opposée, qui consiste à « rester à sa place » et à « passer inaperçue des autres ». Elle aussi réussit à merveille cet exploit. Si Margareta doit déployer en permanence des efforts pour être acceptée par le cercle autour de Orli Wald-Reichert, son gage de sécurité, Myriam occupe sa position ès qualités. D'où un degré différent d'incertitude, qui s'exprime par la nervosité de Margareta et l'assurance calme de Myriam.

S'ajoutent à la mobilisation des ressources les dispositions plus ancrées, qui guident les expériences de chacune. En quelque sorte, Margareta cherche toujours à accéder à la « bonne société » par séduction, amour, amitié et mariage. C'est le cas de son mariage avec Georg Glas, de sa relation avec Orli, et de son mariage, en Suède, avec un journaliste introduit dans la haute société. Sa vie ressemble à des cycles successifs, dont chacun est lié à une expérience amoureuse et à une personne qui symbolise le milieu auquel Margareta cherche à adhérer. Par contre, Myriam est plus assurée de sa place dans la société. D'où l'impression d'une vie plus linéaire et « prévisible », si ces mots peuvent avoir un sens dans le contexte d'une expérience concentrationnaire.

Comprendre, au-delà de l'anecdote, la diversité des ressources sur lesquelles s'appuient, avec ou sans succès, les déportés nécessite une réflexion systématique sur un corpus plus large et portant sur les différentes formes de récit (l'objet de la deuxième partie de cet ouvrage), ainsi que sur la perception et la maîtrise variables de la réalité (l'objet de la troisième partie de cet ouvrage).

Deuxième partie

LES RECITS

« *Le témoignage est fragile, comme nous-mêmes le resterons toujours.* »

(Louise Alcan, 1980.)

Si l'expérience de la survie en situation extrême limite la propension à en parler, les situations dans lesquelles les rescapés sont amenés à rompre le silence méritent une attention toute particulière. Ces situations ne sont pas légion, et ce n'est pas à chaque instant que le survivant se pose la question de son identité et de sa permanence, ni qu'il se trouve placé dans une situation de « confession obligatoire sous pression extérieure [1] », pour reprendre les termes d'Aloïs Hahn.

Pour interpréter le corpus des témoignages, écrits et recueillis par voie d'entretiens, il faut s'interroger sur leurs différentes formes : de la déposition judiciaire au récit de vie sollicité, en passant par l'ouvrage ou l'article à caractère autobiographique. Chacun de ces documents résulte de la rencontre entre la disposition du survivant à parler et les possibilités d'être écouté. Entre celui qui est disposé à reconstruire son expérience biographique et ceux qui le sollicitent de le faire, ou sont disposés à s'intéresser à son histoire, s'établit une relation qui définit les limites de ce qui est effectivement dicible. La rareté des témoignages spontanés en dehors de sollicitations officielles (d'ordre judiciaire, scientifique ou historique) est un premier indicateur des contraintes d'énonciation. Car, si l'expérience concentrationnaire est à la fois ce qui fait parler les survivants et ce qui, en principe, donne à leur histoire particulière un intérêt plus général, il n'en reste pas moins que leur prise de parole, loin de

1. A. Hahn, « Contribution à la sociologie de la confession et autres formes institutionnalisées d'aveu : autothématisation et processus de civilisation », *Actes de la recherche en sciences sociales,* 62/63, 1986, pp. 54 sq.

les « grandir », comme c'est le cas pour d'autres « grands témoins » historiques, risque de réactiver les expériences traumatisantes et incompatibles avec l'image qu'ils ont d'eux-mêmes ou leur sentiment d'identité. La réalité des camps était avilissante : comment décrire avec pudeur et dignité les actes qui ont avili et humilié la personne ? La prise de parole correspond souvent, alors, au désir de surmonter une crise d'identité en nommant ou en décrivant les actes mêmes qui en furent la cause. Mais à ces rares cas de tentative de libération par la parole, qui dépendent en outre des possibilités objectives de la rendre publique, s'oppose le silence du plus grand nombre.

La réflexion sur les témoignages de survivants des camps de concentration renvoie ainsi au problème du silence. Car, loin de dépendre de la seule volonté ou de la capacité des témoins potentiels à reconstituer leur expérience, tout témoignage tient aussi et surtout aux conditions qui le rendent communicable, conditions qui évoluent dans le temps, et qui varient d'un pays à l'autre. Ressenties simultanément, la nécessité et la difficulté de témoigner de ce qu'on a vécu composent un sentiment ambivalent, indiquant que le témoignage comporte presque toujours un jugement sur des actions passées par le survivant lui-même ou par celui qui l'écoute.

La contrainte de justification inhérente à presque toutes les situations de témoignage fait peser le doute sur tout récit portant sur une expérience limite, facilement soupçonnée de motivations autojustificatrices. Cette contrainte borne en même temps qu'elle stipule ce qui est dit. Dans l'autobiographie écrite en fin de vie, ou lorsqu'il doit, devant un tribunal, rendre compte d'événements intervenus longtemps auparavant, le narrateur rescapé adoptera une perspective résolument rétrospective. Mais souvent le retour réflexif sur soi-même remplit des fonctions plutôt prospectives : cas de figure fréquent aux moments de crise. C'est le cas lorsque le survivant, au nom de la maîtrise du présent, sent le besoin de réfléchir sur un passé traumatisant.

Face à un tel matériel, l'historien va être amené à poser d'abord le problème de la véracité de ces sources. De tout ce matériel, il ne retiendra alors que ce qui peut être confirmé par recoupement avec d'autres sources. Ainsi, constatant que, « du côté des victimes, la documentation est des plus réduites », Miriam Novitch, dans son étude sur l'histoire de la déportation et de la résistance des juifs grecs écrit : « Sachant que tout témoignage est sujet à caution, nous nous sommes efforcés d'interroger plusieurs personnes sur le même sujet et de vérifier les faits racontés au moyen d'autres sources[2]. » En procédant ainsi, on élimine ce qui ne peut pas être confirmé par une pluralité de sources, dans le but de restituer le noyau dur de ce qui s'est réellement passé. Mais on risque par là même d'occulter la tension, constitutive des témoignages sur la déportation, entre dicible et indicible. Au contraire, notre problématique suppose que tout document a un sens, à condition de reconstruire le système de repérage de ce sens.

Plutôt que de concentrer l'attention directement sur le contenu de ce qui est dit, nous allons soumettre à une analyse préalable un corpus constitué de formes très diverses de témoignages.

Ce travail préalable paraît d'autant plus nécessaire que l'expérience concentrationnaire résiste à toute tentative visant à obtenir une représentativité statistique, ce qui laisse planer le doute sur une interprétation générale. Qu'il s'agisse du choix des témoins à comparaître dans les procès ou devant des commissions historiques, du corpus constitué par des écrits autobiographiques ou des récits de vie recueillis quarante ans plus tard par entretiens, le « biais » principal de tout échantillon, à savoir la survie physique du témoin, radicalise à l'extrême ce problème propre à toute enquête qu'est la déperdition d'information et, surtout, de représentativité de l'échantillon par une « sélection » spontanée de la population étudiée, due aux caractéristiques de l'objet (ici, des individus placés en situation d'extermination) et non aux outils méthodologiques de l'enquête. On sursautera, bien entendu, devant le « cynisme » de ces propos, dont le caractère psychologiquement ou moralement inacceptable culmine avec l'emploi du terme « sélection », utilisé ici dans le registre de la technique d'échantillonnage alors qu'on est également autorisé à le lire dans celui d'une entreprise de génocide et d'assassinat à grande échelle.

Or l'apparent cynisme de la formulation ne fait ici que systémati-

2. M. Novitch, *Le Passage des Barbares,* Nice, Presses du Temps présent, s.d., p. 5. Tout aussi restrictif est Benzion Dinur, un des éditeurs de la série de l'Institut Yad Washem, qui dit que l'objectivité de chaque témoignage qui construit le passé à partir du présent doit être examinée avec soin. B. Dinur, cité in L. L. Langer, *Versions of Survival,* Albany, State University of New York Press, 1982, p. 3.

ser, en le rendant plus évident, le processus qui consiste à étudier « scientifiquement », c'est-à-dire froidement et à distance, des choses qui suscitent les réactions affectives les plus extrêmes, et qui sont d'ordinaire abordées dans le registre « chaud » de la révolte, de la dénonciation ou de l'indignation. Par son caractère extrême, un tel objet met en évidence le propre de toute démarche scientifique, qui est, pour employer une image, de produire du froid là où souffle le chaud (particularité beaucoup plus visible dans les sciences sociales, qui travaillent par définition « à chaud », que dans les sciences de la nature) — ou encore, pour reprendre le terme de Norbert Elias, d'imposer du « détachement » là même où l'objet étudié appelle spontanément une extrême « implication »[3].

Cependant, la survie physique du témoin n'est pas le seul « biais » qui affecte les divers échantillons spontanés. Il en va de même de la survie psychique et morale, et de la définition de l'identité qui en résulte. Le travail pour surmonter les traumatismes peut impliquer le refoulement de souvenirs singuliers ou leur intégration dans un discours très général sur les différentes souffrances infligées, assorti de l'oubli des repères — noms propres, situations ou événements particuliers — qui le singulariseraient.

Mais plus fréquent sans doute, et par définition moins visible, est le silence qui, différent de l'oubli, peut être choisi comme un mode de gestion de l'identité selon les possibilités de communication de cette expérience extrême. Margareta, Ruth et Myriam, chacune à sa manière, illustrent ce phénomène. De même, le fait d'avoir trouvé, dans le corpus des écrits biographiques de rescapées du camp d'Auschwitz-Birkenau, deux Allemandes, une Tchèque, trois Autrichiennes, quatre Polonaises, cinq Hongroises, mais, par contre, neuf Françaises, indique (à côté d'autres facteurs proprement culturels, tels que la propension à l'écriture) une possibilité de réinsertion et de réajustement à la vie sociale au retour des camps plus favorable en France que dans les autres pays, où le retour s'est

3. N. Elias, « Problems of Involvement and Detachment », *British Journal of Sociology,* VII, 3, 1956, pp. 226-252. Dans notre cas, même une historiographie engagée, qui « estime que rien, ni le temps, ni les réparations, ni les cérémonies expiatoires, ne sauraient effacer les crimes indicibles perpétrés par les Allemands », n'échappe pas entièrement à cet effet de mise à distance qu'opère la construction scientifique, dans la mesure même où elle se voit contrainte de soumettre les faits relatés et la parole des survivants au même doute méthodique que toute autre source (voir la préface de Georges Wellers à l'ouvrage de Miriam Novitch, *op. cit.*).

plus souvent traduit par l'émigration (et, de façon massive, vers les Etats-Unis et Israël), avec tous les problèmes matériels et symboliques (reconquête d'une identité, y compris parfois au sens le plus administratif du terme) que cela comporte. Mais si le silence peut indirectement témoigner des divers modes de gestion de l'identité qui résultent du travail de réajustement au monde ordinaire (et, dans ce cas, le silence a toutes chances d'être absolu, portant sur le fait même de communiquer), il peut également traduire la difficulté à faire coïncider le récit avec les normes de la morale courante (et le silence portera alors plutôt, à l'intérieur d'une prise de parole, sur le contenu de ce qui sera communiqué). Ces normes prédéterminent les actes de parole par un ensemble de règles et d'impératifs générateurs de sanctions et de censures spécifiques, qui seront d'autant plus importantes que les faits sanctionnés relèveront davantage du droit, et plus seulement de la morale. Il ne s'agit plus dans ce cas de savoir si un déporté a la possibilité physique de témoigner, mais s'il en a la capacité éthique. Autrement dit, tout témoignage se situe dans un espace du dicible, que limitent le silence absolu par la destruction physique (et ce sont les millions de déportés qui ne témoignent que par leur mort) et les silences partiels dus à la destruction des dispositions « morales » (*i.e.* psychiques, sociales, éthiques, etc.) autorisant le témoignage. C'est à la lumière, si l'on peut dire, de ces zones d'ombre qu'il convient de considérer la déformation, voire l'obscurité qui caractérisent ces témoignages.

Il suffit de rappeler, pour illustrer ce phénomène, la disproportion entre plus de 1 300 000 personnes directement sélectionnées, à leur arrivée, pour les chambres à gaz sans être enregistrées, les 405 000 déportés enregistrés au camp d'Auschwitz, les 66 020 déportés comptés en janvier 1945 au dernier appel avant l'évacuation du camp, les 5 000 trouvés par les troupes soviétiques à la libération du camp et ceux qui ont laissé un témoignage, sous une forme ou sous une autre, et qu'on évalue à moins de 2 % de tous les survivants[4].

En outre, le degré de recevabilité par la morale courante

4. Cf. H. Langbein, *Menschen in Auschwitz,* Vienne, Europa, 1972, pp. 70 sq ; E. Kogon, H. Langbein, A. Rückert, *Les Chambres à gaz. Secret d'Etat,* Paris, Ed. de Minuit, 1983, pp. 176 sq ; G. Wellers, *Les Chambres à gaz ont existé,* Paris, Gallimard, 1981.

introduit un « biais » supplémentaire dans la prise de parole. On comprendra immédiatement ce que signifie un tel « biais » en constatant que très rares sont les témoignages, judiciaires ou autres, qui émanent de personnes ayant occupé un poste de kapo, alors que, on le sait, l'exercice de positions « privilégiées » augmentait les chances de survie. Echapper au silence qu'impose l'écart entre une expérience extrême et la morale courante, et pouvoir ainsi se ranger parmi les témoins en différentes occasions, est une éventualité moins improbable lorsque le « privilège » en question comporte une certaine contrepartie en services rendus aux autres, lorsqu'il peut se justifier par des arguments humanitaires, c'est-à-dire d'intérêt collectif et pas seulement individuel. Par conséquent, ceux qui ont occupé des positions médicales (médecins, infirmières) ont laissé un nombre plus élevé de témoignages que toutes les autres catégories de déportés.

Certains obstacles rencontrés dans une démarche d'histoire orale tiennent, eux aussi, à la recevabilité supposée du récit auprès de divers publics. L'intimité et la confiance qui s'établissent entre enquêteur et enquêtés peuvent amener ces derniers à confier au chercheur plus que ce qu'ils aimeraient voir étalé devant un public plus large.

Ruth nous avait, par exemple, raconté comment les déportés médecins et infirmières devaient tuer les nouveau-nés juifs afin de sauver la mère qui, autrement, risquait d'être envoyée au gaz avec son bébé. Elle avait alors parlé, non seulement en témoin oculaire de cet événement traumatisant, mais en tant qu'acteur placé sous une contrainte extrême à laquelle elle ne sut pas échapper. A la lecture de son entretien, préparé pour être publié, elle changea ce passage en s'attribuant non plus le rôle d'acteur ni de témoin oculaire, mais de quelqu'un qui en avait entendu parler. Dans notre discussion suivant ce changement de texte, elle insistera sur la véracité de cette deuxième version, en invoquant que « tant de choses se mélangent dans mes souvenirs d'il y a plus de quarante ans que, parfois, je ne sais plus très bien distinguer entre ce que j'ai vécu, ce que j'ai lu, ou ce dont j'ai entendu parler ». Impossible d'établir objectivement lequel des deux récits correspond effectivement à son expérience. Mais on peut constater à quel point la publicité donnée au récit influence les limites du dicible en fonction de situations et de publics potentiels ; ce qui n'a rien à voir avec cette autre difficulté courante en histoire orale, à savoir le choc déclenché auprès des interviewés par la lecture de leur langage parlé et la réticence qu'ils ont souvent à le voir publié.

Ce dernier point renvoie non seulement à des caractéristiques propres à l'univers concentrationnaire, mais aussi à celles des personnes, tel le niveau d'études dans le cas des médecins. Cela nous introduit à une troisième dimension des conditions de la survie et de la faculté de témoigner. Après les conditions physiques, psychiques et morales du maintien de l'identité et de la possibilité de témoigner, il nous faut aborder la question des conditions sociales qui font que certains des témoins potentiels prennent effectivement la parole ou sont appelés à le faire. Autrement dit, la question n'est pas seulement de savoir ce qui, dans ces conditions « extrêmes », rend un individu capable de témoigner, mais aussi ce qui fait qu'il y est sollicité, ou ce qui lui permet de se sentir socialement autorisé à le faire à un moment donné. C'est bien évidemment selon ce dernier critère que divergent le plus les échantillons spontanés fournis par différents types de témoignages.

4. *Situations et formes*

Un des principaux modes d'organisation des documents analysés est la différence entre des témoignages sollicités de l'extérieur (cas de dépositions dans le cadre des procès intentés aux responsables nazis) et des témoignages spontanément produits par la personne (cas des récits autobiographiques) — avec, entre ces deux pôles, des témoignages à portée plus ou moins historique ou scientifique, produits plus ou moins immédiatement après la libération, et de manière plus ou moins spontanée ou sollicitée.

Les modes de sollicitation se situent entre le pôle de la convocation judiciaire et celui du besoin ressenti de rendre publiques ses expériences. Chacune de ces situations comporte ses propres contraintes, qui façonnent la confection ou la mise en forme du récit. On peut donc considérer la situation comme le moule qui donne forme au témoignage. Si l'expérience concentrationnaire constitue un cas limite de toute expérience humaine, les situations de témoignage ne le sont pas moins. Car si, on l'a dit, la réalité des camps était avilissante en réduisant la personne à « moins que rien », la sollicitation à parler de ces souvenirs humiliants et la difficulté de le faire peuvent facilement créer le sentiment non seulement d'avoir à témoigner, mais aussi d'avoir à se justifier par rapport aux faits évoqués et, par conséquent, de se sentir non plus témoin mais accusé. Le survivant se trouve placé dans les situations de témoignages bien plus qu'il ne les choisit. On observe une inversion similaire des rôles — la transformation de la victime en accusé par le basculement du témoignage en justification — dans le cas du viol ou de l'inceste. Le caractère limite de ces expériences accroît les difficultés juridiques et psychiques du témoignage et de la plainte.

Les dépositions judiciaires, et, à un moindre degré, les dépositions devant des commissions d'enquête historique résultent d'un rapport social largement déterminé par le destinataire du témoignage, qui l'avait d'ailleurs sollicité. Les seize récits de vie recueillis par entretien, selon les techniques de l'histoire orale, ont été eux aussi sollicités, mais précédés par une négociation entre intervieweur et interviewée qui définit ce rapport social spécifique. Enfin, les autobiographies publiées traduisent la volonté de l'auteur de prendre la parole publiquement, mais aussi sa capacité d'accéder à un « marché » (ne serait-ce qu'éditorial). Par conséquent, le degré de spontanéité d'une parole doit être considéré comme un indicateur du rapport de la personne à son identité. Et chacune de ces modalités implique un contenu différent quant à ce qui est rapporté, et un sens différent quant à la fonction remplie par la prise de parole[1].

La déposition judiciaire

Parmi les différentes formes de témoignages, la déposition judiciaire représente un pôle extrême : tant par la forme de sollicitation du témoignage que par celle de la généralisation de l'expérience individuelle ; ce trait est d'autant plus saillant dans le cas des camps de concentration qu'il a occasionné l'invention de la catégorie pénale la plus générale qui soit, celle de « crime contre l'humanité ». Les prises de parole en situation officielle, soit devant des commissions d'enquête dans le cadre de l'instruction d'une affaire, soit lors de procès, constituent les premières occasions de rupture du silence. Dans ce contexte, à la fois impersonnel et contraignant, le témoignage est restreint à un nombre limité d'événements et vient en réponse à des questions précises. La personne du témoin tend alors à disparaître derrière les quelques

1. Cette analyse des formes de témoignage s'appuie sur les règles de l'économie des échanges linguistiques mises en évidence par Pierre Bourdieu (*Ce que parler veut dire. L'économie des échanges linguistiques*, Paris, Fayard, 1982, pp. 14-15).

faits dont il s'agit de restituer la « vérité », tandis que son interlocuteur n'est ni un pair, ni un proche, ni un confident, mais un professionnel du droit. Ces dépositions portent donc les marques des principes de l'administration de la preuve juridique : limitation à l'objet du procès, élimination de tous les éléments considérés comme hors sujet. Tenu de donner à la défense la possibilité d'introduire tous ses éléments de preuve et de justifier sa décision en fonction de tous les témoignages avancés dans les délibérations, le juge crée pour ainsi dire un matériel qui devrait permettre (à lui et, ultérieurement, aux historiens) d'approcher une vision « juste » (« vraie ») de la réalité, par des recoupements successifs.

Les traces de ces témoignages sont des protocoles formalisés : numéro de l'acte ; intitulé de l'affaire, date et heure de l'apparition du témoin ; nom du secrétaire de protocole ; nom, date et lieu de naissance, profession, adresse du témoin ; témoignage suivi d'une formule juridique du style : « dicté à haute voix, autorisé et signé » ; « je suis prêt à répéter ces énoncés devant un tribunal allemand » ; « je soussigné... assure que les déclarations ci-dessus correspondent à la vérité », suivi de la signature du témoin[2]. Le langage de ces témoignages, d'une longueur de deux à une dizaine de pages, est sobre, réduit au minimum informatif. Une distinction nette y est établie entre les faits et les personnes que le témoin a personnellement vus et connus et ceux dont il a entendu parler. Ainsi le docteur Ella Lingens distingue, dans sa déposition du 2 juin 1959, entre les médecins SS qui avaient été ses supérieurs hiérarchiques (Rhode, Klein, König, Mengele) et ceux qui ne venaient qu'à certaines occasions, « la plupart du temps pour exécuter des sélections » (Kitt, Thilo, Wirths, Clauberg — au bloc 10)[3]. De même, le témoin Raya Kagan, qui a travaillé au bureau de l'état civil de la Politische Abteilung d'Auschwitz, distingue, pour décrire les SS pour lesquels elle avait dû faire des travaux de secrétariat ou de traduction, entre ce qu'elle peut assurer (tels les titres militaires

2. Voir les protocoles des différents procès et, en ce qui concerne cette recherche, ceux du procès de Francfort contre les responsables du camp d'Auschwitz, ainsi que les dépositions recueillies avant ce procès par la Zentralstelle der Landesjustizverwaltungen de Lundwigsburg, spécialisée dans l'instruction en Allemagne des crimes de guerre. Des copies en sont accessibles à Paris au Centre de documentation juive et contemporaine (CDJC), dossier CCCLXI.

3. CDJC, dossier CCCLXI — 13.

exacts, et l'origine géographique de certains) et d'autres informations plutôt approximatives, tel l'âge[4].

Les principes de l'administration de la preuve juridique éliminent du témoignage les émotions tout autant que ce qui n'est pas directement lié à l'affaire, au point qu'à certains moments cette contrainte a pu transformer les interrogatoires des survivants en un questionnement de leur mémoire et, en fin de compte, à une mise en question de leurs informations.

A la lumière de l'analyse du jeu de la juridiction que propose Johan Huizinga, on comprend mieux la réticence assez courante à se porter témoin devant un procès — une des rares occasions pourtant offertes aux survivants de voir, au moins partiellement, la justice rétablie. Huizinga insiste sur la pérennité, dans tout procès, de certains éléments de jeu : « Au surplus, le système de règles rigoureuses qui régit cette lutte la range complètement, quant aux formes, dans le cadre d'un jeu antithétique bien ordonné... Nous distinguons trois formes de jeu dans le procès : jeu de hasard, compétition ou constitution de gage et lutte verbale... La lutte réglée consiste ici à peu près entièrement à l'emporter sur l'adversaire par des discours outrageants bien composés[5]. »

Cette lutte verbale se joue essentiellement entre procureurs et avocats, entre agents spécialisés de l'accusation et de la défense. C'est l'art rhétorique, si important dans les plaidoieries, qui introduit et maintient le caractère ludique d'une procédure judiciaire. Les témoins, à charge ou à décharge, interviennent essentiellement comme des forces d'appoint. Ainsi se créent le « climat » et l'« ambiance », si importants pour le résultat d'un procès.

Par ailleurs, le climat dans la salle du tribunal n'est pas complètement indépendant de celui qui règne dans les rues et dans les médias. La question souvent réitérée, pour des raisons évidentes, en Allemagne et en Autriche — « Pourquoi revenir, tant d'années après, sur ces histoires troubles et sombres ? Ne vaudrait-il pas mieux tirer un trait définitif sur cette histoire ? » — peut d'emblée conférer au témoin le rôle d'un être incapable de pardonner, en plus d'être celui qui dérange un ordre fondé sur l'oubli et le non-dit. Hermann Langbein décrit comment cette

4. CDJC, CCCLXI — 10.

5. J. Huizinga, *Homo ludens. Essai sur la fonction sociale du jeu,* Paris, Gallimard, 1951, pp. 135-143.

ambiance affecte les témoins. La préparation et la tenue du procès de Francfort contre des gardiens du camp d'Auschwitz au début des années 1960 en est la parfaite illustration[6]. S'il est imaginable, au moins en principe, que les accusés sortent libres et indemnes du procès, qu'ils se voient en quelque sorte « blanchis », on comprend mieux les sentiments souvent mitigés des victimes témoins. Le fait que tout procès a pour enjeu de savoir qui « vaincra » et qui « perdra » peut le rendre insupportable à celui qui ne veut pas soumettre ses souvenirs sacrés à un jeu dont l'issue, même dans le cas le plus prévisible, garde une part d'aléatoire.

De même, et pour éviter que des émotions n'influencent le jugement, leur expression est fortement contrôlée par les règles du procès, allant du « rappel à l'ordre » à la suspension de séance. Forcer le témoignage dans ce moule, c'est obliger le survivant à passer en revue ses souffrances et à se retrouver physiquement en face de ceux qui les lui ont infligées, sans lui offrir en échange la moindre chance d'une compassion émotionnelle. Malgré la compensation émotionnelle qu'offre l'espoir de faire ainsi connaître la vérité et de voir punis des responsables, cette contrainte a pu dissuader plus d'un survivant de comparaître. Pour toutes ces raisons, les dépositions judiciaires nous éclairent principalement sur les inculpés, c'est-à-dire sur les SS (personnel de garde et médecins), et sur les rapports entre les SS et les déportés. A cela s'ajoutent les quelques cas de procès intentés à des kapos pour des crimes similaires à ceux des SS et pour une collaboration active avec eux. Mais, en général, les témoignages judiciaires n'apportent que peu d'informations sur les relations entre déportés, contrairement, on va le voir, aux témoignages à usage historique.

Le témoignage historique

Les dépositions faites devant des commissions historiques et divers centres de recherche — soit directement après la guerre, soit, d'une façon souvent plus ponctuelle, ultérieurement — suivent

6. H. Langbein (1972), *op. cit.*, pp. 570 sq. ; voir également : H. Langbein, *Der Auschwitz Prozess. Eine Dokumentation,* Francfort, Europa, 1965.

d'autres principes de sélectivité. L'objet de ces témoignages à usage historique n'est pas limité à une affaire précise (un ensemble défini de personnes et d'événements). Il autorise une plus grande diversité que la déposition judiciaire. La compassion de ceux, enquêteurs et membres des commissions, qui recueillent les témoignages limite considérablement le risque de renversement des rôles (de témoin en accusé) inhérent à l'interrogatoire judiciaire. Sans prétendre pouvoir fournir ici une analyse fine de ces témoignages, très nombreux et dont la longueur va de quelques pages à plusieurs dizaines de pages, une lecture plus attentive des dossiers concernant le camp d'Auschwitz-Birkenau[7] fait apparaître les principes qui organisent ces récits, leurs thèmes et leur style. Bien que peu d'entre eux puissent être considérés comme une sorte d'épure de l'un ou l'autre genre, on a cependant distingué entre des témoignages quasi judiciaires, des témoignages politiques et des témoignages à caractère scientifique. Faute de mieux, on a classé comme témoignages « personnels » ceux qui ne relèvent d'aucune de ces trois catégories.

Ainsi, certains témoignages historiques sont constitués d'une façon identique aux dépositions judiciaires, et sont parfois communiqués aux procureurs et juges chargés d'instruire les procès contre des criminels de guerre : quelques noms de SS sont suivis de la description de leur personnalité et d'événements particulièrement accablants. Ces témoignages émanent pour la plupart de ceux qui, par leur travail dans le camp, étaient mis en rapport direct avec des responsables SS : à la Schreibstube et à la Politische Abteilung (secrétaires et interprètes), au Revier (médecins), dans le service de recherche de Rajsko[8].

Les témoignages à caractère explicitement politique ou militant sont plutôt rares parmi les dépositions qu'on trouve dans les archives, et plus rares chez les femmes que chez les hommes. Le terme « politique » utilisé ici ne coïncide d'ailleurs pas nécessairement avec le statut du déporté en fonction des raisons officielles de son arrestation et de son classement au camp, marqué par un

7. Au dossier CCCLXI des archives CDJC s'ajoutent ici ceux qui ont été recueillis par la Commission de l'histoire de la Deuxième Guerre mondiale et qui sont entreposés à l'Institut d'histoire du temps présent, DII.

8. On pourrait grouper parmi ces témoignages ceux de O. Elina (DII-570), de G. Goldsmith (DII, non numéroté), de D. Ourisson (DII — 18), de D. Goldstein (DII — 23) ou de S. Fischmann (CDJC, CCCLXI — 2).

triangle rouge (déporté politique) — ce dernier classement n'étant d'ailleurs pratiquement jamais invoqué dans les dépositions. Le terme de « témoignage politique » se réfère ici plutôt à la mise en valeur, au « grossissement » de leaders et de groupes politiques et de leurs activités de résistance, ou bien à leur dénonciation par d'autres.

Le silence relatif sur l'organisation politique concrète au sein du camp, tout comme sur le travail préalable à la prise de contrôle entre mai et juillet 1943 par les détenus politiques aux dépens des criminels à triangle vert, peut avoir une multitude de raisons, et tout d'abord la difficulté à retracer verbalement des actions clandestines menées informellement grâce à une confiance souvent spontanée. Mais à cette raison s'en rajoute une autre, liée à la survie en situation extrême. Indépendamment de leur volonté, les conditions du camp de concentration ont mis les déportés dans un univers où fonctionnent des logiques de compétition auxquelles personne ne se soumettrait volontairement. Les efforts déployés pour occuper individuellement ou collectivement des positions clé exposent au jugement des autres. Dans la mesure où le pouvoir d'œuvrer pour autrui est indissociablement lié à certains privilèges inhérents à ces positions, ce jugement peut prendre la forme du consentement et de la reconnaissance, mais peut aller aussi jusqu'à l'accusation ouverte, comme lorsque les communistes sont désignés comme une « véritable franc-maçonnerie... maîtres de la Arbeitsstatistik (statistiques des commandos du travail), donc de la vie et de la mort des autres... la résistance consistait uniquement à “ planquer ” les détenus auxquels les communistes s'intéressaient[9] ».

Les témoignages qu'on pourrait classer dans la catégorie « professionnelle » et « scientifique » sont organisés moins autour de personnes et d'événements (le cas des témoignages politiques) qu'autour de « thèmes ». Souvent, ils ne résultent pas d'un entretien, mais ont été versés par l'auteur aux archives de centres de recherches spécialisés. Nous disposons, par exemple, de rapports très précis sur les expériences humaines et sur le destin des nouveau-nés au Revier (les blocs hospitaliers), ou encore sur les recherches botaniques dans les jardins et les laboratoires de Rajsko,

9. D. Ourisson, DII — 18, p. 24.

et les visites scientifiques et commerciales qui y ont été effectuées[10]).

Des témoignages de type « personnel », souvent très courts et décousus, ressort plutôt une grande solitude, un isolement social rompu par quelques liens d'amitié et de solidarité extrêmement forts. A travers l'impossibilité de donner un sens à la souffrance subie, certains passages de ces témoignages, dans leur description directe et dépourvue de toute émotion, frappent par leur caractère laconique. Ce qui dans un autre contexte, pourrait paraître comme un rapport cynique à la réalité y évoque l'horreur d'une façon particulièrement crue : telle cette déportée qui constate que l'orchestre avait une vie enviable et que son travail préféré, le plus facile aussi, était de déshabiller les morts[11]. On peut se demander d'ailleurs dans quelle mesure cette impression ne résulte pas du fait que le témoignage ici n'est pas médiatisé par un travail d'« intérêt général » (soit la stigmatisation du groupe des adversaires SS, soit l'héroïsation du groupe des pairs), et qu'il échappe du même coup aux normes de la morale courante.

Mais même les témoignages classés comme personnels, faute de correspondre aux catégories judicaire, scientifique et politique, ne laissent guère transparaître de faits à proprement parler « personnels » — sentiments, réactions, émotions. Ce caractère rudimentaire, minimal des récits est le symptôme d'une tension entre la volonté ou l'obligation de parler, et l'incapacité de le faire. Ainsi, en dehors de quelques indications sur les commandos de travail auxquels ils avaient appartenu, sur les morts, les brutalités et les crématoires qu'ils ont vus, beaucoup de survivants ne peuvent rendre compte de cette expérience que par des formules neutres : « Nous savions que nous étions là pour mourir et nous nous y résignions. Les premiers jours, les cheminées crématoires avec leur grande flamme rouge continuelle nous avaient beaucoup frappées, mais après nous ne portions plus du tout attention à ces choses[12]. » « Il était impossible de pratiquer au camp de concentration une

10. A. Hautval, *Aperçu sur les expériences faites dans le camp de femmes d'Auschwitz et de Ravensbrück,* DII — 37. O. Wolken, *Frauen und Kinderschichsale im Konzentrationslager Auschwitz,* CDJC, CCCLXI — 3E4 ; sur Rajsko, voir C.J. Bloch, DII — 110.

11. Mme Herzog, DII — 541.

12. C. Kalb, DII — 114.

morale de sacrifice[13]. » Souvent aussi l'expérience personnelle est rapportée à la troisième personne ; « Enfin, elles reçoivent la visite d'anciennes détenues qui semblent prendre un malin plaisir à leur apprendre ce qui se passe et ce qui les entoure[14]. » Ce qu'ils ont vécu reste tellement incroyable et difficile à rapporter qu'un déporté dit qu'« il semble qu'un SS ait été lui-même impressionné que l'extermination organisée dans ce camp ait pu exister[15]. »

Une recherche sociographique sur les comportements dans l'univers concentrationnaire, entreprise entre 1949 et 1951 par un groupe de sociologues et de psychologues sociaux à la New School for Social Research et à l'université de Columbia, va dans le même sens. Les 507 documents d'entretiens individuels ou en petits groupes qui y sont analysés rapportent les expériences d'un ensemble de 728 déportés juifs hongrois, rentrant à Budapest ou y passant en 1945, et sollicitant une aide du Joint Distribution Committee. Ils ne satisfont donc pas aux critères d'un échantillonnage représentatif[16], qui, d'ailleurs, en l'absence de listes fiables de la population dispersée après la libération dans toutes les directions, n'aurait pas été possible. Il s'agit de juifs déportés après avril 1944, qui sont restés au maximum un an dans un camp de concentration et qui, pour leur quasi-totalité, sont passés par Auschwitz. Aucun des interviewés n'a connu un autre camp d'extermination. On y trouve plus de femmes que d'hommes (384 contre 341) ; les groupes d'âge

13. S. Laks, DII — 376.
14. Mme Kroll, DII — 586.
15. A. Persitz, DII — 34.
16. Je tiens à remercier le professeur Herbert Strauss, de l'Université technique de Berlin, d'avoir mis à ma disposition le rapport de fin de contrat qui n'a jamais été publié : J. Goldstein, I.F. Lukoff, H. Strauss, *An Analysis of Autobiographical Accounts of Concentration Camp Experiences of Hungarian Jewish Survivors,* Project MH — 213, 1949-1951, Graduate Faculty, New School for Social Research, Report submitted to US Public Health Service. Cette recherche avait également bénéficié du soutien de la Conference on Jewish Relations. Ce rapport résulte des discussions d'un comité composé de Salo W. Baron, Robert K.Merton, Joseph Blau, Ernst Kris, Paul F. Lazarsfeld, Ruth Benedict, Gardner Murphy, Koppel S. Pinson, ainsi que de l'analyse statistique de 507 entretiens en provenance de la Jewish Agency de Budapest, codés et analysés dans le cadre d'un séminaire de méthodologie sous la direction de Patricia Kendall. Les entretiens analysés font partie d'un ensemble de 14 000 entretiens menés par le American Jewish Joint Distribution Committee auprès de tous ceux qui sollicitaient son aide à la libération des camps. Cette entreprise étant devenue trop lourde à manier, on s'est contenté par la suite d'interviewer seuls « des personnages d'un intérêt particulier », tels les dirigeants de la communauté juive (p. 2 du rapport).

les plus représentés sont ceux des individus nés entre 1905 et 1910 (75), 1911 et 1915 (85), 1916 et 1920 (105), 1921 et 1925 (172), 1926 et 1929 (144), donc ceux qui avaient entre quinze et quarante ans en 1945, ce qui correspond à l'âge en deça duquel ils étaient presque automatiquement sélectionnés pour la chambre à gaz à l'arrivée à Auschwitz.

Ce qui rend ce travail particulièrement intéressant, c'est la représentation de toutes les catégories socio-professionnelles, alors que les dépositions judiciaires, on l'a vu, privilégient les personnes ayant eu une connaissance personnelle du fonctionnement du camp et des responsables SS, donc des déportés recrutés sur des postes de gestion et des médecins. Ces « professionnels » (professions libérales, métiers fondés sur des études universitaires) ne représentent que 8 % des interviewés dans cette recherche, tandis que les ouvriers représentent 27 %, les paysans 11 %, les petits employés 6,5 %, les commerçants et les entrepreneurs 5,5 %, les étudiants 12 %, et les femmes en situation dépendante (femmes au foyer ou aides dans les entreprises familiales ou domestiques, sans statut officiel) 10 % (20 % des seules femmes).

Ces récits parlent presque exclusivement des relations entre déportés, de leur concurrence et entraide, ce qui confirme l'analyse selon laquelle le système concentrationnaire minimisait les contacts directs avec les SS par la délégation des tâches de gestion aux internés[17]. Les réactions émotionnelles au moment même de la libération en portent encore toutes les marques : tandis que plusieurs récits relatent des agressions contre des kapos, voire même des assassinats, comme une sorte de justice spontanée, on trouve dans ces récits peu de traces d'actes de rétorsion contre d'anciens SS ni de sentiments de vengeance — ce que confirme l'absence de tels actes, en dehors des voies officielles de la justice, sur une période plus longue.

Mieux que les dépositions judiciaires et les témoignages historiques, cette mise à plat sociographique peut donc nous informer sur la réalité concentrationnaire, sur les relations sociales qui se sont nouées au camp, ainsi que sur les perceptions et les modalités d'adaptation à cette réalité. En revanche, elle nous éclaire peu sur l'administration SS, que les deux autres sources présentées plus

17. E. Kogon, *Der SS Staat. Das System der deutschen Konzentrationslager*, Berlin, Verlag des Druckhauses Tempelhof, 1947.

haut se donnent pour objet principal. En outre, sur la réadaptation des survivants à la vie civile et sur les conséquences à long terme de l'expérience concentrationnaire, elle pose des questions sans pouvoir indiquer de réponses. D'où la nécessité de recourir à un autre corpus de témoignages, différent tant dans sa nature que dans les méthodes d'analyse qu'il requiert.

Les récits biographiques

Les entretiens d'histoire orale et les écrits autobiographiques sont, de tous les matériaux, les plus riches en informations. Face au silence des documents d'archives, seules des histoires de vie détaillées permettent d'étudier les articulations entre l'expérience concentrationnaire, la vie antérieure et le travail d'adaptation à la vie ordinaire au retour des camps. Ces documents biographiques résultent de la volonté de l'auteur de se souvenir et de transmettre ce souvenir. Nous avons analysé un corpus de 16 entretiens menés en France, en Autriche, en Allemagne et en Pologne, et de 27 écrits autobiographiques de rescapées du camp de femmes d'Auschwitz-Birkenau, publiés entre 1945 et 1988 en français, en anglais ou en allemand. Trois écrits inédits nous ont été confiés par leurs auteurs. L'un des biais les plus visibles du corpus est lié à l'âge, imputable à la mortalité au camp qui, par l'assassinat direct (sélection à l'entrée) ou indirect (épuisement et sévices), touche en priorité les individus les plus faibles physiquement et, en particulier, les plus âgés et les plus jeunes. Dans notre corpus, seuls 2 écrits sur 27 émanent de femmes âgées de plus de quarante ans et trois femmes de quinze ou seize ans à l'entrée au camp. Tous les entretiens ont été menés avec des femmes qui avaient à ce moment-là entre vingt et quarante ans. De même, les dates d'internement (1943 pour 10 des femmes interviewées, 1944 pour 6 d'entre elles ; et pour les récits autobiographiques, 1944 pour 12, 1943 pour 9, 1942 pour 2 d'entre elles) rappellent que les chances de survie étaient avant tout fonction de la durée de l'internement.

Selon ces deux critères — l'âge et la durée du passage dans le camp —, les récits recueillis systématiquement à la libération et l'échantillon spontané des entretiens et des publications biographiques ne diffèrent guère. Cependant ces deux facteurs, qui sont les indicateurs les plus saillants des forces de résistance physique, ne sont pas les seuls « biais » affectant l'échantillon des entretiens et des publications autobiographiques. Il y a également celui des caractéristiques sociales, selon lequel se différencient le plus les entretiens et les écrits autobiographiques. Ces derniers, en effet, sont directement liés au maniement de l'écriture, des règles de la composition et de la mise en forme d'un texte, qui impliquent un niveau d'études élevé ; 9 femmes ont effectué des études secondaires, et 10 des études supérieures. L'origine sociale, précisée dans un peu plus de la moitié des écrits seulement, va de la petite-bourgeoisie commerçante aux professions libérales et au grand commerce. Une seule femme auteur d'une autobiographie est originaire d'un milieu ouvrier, où elle avait bénéficié, dans « Vienne la Rouge », d'une formation de militante.

L'origine sociale des femmes interviewées est moins élevée : un quart sont issues du milieu ouvrier, un quart de la petite-bourgeoisie commerçante, deux de la grande bourgeoisie commerçante et des professions libérales, deux autres de la bourgeoisie intellectuelle. Leur niveau d'études aussi est inférieur : un quart ont fait des études supérieures, un quart des études secondaires, deux étaient étudiantes au moment de leur arrestation, les autres n'ont pas dépassé l'enseignement primaire.

Dans la constitution d'un corpus de biographies, l'histoire orale permet donc d'élargir le matériel de recherche vers le bas de l'échelle sociale. Mais il n'en reste pas moins que, dans l'un et l'autre cas, l'origine sociale et le niveau d'études sont bien plus élevés que dans la recherche sociographique évoquée précédemment. Cette surreprésentation du haut de l'échelle sociale dans le matériel de type biographique reflète une réalité propre à tout échantillon spontané, et relativement indépendante du phénomène concentrationnaire auquel elle ne fait qu'ajouter des contraintes d'énonciation supplémentaires : à savoir le silence des dominés, que rien n'autorise ou n'incite à raconter une vie dans laquelle la qualité de leur propre personne ne semble pas suffire à conférer un intérêt d'ordre plus général.

Ces paramètres liés à la personne (niveau d'études et origine sociale) se manifestent également dans le fait qu'un grand nombre des auteurs d'autobiographies figurent parmi les rares cas d'individus ayant pu faire valoir au camp des compétences incorporées. Un cinquième des écrits autobiographiques émanent de médecins ou infirmières ; un écrit provient d'une musicienne affectée à l'orchestre, un autre d'une interprète à la Politische Abteilung (le centre des instances SS de gestion du camp) ; la plupart des autres concernent des femmes affectées assez rapidement après leur arrivée à des commandos présentés dans la littérature comme des lieux de travail recherchés : la station de Rajsko, le « commando des pommes de terre », la fonction d'aide-ménagère des SS, Canada (le dépôt des objets retirés aux déportés dès leur arrivée et qui alimentait le marché noir du camp), ou encore l'usine, plutôt que des travaux de terrassement. On constate le même phénomène dans les entretiens, mais dans une moindre mesure puisque les positions « privilégiées » (de type exclusivement médical) ne forment qu'un tiers des cas.

L'apport de l'histoire orale

Malgré un élargissement tout relatif de la population touchée, en comparaison avec les publications autobiographiques, une enquête d'histoire orale ne permet guère de rendre la parole à ceux qui se sont voués au silence. Néanmoins l'enquête fait apparaître les contraintes structurelles qui sont à l'origine d'un silence, ainsi que les fonctions qu'il assume [18]. Mais, pour ce faire, il faut se démarquer de certains présupposés naïfs et intégrer dans le travail d'interprétation tous les matériaux rassemblés, les entretiens « réussis » ou « ratés » et les refus — autrement dit, intégrer dans l'interprétation les difficultés rencontrées dans l'enquête. En effet, la situation de l'entretien elle-même est, tout comme l'écrit autobiographique, un moment de témoignage et de reconstruction de son identité pour la personne interviewée, qui façonne la négociation préalable à toute rencontre, ce qu'attestent les histoires de Margareta, Ruth et Myriam présentées ci-dessus [19].

18. Pour le concept du silence structuré, cf. L. Paserini, « Work, Ideology and Consensus under Italian Fascism », *History Workshop*, 8, 1979.

19. Sur les seize entretiens, dix furent menés par Michael Pollak, en France et en Allemagne, quatre par Rebecca Hopfner en Autriche et en Pologne, un autre par Gerhard Botz, avec l'aide d'Anton Pleimer et Harold Wildfellner ; un dernier fut mené dans le cadre d'un séminaire à l'Institut d'histoire de l'université de Salzbourg.

Sur les seize rencontres sollicitées, neuf se firent par l'intermédiaire de contacts personnels, les sept autres par l'Amicale d'Auschwitz. Les neuf rencontres issues de contacts personnels furent assez faciles à obtenir : la confiance de la rescapée interviewée en la personne qui avait établi le contact était transférée à l'enquêteur et, une fois l'entretien accepté, la demande d'un récit portant sur toute la vie et non seulement sur la déportation était, elle aussi, bien reçue. A l'acceptation sans conditions correspondait, dans le cas inverse, le refus tout aussi direct. Ainsi, une rescapée, qui pourtant, au téléphone, avait accepté chaleureusement de me rencontrer, se trouva, au moment de l'entretien qui suscitait le souvenir de « montagnes de cadavres », dans l'incapacité de parler. N'ayant jamais pu parler de sa déportation avec son mari qu'elle avait retrouvé à son retour, comment pouvait-elle rompre, avec un étranger, ce silence sur lequel elle avait construit toute sa vie ? Une autre rescapée avait accepté, avant de décider si elle voulait se prêter à une histoire de vie plus longue, de relater sa déportation devant un petit cercle d'étudiants préparant un mémoire sur les camps. Pendant cette rencontre, l'omniprésence de la mort fut presque le seul thème traité. Elle mimait avec de grandes enjambées comment il fallait éviter les cadavres tous les matins avant le passage du commando qui les ramassait. Sans regretter d'avoir accepté de participer à cette séance très éprouvante, elle ne voulut plus ensuite « réveiller ses souvenirs » dans un entretien plus long. De ces neuf contacts personnels ne sortirent donc que sept histoires de vie, recueillies lors de rencontres successives qui, dans les cas des entretiens présentés plus haut, se sont déroulées sur plusieurs mois. La négociation entre interviewer et interviewée s'étale d'ailleurs sur toute la durée de l'entretien et parfois elle inclut d'autres personnes. Ainsi c'est l'interviewée qui décide de l'interruption et de la fin des différentes séances [20]. La présence d'une troisième personne, une amie interprète dans le cas d'une rescapée polonaise, la fille adoptive dans celui d'une rescapée française, correspondait aussi à la volonté de l'interviewée de passer en revue ses souvenirs traumatisants avec le soutien d'une de ses proches.

La négociation se présente tout différemment quand on approche les déportées par l'intermédiaire d'une amicale. Il s'agit alors de

20. M. Catani, S. Mazé, *Tante Suzanne,* Paris, Méridiens, 1982; F. Ferarotti, *Histoire et histoires de vie,* Paris, Méridiens, 1983.

convaincre préalablement les responsables du bien-fondé et de l'intérêt de l'enquête. Malgré un accueil toujours très ouvert, cette sorte de confiance spontanée sur base de recommandation amicale ne suffit plus alors à provoquer l'acceptation. Une responsable l'avait bien exprimé : « Vous devez comprendre que nous nous considérons un peu comme les gardiennes de la vérité. » Ce travail de contrôle de la vérité implique une opposition forte entre le « subjectif » et l'« objectif », entre la reconstruction de faits et les réactions et sentiments personnels. Il est perçu comme d'autant plus important que l'inévitable diversité des témoignages risque toujours d'être saisie comme la preuve de l'inauthenticité de tous les faits relatés. Il s'agit donc aussi de choisir des témoins sobres et fiables aux yeux des responsables des amicales, et d'éviter que des « mythomanes que nous avons aussi » prennent publiquement la parole. Ce souci est d'autant plus marqué que « l'affaire Faurisson » et la dénégation par les soi-disant « révisionnistes » des chambres à gaz et de l'extermination massive interviennent à un moment où la montée de la xénophobie et du racisme provoque parmi certains rescapés un sentiment ambivalent. Leur mort ne va-t-elle pas précipiter l'oubli et le déni ? Témoigner devient alors nécessaire pour prévenir une telle évolution. Mais à ce souci historique s'en ajoute un autre, actuel : « Quelle peut être la fonction de ce message ? A notre retour, nous avons cru qu'il fallait parler et que, si le monde savait, cela ne serait plus possible. Mais le monde a-t-il changé ? »

Lors d'une discussion avec une autre responsable de l'amicale, c'est l'intérêt pour toute la vie qui est mis en question : « Je vais vous raconter tout ce que vous voulez sur ma déportation et le camp. Mais tout ce qui s'est passé après ou avant n'a strictement aucun intérêt, c'est ma vie privée. » L'opposition entre le « subjectif » et l'« objectif » prend ici la forme de l'opposition entre le « privé », sans intérêt, et le « public », c'est-à-dire la seule période de la vie qui avait conféré à l'interviewée un rôle public de témoin de l'histoire.

Le déroulement de l'enquête fait donc ressortir ici, sous forme de négociation, les mêmes limites qui se sont spontanément établies dans les écrits autobiographiques : la limitation à la période de la déportation indique une tension relative à la conformité entre le récit personnel et la signification historique de l'expérience. De même, les soucis exprimés lors des prises de contact ont fait apparaître les limites que s'imposent ceux qui gèrent la mémoire collective des déportés : leur définition du témoin exclut tant l'héroïsation que la lamentation ou l'expression trop émotionnelle. Là encore, les limites constatées dans les récits biographiques publiés — absence d'héroïsation, d'un côté, rareté des récits concentrés exclusivement sur la reconstitution du moi, de l'autre — se réfèrent à un même espace discursif du dicible et de l'indicible, et suivent les mêmes principes de structuration.

5. *La prise de parole*

Les situations de témoignage opèrent, on l'a vu, un choix entre des survivants plus ou moins sollicités et plus ou moins aptes à mettre en forme les souvenirs : d'où une surreprésentation des témoignages en provenance des classes moyennes, notamment intellectuelles. Mais ces paramètres liés à la personne ne sont pas les seuls déterminants d'une prise de parole autobiographique. Celle-ci, en effet, est subordonnée à des conditions qui autorisent cette forme d'expression publique de la personne privée, où la parole sur soi se voit dotée d'une sphère d'intérêt élargie. Ces conditions, loin de se limiter à un « pacte autobiographique » d'ordre proprement littéraire tel que le suggère Philippe Lejeune[1], comprennent principalement soit la notoriété de l'auteur — c'est-à-dire son statut de personne publique —, soit des circonstances historiques qui valorisent l'individu en tant que témoin.

A ces conditions d'une prise de parole publique sur soi s'ajoute le problème du langage disponible et adapté à ce que l'on a à dire. Mais comment trouver le ton, ou, si l'on veut, le registre adéquat pour rendre une expérience limite ? Ordonner ses souvenirs et les mettre en forme présupposent non seulement des compétences linguistiques et intellectuelles, mais la capacité et la volonté de prendre un minimum de distances avec un vécu douloureux. Ce type de mise à distance emprunte des voies fort diverses, mais il comporte presque toujours l'explicitation des motifs qui font parler.

1. Ph. Lejeune, *Le Pacte autobiographique*, Paris, le Seuil, 1975.

La fonction du « non-dit »

La coupure qui sépare son expérience de la morale courante confronte le survivant avec la nécessité de trouver le ton qui rendra compréhensible l'« extrêmement étrange », et qui évacuera auprès de son auditeur tout jugement *a priori.* D'où la fonction importante du « non-dit » dans l'entourage familial et amical de nombreux rescapés, mais aussi dans leurs écrits et entretiens. Stipuler dans ce cas le « tout dire » risquerait de rompre un équilibre toujours fragile. Si, après un entretien, l'interviewée dit : « Toutes les images me sont revenues, pendant plusieurs nuits j'ai mal dormi », ou si elle ne peut retenir ses larmes en parlant, elle signale clairement cette fragilité et exige, ce faisant, que soient respectées ses limites. Les frontières de ce non-dit avec l'oubli et le refoulé inconscient ne sont, bien évidemment, pas étanches. Elles sont en perpétuel déplacement[2]. La plupart du temps, les survivants trouvent les compromis nécessaires, et les assument tant bien que mal, pour défendre l'image qu'ils veulent donner d'eux-mêmes tout en partageant ce qui doit l'être de souvenirs qui les hantent et qui, s'il ne peuvent être extériorisés, risquent de provoquer l'implosion. Une gestion réussie du non-dit protège alors contre la fixation du fameux syndrome du survivant, sentiment où se mélangent culpabilité et angoisse. Mais l'extériorisation (partielle) de souvenirs traumatisants ne peut jamais complètement apaiser toutes les inquiétudes. Comme le dit Claude Olienvenstein : « Le langage n'est que le veilleur de l'angoisse... Mais le langage se condamne à être impuissant parce qu'il organise la mise à distance de ce qui ne peut pas se mettre à distance. C'est là qu'intervient en toute-puissance le discours intérieur, le compromis du non-dit entre ce que le sujet s'avoue à lui-même et ce qu'il peut transmettre à l'extérieur. Le discours intérieur intime négocie l'angoisse en la fixant sur un thème extérieur qui, lorsqu'il occupe le devant de la scène " sociale ", permet au sujet d'être tranquille ailleurs, de reprendre son souffle. Il faut ne confondre jamais l'angoisse extérieure, extériorisée et l'angoisse intérieure. La première est

2. C. Olienvenstein, *Le Non-dit des émotions,* Paris, Odile Jacob, 1988.

appel, discours au monde, capture anthropophage de l'Autre ; la seconde est sauvage, malpolie, n'épargne rien du laid et du maudit, met à nu et à vif, renvoie au plus masochiste du masochisme et au plus sadique du sadisme, enfante et accouche du monstre qui est en nous, qui est nous[3]. »

Parce qu'ils avaient été placés dans une situation limite épargnée au plus grand nombre, les survivants ont à confronter « ce monstre qui est en nous », non seulement comme une sorte de possibilité imaginable, mais comme une réalité qu'ils ont dû vivre. Les frontières du non-dit sont en constant déplacement en fonction des destinataires du message, mais plus généralement encore, du temps choisi pour se livrer à un tel exercice public.

Réfléchir sur « l'espace autobiographique » est, nous semble-t-il, nécessaire pour comprendre les conditions qui rendent socialement possible l'existence de témoignages autobiographiques sur les camps : là, l'accès à la parole publique et à la publication d'une vie individuelle ne dépend pas de la notoriété propre de la personne, mais de son statut de représentant d'un groupe (celui des déportés), et de porte-parole d'une cause (transmettre l'expérience de l'impensable barbarie et lutter contre elle). Ainsi, l'expérience concentrationnaire n'est jugée digne d'être rapportée qu'en tant qu'elle fait l'objet d'un vécu collectif.

Les moments pour dire sa vie

La date de publication peut être prise en compte comme indicateur de la tension constitutive des écrits sur l'expérience concentrationnaire, de par leur double caractère de restitution d'une mémoire et individuelle et collective. Plus d'un tiers des écrits sont antérieurs à 1949, témoignant de la volonté de surmonter et de fixer pour toujours l'inconcevable passé. Si la motivation purement individuelle et autobiographique est très rare, le cas de figure diamétralement opposé l'est aussi : les dates commémoratives officielles n'ont pas provoqué davantage de publications. C'est dans les quatre premières années après la guerre que paraissent les écrits

3. *Ibid*, p. 57.

les plus factuels, un récit « juridique » et une réflexion « scientifique ». Le témoignage est alors souvent présenté comme la réalisation d'une forme de résistance qui consistait à vouloir survivre pour pouvoir témoigner. Résultant d'une volonté d'observation et d'enregistrement, ces récits datent fréquemment certains événements et proviennent de femmes qui, par leur position, avaient eu accès à des repères temporels (accès clandestin au journal dans le cas de Louise Alcan qui travaillait à Rajsko et de Suzanne Birnbaum affectée au Canada, appartenance au groupe « privilégié » des médecins dans le cas de Gisela Perl et de Ella Lingens-Reiner). Prédomine alors la volonté de fixer le souvenir et de le transmettre aux autres[4]. Par contre, entre 1956 et 1965, tous les récits, moins précis du point de vue factuel et chronologique, invoquent des raisons proprement personnelles[5] : écrire le passé ne répond plus à une volonté de fixer le souvenir, mais au besoin de surmonter des traumatismes. Dans ce cas, l'auteur peut considérer sa démarche autobiographique comme « réussie », sinon dans sa forme du moins dans sa fonction, s'il est parvenu à faire le point « sur son passé », voire « à en finir avec son passé ». Comme dans la cure analytique, ce travail de remémoration se révèle comme un travail de reconquête, avec l'écriture comme support. Accéder à la connaissance de soi et assumer son passé rendent la liberté d'agir[6].

Ce changement des conditions d'émergence du témoignage n'est pas indépendant de l'évolution de la volonté d'écoute. Celle-ci, très forte dans l'immédiat après-guerre, s'estompe à la fin des années 1940 au fur et à mesure que les préoccupations actuelles éloignent

4. D. Ourisson, *Les Secrets du Bureau politique d'Auschwitz,* Paris, Editions de l'Amicale des déportés d'Auschwitz, 1946 ; L. Alcan, *Sans armes et sans bagages,* Limoges, Les Imprimés d'Art, 1945 ; S. Birnbaum, *Une Française juive est revenue,* Paris, Editions du Livre français, 1945 ; P. Lewinska, *Vingt mois à Auschwitz,* Paris, Nagel, 1945 ; O. Lengyel, *Souvenirs de l'au-delà,* Paris, Editions du Bateau ivre, 1946 ; E. Lingens-Reiner, *Prisoners of Fear,* Londres, Victor Gollancz, 1948 ; G. Perl, *I was a Doctor in Auschwitz,* New York, International Universities Press, 1948.

5. L. Adelsberger, *Auschwitz. Ein Tatsachenbericht,* Berlin, Lettner, 1956 ; K. Zywulska, *J'ai survécu à Auschwitz,* Varsovie, Polonia, 1956 ; R. Weiss, *Journey through Hell,* Londres, Mitchell, 1961 ; K. Hart, *Aber ich lebe,* Hambourg, Claasen, 1961 ; E. Bruck, *Wer Dich so liebt,* Francfort, Scheffler 1961 ; G. Salus, *Eine Frau erzählt,* Bonn, Schriftenreihe der Bundeszentrale für Heimatdienst, 1958.

6. J. E. Jackson, « Mythes du sujet : A propos de l'autobiographie et de la culture analytique », in *L'Autobiographie,* VIe Rencontres psychanalytiques d'Aix-en-Provence, Paris, les Belles Lettres, 1988, pp. 146-147.

les souvenirs de guerre les plus sinistres et les moins héroïques. La déportation évoque nécessairement des sentiments ambivalents, voire de culpabilité, y compris dans les pays vainqueurs où l'indifférence et la collaboration avaient marqué la vie quotidienne autant que la résistance. Ne voit-on pas, dès 1945, disparaître en France des commémorations officielles les anciens déportés en costume rayé, qui éveillent aussi la mauvaise conscience et qui, à l'exception des seuls déportés politiques, s'intègrent mal à un défilé d'anciens combattants ? « 1945 organise l'oubli de la déportation, les déportés arrivent quand les idéologies sont déjà en place, quand la bataille pour la mémoire est déjà commencée, la scène politique déjà encombrée : ils sont de trop[7]. »

Mettre à profit l'écrit autobiographique pour surmonter le traumatisme, c'est là un motif qui apparaît avec évidence dans presque tous les récits, et de plus en plus explicitement après 1956, accompagnant d'abord des raisons plus générales pour devenir la raison principale, voire exclusive, de la publication. Pour Edith Bruck, il s'agit en 1959 de préserver sa conscience de soi[8]. En 1961, Reska Weiss dit vouloir surmonter ses souvenirs autant que contribuer à la construction d'un monde qui ne peut être fondé ni sur la haine, ni sur l'oubli[9]. En 1961 également, Kitty Hart se remémore ses sentiments à la libération : pour se venger, elle avait voulu anéantir de ses propres mains une famille allemande ; incapable de tuer, elle démolit des meubles et incendie une maison. Ces sentiments — vengeance impossible, haine difficilement contrôlable — traversent tout son livre, et plus particulièrement les derniers passages qui retracent sa vie dans un camp de DP (*Displaced Persons*)[10] dans l'Allemagne détruite : « Il ne nous restait plus que cette tâche à la limite du possible : effacer le passé

7. G. Namer, *La Commémoration en France, 1944-1982*, Paris, Papyrus, 1983, pp. 157 sq.
8. E. Bruck, *op. cit.*, p. 6.
9. R. Weiss, *op. cit.*, préface.
10. A la fin de la guerre, on comptait 50 000 juifs survivants sur le territoire de l'ancien Reich allemand, dont 20 000 sont morts les premières semaines après leur libération. Aux quelque 10 000 juifs allemands qui ont survécu s'ajoutèrent, entre 1946 et 1947, plus de 110 000 juifs des pays de l'Est, vivants, pour la plupart, dans des camps spécifiques de réfugiés. Ces « personnes déplacées » (*displaced persons*) ont presque toutes choisies l'émigration, en Israël ou aux Etats-Unis. Cf. W. Jacobmeyer, « Jüdische überlebende als " Displaced Persons " », *Geschichte und Gesellschaft*, 9, 3, 1983, pp. 421 sq.

et maîtriser le futur. Je savais que jamais je ne pourrais pardonner, mais je m'étais promis de ne pas vivre avec la haine au cœur pour ne pas avoir à me mépriser moi-même d'avoir survécu et d'avoir vu mourir tant de milliers de personnes [11]. » Enfin, en 1981, Margareta Glas-Larsson n'invoque, pour justifier sa prise de parole, qu'une volonté de parler et de sentir sa liberté [12].

On pourrait voir dans cette chronologie des « raisons pour dire sa vie » le reflet, au niveau collectif, de ce qui a pu se passer dans chaque individu : après le travail de fixation du souvenir au moment de la sortie des camps suivrait, avec un décalage dans le temps, la remémoration des traumatismes et l'effort pour les surmonter, pour finalement laisser place, à mesure qu'on approche de la fin de sa vie, à la recherche d'une forme susceptible de garantir à plus long terme la transmission de cette mémoire. Mais une telle corrélation est trompeuse [13]. En premier lieu parce que la disposition à fixer le souvenir et à le transmettre immédiatement, au moment aussi où existait une volonté d'écoute, voire une demande d'information, n'est nullement confirmée ; au contraire, selon la plupart des écrits et des entretiens, l'attitude qui avait prévalu au retour des camps était le désir d'oublier et l'incapacité de parler, renforcée par la nécessité de mobiliser toutes ses énergies pour affronter les difficultés, y compris matérielles, de la vie : on comprend alors que les premiers témoignages mettent en avant des valeurs générales de justice et de vérité. En second lieu, la prise de parole n'est pas seulement fonction des traumatismes infligés au camp, et de leur souvenir, mais de préoccupations actuelles fort différentes. Ainsi, la date des récits les plus « individuels » correspond presque toujours à un moment difficile de la vie après 1945, qui semble provoquer ou renforcer la remémoration : l'incapacité de s'intégrer dans la

11. K. Hart, *op. cit.*, p. 190.

12. M. Glas-Larsson, *Ich will reden. Tragik und Banalität des Uberlebens in Theresienstadt und Auschwitz*, Vienne, Molden, 1981, p. 75.

13. L'écriture par la même personne de ses propres souvenirs à différents moments de sa vie infirme une telle hypothèse. Bien que son livre ne fasse pas partie de notre corpus, on peut prendre pour exemple le témoignage de Germaine Tillon, *Ravensbrück* (Paris, Ed. du Seuil, 1973). Opposant dans son livre ses notes prises à différents moments après la guerre, Germaine Tillon fait un inventaire détaillé des changements de sa mémoire, qui va de la restitution précise de certains événements à des souvenirs plus vagues, devenant de plus en plus brouillés avec le temps. Cette perte de précision s'accompagne d'une interprétation de plus en plus nuancée, dépouillée de toute amplification.

société israélienne et le retour en Europe dans le cas d'Edith Bruck ; la mort de son frère, dernier membre vivant de sa famille, dans le cas de Margareta Glas-Larsson ; l'exclusion de l'Union des écrivains de Roumanie et l'émigration en France en 1965, pour Anna Novac[14]. Dans ces cas, l'écrit autobiographique sert à surmonter à la fois le traumatisme concentrationnaire et une crise conjoncturelle, les deux étant d'ailleurs très souvent en rapport direct, comme l'illustrent les projets d'émigration conçus en réponse à la disparition des communautés juives en Europe centrale. Dans d'autres cas, tels ceux de Lucie Adelsberger, de Grete Salus et de Reiska Weiss, la publication des récits autobiographiques entre 1956 et 1961 n'aurait très probablement pas vu le jour sans les encouragements d'organisations religieuses et humanitaires œuvrant pour la réconciliation. Le projet individuel de remémoration s'inscrit alors dans le projet de constitution d'une mémoire collective.

Paradoxalement, le récit non publié le plus « politique » dans son style et dans ses intentions avouées (celui de Macha Ravine) résulte moins d'un tel projet de mémoire collective que de la crise de l'auteur au moment de sa rupture douloureuse avec le Parti communiste après de longues années de doute. A son retour du camp, le sentiment de sécurité et la conviction d'œuvrer pour un monde meilleur au sein de cette « grande famille » avaient pu lui faciliter la réadaptation à la vie ordinaire. La commémoration d'un passé militant pur et idéal avant la guerre et dans le camp l'aide alors, au début des années 1970, à surmonter la déception idéologique, mais aussi l'isolement social qui résulte inévitablement de la rupture avec une organisation qui a tendance à façonner jusqu'aux détails les plus privés de la vie, y compris le choix du conjoint et des amis[15].

Le projet littéraire de Charlotte Delbo, enfin, peut être lu autant comme un travail de deuil, qui unit les survivants aux victimes mortes, que de commémoration visant à établir la communication avec tous ceux qui n'ont pas connu cette expérience. D'une certaine manière, cette œuvre participe au travail de constitution d'une mémoire collective de l'expérience concentrationnaire et de la

14. A. Novac, *Les Beaux Jours de ma jeunesse. Alice à Auschwitz,* Paris, Julliard, 1968.
15. Entretien avec M. Ravine, 5 février 1985, Paris.

déportation. En faisant de la crédibilité de l'indicible un des thèmes de ses écrits, Charlotte Delbo anticipe dans son projet littéraire un travail plus directement politique qui se manifeste dans la réédition, en 1980, du témoignage de Louise Alcan, augmenté de commentaires d'actualité. Celle qui, en 1945, avait été une des premières à remplir ce qu'elle avait ressenti comme un devoir civique, se sent de nouveau obligée d'élever la voix à l'occasion des affaires Darquier de Pellepoix et Faurisson — le déni de l'holocauste d'un côté [16] et la recrudescence de la xénophobie et de l'antisémitisme de l'autre : « Des visages ont surgi à nouveau et il m'a été impossible de ne pas en évoquer quelques-uns... Le chemin de la rue Copernic à Auschwitz paraît soudain très court [17]. » C'est dans ce contexte aussi que s'inscrivent le livre publié en 1988 par Eva Tichauer ainsi que les entretiens recueillis dans le cadre de ce projet depuis 1980. Pour beaucoup de femmes interviewées, c'était là l'occasion de transmettre leur expérience, à l'approche de la fin de leur vie, à une génération peut-être plus à leur écoute que ne le furent celles de la reconstruction.

Dire sa vie au nom d'une valeur générale

Tout comme dans le cas des dépositions judiciaires et historiques, la justice et la vérité sont les valeurs les plus générales auxquelles se réfèrent certains écrits autobiographiques, proches les uns des autres par leur forme — thématique et non pas chronologique —, ainsi que par leur contenu, concentré sur certains personnages et événements qui avaient déjà une place importante dans les témoignages judiciaires et historiques analysés plus haut. Le seul récit de type juridique présent dans notre corpus tire alors vers la dénonciation des adversaires, les SS. Dounia Ourisson [18] ne donne comme

16. L. Alcan, *Le Temps écartelé,* Saint-Jean-de-Maurienne, Imprimerie Trichet, 1980, p. 40.
17. *Ibid.*, pp. 40 et 87.
18. D. Ourisson, *op. cit.*

informations personnelles que sa date de déportation, une dédicace aux membres de sa famille assassinés à Majdanek, sa trajectoire et sa position de traductrice à la Politische Abteilung du camp, qu'elle doit à sa connaissance de plusieurs langues. Cette publication ne fait que compléter sa déposition, retrouvée dans les archives. Editée par l'Amicale des déportées d'Auschwitz, elle est écrite dans cette même intention de faire la lumière sur les crimes commis et de servir la justice.

Dans le registre du témoignage à caractère professionnel et scientifique, on trouve le livre de Ella Lingens-Reiner, autrichienne et médecin, arrêtée pour avoir aidé des juifs à s'enfuir. Son récit est ordonné de façon chronologique uniquement pour les quelque dix pour cent du texte concernant sa vie avant le camp et après sa libération. En revanche, sa description du camp, y compris ses réactions personnelles, s'ordonne selon différents thèmes qu'elle analyse en s'appuyant sur ses propres expériences, mais en faisant le plus possible abstraction de ses réactions émotionnelles : principes d'organisation du camp et du travail au Revier ; contraintes pesant sur le personnel médical, placé dans une position très ambivalente entre les prisonnières et les médecins SS ; sélections et tractations par lesquelles des prisonnières occupant des positions « privilégiées » tentèrent de sauver quelques-unes des femmes destinées à la chambre à gaz. Un bon quart de son livre est consacré à l'étude des rapports sociaux entre différentes catégories de déportés, avec une attention particulière portée à la catégorie la plus démunie en ressources — les juives — et aux catégories les plus nombreuses et les plus directement en concurrence pour les positions élevées — les Allemandes et les Polonaises. Partant du constat que toute amélioration des conditions du camp, et donc des chances de survie du plus grand nombre, passait nécessairement par un minimum de communication et de coopération avec les SS, un chapitre, presque aussi long que celui qui est consacré aux rapports sociaux entre détenus, traite de ce thème, tout entier traversé par le problème des limites entre l'indispensable communication et la compromission, avec une discussion très nuancée sur la mentalité de divers SS, dont la description reprend, en partie avec les mêmes mots, sa déposition trouvée dans les archives. Notons enfin que l'analyse proposée par une autre rescapée, la sociologue polonaise Anna Pawelczynska, confirme cette sociologie implicite des relations entre déportées, quoique à un niveau d'abstraction théorique tel que ce livre ne peut pas être apparenté aux écrits biographiques de notre corpus[19].

Les limites d'une parole militante

On peut se demander pourquoi aucun récit de notre corpus ne s'apparente au genre de la littérature militante dans le sens commun du terme, à savoir un discours de mobilisation au nom d'une cause et d'une organisation chargée de l'incarner — et cela malgré la présence parmi les auteurs de femmes qui avaient rejoint la Résistance et qui étaient également après la guerre politiquement engagées. S'il est quasiment impossible de rendre compte de l'expérience concentrationnaire à un titre exclusivement individuel, il est tout aussi improbable qu'elle puisse s'inscrire dans un récit partisan et se trouver accaparée par une organisation et une cause politique particulières, du fait — apparemment paradoxal — que dans le cas d'un « crime contre l'humanité », tout usage militant risquerait d'en restreindre la portée universelle et, par contrecoup, d'apparaître comme illégitime. Dans la littérature de survivants, les femmes témoignent de ce refus d'héroïsation encore plus que les hommes. Dans notre corpus, deux récits seulement, ceux de Macha Ravine et de Eva Tichauer, appartiennent clairement au genre militant[20]. Là comme ailleurs se confirme le principe, fondamental, de différence entre les sexes. La proprension au grossissement de soi et, ici, à l'héroïsation reflète l'obligation faite à l'homme de reconnaître et de participer pleinement aux jeux et aux enjeux, de pouvoir maîtriser sinon de dominer la réalité en toute circonstance. Dans ce contexte, même l'humour grinçant de Tadeusz Borowski est une manière de revendiquer les attributs de virilité perdus. Son

19. E. Lingens-Reiner, *op. cit.*, ainsi que A. Pawelczynska, *Values and Violence in Auschwitz. A Sociological Analysis,* Berkeley, University of California Press, 1979.

20. E. Tichauer, *J'étais le numéro 20 832 à Auschwitz,* Paris, L'Harmattan, 1988. Le manuscrit de Macha Ravine, de 129 pages, a été préparé sur la base de notes accumulées après 1945. Destiné à paraître pour le trentième anniversaire de la libération des camps, il n'a pas trouvé d'éditeur. Que Macha Ravine soit ici remerciée de sa confiance et aussi du temps qu'elle a bien voulu nous consacrer.

style, en apparence cynique, constitue une tentative d'échapper au sentiment d'impuissance infligé par la perte de toute maîtrise de la réalité au camp[21]. Les femmes, habituées à être exclues de certains jeux de domination, arrivent plus facilement à adopter un point de vue distant sur les jeux les plus « sérieux ». Et plutôt que d'être « grinçant » ou « cynique », leur humour relève de l'ironie, ce mode de distanciation typique des dominées. En témoigne tout particulièrement le récit de Ruth, présenté ci-dessus — aspect que la traduction ne rend pas pleinement.

Et ce n'est peut-être pas un hasard si le seul document qui commémore le militantisme dans le camp de femmes a été écrit au moment où son auteur s'est retiré de toute affiliation à une organisation politique. Le manuscrit autobiographique inédit rédigé par Masha Ravine entre 1972 et 1975 est le seul récit qui, par exemple, évoque les noms des organisations dans lesquelles elle avait milité avant sa déportation et les activités coordonnées d'une résistance plus organisée dans le camp[22]. Le caractère commémoratif de l'écrit amène l'auteur à intégrer dans le texte d'importants épisodes dont elle n'avait pas été le témoin direct, mais dont elle eut connaissance grâce à sa position dans un réseau politique. Cet écrit commémoratif veut aussi ériger un monument à la mémoire de ses camarades militantes : « Ces femmes qui symbolisent l'intrépidité des femmes résistantes de Birkenau ont laissé un souvenir inoubliable dans notre cœur et sont pour nous l'incarnation de la sublimité que peut atteindre l'être humain[23]. » Par ailleurs, très peu de publications biographiques relatent des actes héroïques qui relèveraient d'une résistance organisée — résistance que plusieurs auteurs jugent d'ailleurs dépourvue de sens, voire dangereuse, dans un tel contexte (outre le soupçon, toujours possible et effectivement exprimé dans quelques récits, que les organisations politiques de résistance fussent avant tout des réseaux d'entraide pour les seuls adhérents et sympathisants). La destruction des crématoires grâce aux explosifs sortis en fraude par des prisonnières juives des Unionwerke ne faisait d'ailleurs pas l'unanimité des groupes de résistance organisés dans le camp des hommes et n'a été menée à

21. T. Borowski, *Bei uns in Auschwitz*, Munich, Piper, 1963.
22. M. Ravine, *ibid.*
23. M. Ravine, *Le Mouvement de résistance dans le camp de femmes de Birkenau*, manuscrit, 1975, p. 5.

bien que partiellement à cause de fuites d'informations en direction des SS[24]. Cet épisode ne figure d'ailleurs que dans quatre autres récits. En revanche, l'histoire de la fuite, en juin 1944, de Mala Zimetbaum, juive belge d'origine polonaise, et d'Edek Galinski est relatée dans les trois quarts des récits. Reprise peu après, ramenée au camp, Mala réussit, devant les prisonnières convoquées pour assister à sa condamnation à mort, à s'ouvrir les veines avec une lame de rasoir et à gifler un SS, dernier acte de résistance avant sa mort. Visiblement, cet épisode a marqué les mémoires et suscité des espoirs. C'est pour cette raison qu'il apparaît presque toujours comme un événement dont le narrateur a été le témoin oculaire. Or, de la couleur des cheveux aux cérémonies d'enterrement de Mala, en passant par le poste qu'elle occupait au camp, les récits varient, changeant même dans un cas le nom des héros. L'intérêt n'est pas tant en l'occurrence de retrouver la vérité historique que de détecter dans tous les récits les ingrédients qui font que cette histoire, plus que toutes les autres, se prête à devenir un mythe du camp de femmes d'Auschwitz-Birkenau.

A l'opposé des doutes que pouvait provoquer la résistance organisée, l'acte individuel de Mala, prisonnière exemplaire et désintéressée dans l'aide qu'elle apporte à partir d'une position clé (la statistique et l'organisation des commandos de travail), a tout pour devenir un mythe, à travers le martyre d'une femme qui symbolise toutes les ruses de la survie quotidienne et, de surcroît, une grande histoire d'amour — avec Edek, personnage non moins mythique du camp des hommes. Ce n'est donc pas tant l'acte héroïque lui-même, mais la ruse et l'amour qui le rendent possible qui apparaissent comme les valeurs susceptibles d'être valorisées au camp.

Ce même épisode, avec le personnage de Mala, figure également dans la moitié des entretiens. Bien que onze entretiens sur seize proviennent de déportées arrêtées pour des actes de résistance (dont quatre juives), ceux-ci ne nous éclairent guère sur les modes d'organisation et la composition des réseaux de résistance dans le

24. Pour la résistance au camp, voir surtout, H. Langbein, ... *Nicht wie die Schafe zur Schlachtbank. Widerstand in den nationalsozialistischen Konzentrationslagern,* Francfort, Fischer, 1980, pp. 153 sq. et D. Czech, « Kalendarium der Ereignisse im Konzentrationslager Auschwitz-Birkenau », *Hefte von Auschwitz,* 2-8, Auschwitz, 1959-1964.

camp. En revanche, tous ces récits voient dans la participation à une entraide organisée, et dans la raison d'être et de vivre qu'elle confère, une ressource inépuisable et décisive d'énergie. Par ailleurs, c'est plutôt par rapport aux problèmes actuels que certaines femmes sont revenues dans les entretiens à des thèmes politiques partisans.

Ainsi, la plupart des Françaises communistes et non communistes interrogées se sont montrées choquées moins par la réconciliation avec l'Allemagne que par la réécriture corrélative de l'histoire qui, en fonction des nouvelles alliances et de l'anticommunisme actuel, risque selon elles de minimiser, voire d'occulter, le rôle de l'Union soviétique dans la libération du nazisme, alors que c'est le sort de la guerre sur les fronts de l'Est et l'avance de l'Armée rouge qui avaient été, pendant leur déportation, un ressort important de leur espoir.

Dans les écrits ainsi que dans les entretiens recueillis, on ne trouve donc aucune héroïsation des victimes — technique si courante dans la rhétorique militante. Tout se passe comme si l'ambivalence des situations d'interaction dans le camp s'opposait à une reconstruction et à une projection qui auraient eu besoin de se nourrir d'une image simple et nette de la nature des interactions sociales. D'ailleurs, parmi les raisons politiques évoquées dans cinq publications, ce sont les raisons humanitaires générales qui prévalent : lutter contre le racisme, le fascisme et l'antisémitisme, transmettre l'incroyable afin de rendre impossible sa répétition. Mais rien ne les distingue par ailleurs des autres récits autobiographiques qui invoquent des raisons plus personnelles, tels le souvenir des parents ou des proches, ou la nécessité d'écrire pour surmonter le traumatisme et reconquérir la liberté. Tout indique par conséquent qu'un registre spécifiquement politique n'a guère de place dans ces récits, tant la valeur « générale » qui s'y trouverait illustrée risquerait d'apparaître comme encore trop particulière, eu égard à l'ampleur du traumatisme.

Récit romancé

Il existe cependant un cas de récit fortement héroïsé où, de plus, l'héroïsation prend une forme directement politique, dans la mesure où les deux personnages principaux sont des résistants et où l'ouvrage se conclut par un appel à la lutte contre l'antisémitisme (l'héroïne étant non seulement résistante, mais juive) : il s'agit de *La Passion de Myriam Bloch,* par Marianne Schreiber[25]. Or ce récit, dont une note liminaire à la page 195 indique que « tous les épisodes de cette troisième partie (celle consacrée à Auschwitz) sont rigoureusement authentiques », se présente comme un roman. On va voir que ce n'est certainement pas un hasard si la seule forme d'héroïsation politique manifeste et continue (puisqu'elle occupe les 360 pages de l'ouvrage) ne peut s'autoriser que d'une forme romancée.

La partie garantie « authentique », consacrée à l'internement à Auschwitz, occupe une place relativement restreinte (une soixantaine de pages, soit un sixième du roman) : l'expérience concentrationnaire n'est, d'une certaine manière, que le point culminant du récit et prend fin avec une évasion qui confirme les vertus de résistance, au sens fort du terme, de l'héroïne et de son fiancé, ainsi que la force de leur amour qui parvient à surmonter la destruction physique et psychique infligée au jeune homme. Pour parvenir à magnifier ainsi ce triomphe de l'amour et de la vertu — ces deux qualités si typiquement humaines — face à la réalité déshumanisante du camp, ce récit doit recourir inévitablement à un « pathos », absent de tous les autres récits et qui se manifeste par l'insistance sur les sentiments et sur les descriptions des sévices infligés au jeune homme (là où, en comparaison, tous les autres récits sont infiniment plus dépouillés).

Ce roman, dans lequel l'expérience concentrationnaire, loin de les altérer, ne fait que mettre en valeur les vertus des héros, est-il autobiographique, ou encore autorisé par une personne « réelle » bien qu'écrit par une autre ? Le travail d'héroïsation qu'il opère, et les conditions dans lesquelles il le fait, le place à l'écart des documents ayant valeur de témoignage : malgré le rappel insistant de l'autenthicité des faits relatés, et même si l'on prend en compte ce qui relève de la technique romanesque (notamment la condensation de la chronologie), on ne peut éviter de se demander dans quelle mesure un tel récit est véridique.

La première publication de cette analyse dans la revue *Actes de la recherche en sciences sociales* nous a valu les protestations d'une

25. M. Schreiber, *La Passion de Myriam Bloch,* Paris, Fasquelle, 1947.

rescapée pour avoir intégré dans l'article cet ouvrage, « pur fantasme de l'auteur qui n'a jamais connu Auschwitz ». Par l'intermédiaire de cette rescapée, nous avons pu contacter Marianne Schreiber qui, elle, se défendait vigoureusement contre cette accusation. Certes, elle n'avait pas été déportée et n'avait pas connu les camps. Mais, faisant partie du comité d'accueil de ceux qui revenaient à l'hôtel Lutetia, elle avait noté tout ce que ceux-ci lui racontaient. Aucun événement de son roman n'est donc « inventé ». Il s'agit uniquement de la condensation de tous ces événements dans deux personnages, technique littéraire qui, selon l'auteur, n'enlève rien à la véracité de tous les détails relatés.

Ce n'est pourtant pas le recours à une forme proprement littéraire et, en particulier, romanesque, qui induit forcément le soupçon sur l'authenticité de l'expérience rapportée, et, notamment, sur l'identité entre l'auteur, le narrateur et le personnage. En effet, dans les autres récits de notre corpus qui, par leur forme littéraire, se situent aux marges du genre autobiographique (outre l'hagiographie dont on vient de parler, on trouve également, on va le voir, le journal intime, le témoignage romancé, le théâtre, la poésie...), on n'est nullement tenté de mettre en doute le fait que l'auteur a réellement vécu ce dont il parle. Dans le cas du roman de Schreiber, c'est bien l'héroïsation, et non le romanesque, qui pose problème, sans doute parce que cette magnification de la personne, en qui se condensent les expériences les plus spectaculaires et les vertus les plus sublimes, tranche singulièrement avec ce que pouvait être effectivement l'héroïsme dans les camps (à la fois plus modeste et peut-être, du même coup, plus difficile) et, surtout, avec le degré d'autoglorification que s'autorisent les rescapés[26].

26. On a une preuve, pour ainsi dire *a contrario,* avec le roman de Jacqueline Saveria, *Ni sains ni saufs* (Paris, Robert Laffont, 1954), qui n'appartient pas à notre corpus puisque n'étant pas situé à Auschwitz. Malgré son statut ouvertement et explicitement romanesque, il laisse présumer (en l'absence, là encore, de tout indicateur objectif) l'identité entre l'auteur et le personnage principal. En effet, le travail d'euphémisation propre à cette forme littéraire n'a pas pour effet, ici, de produire de l'idéalisation mais, au contraire, du réalisme, en permettant l'énonciation de faits normalement indicibles en tant qu'ils sont liés à la position de kapo (*Anweiserin,* une sorte de contremaître) occupée par le personnage principal. L'écart ainsi creusé entre l'identité du déporté (pendant le camp) et celle du rescapé (après le camp) apparaît comme un problème trop personnel — et cela d'autant plus à mesure que se creuse la durée — pour être dicible dans le cadre d'un témoignage qui, on l'a vu, n'a par définition de valeur qu'en référence à une expérience

Si le roman permet de dire l'indicible, en introduisant une distance face à des souvenirs difficiles à affronter avec les normes de la morale courante (désormais seules pertinentes, et d'autant plus qu'on s'éloigne de la date du retour à la vie civile), il ne faut pas s'étonner alors que, dans notre corpus, le seul récit autobiographique romancé émane d'une détenue ayant bénéficié d'un privilège (un poste administratif dans les bureaux) qui ne fut pas assorti d'une justification humanitaire comme c'était le cas pour le personnel médical.

Mais si le témoignage de Zywulska est « romancé » (et, de façon significative, l'avant-propos insiste sur sa valeur malgré son caractère romancé et malgré le bénéfice de ce privilège : « L'ouvrage se présente sous une forme romancée, parti pris qui peut heurter l'historien, mais rend plus accessible aux non-initiés l'atmosphère véritable du camp, en intégrant dans la vie quotidienne des scènes d'horreur qui risqueraient d'apparaître, pour un esprit non averti, une exagération morbide[27] »), c'est de façon tellement ténue que presque rien ne le distingue d'un témoignage « ordinaire » — au point que l'on est en droit de se demander ce qui, justement, fait la différence. Celle-ci réside avant tout, semble-t-il, dans le traitement chronologique, tout à fait spécifique : il suit une continuité temporelle (contrairement aux formes « thématiques » d'organisation du récit que l'on a étudiées plus haut), mais en la présentant de façon beaucoup plus cohérente que ne le font les récits autobiographiques « chronologiques » — qui observent ou paraissent observer assez scrupuleusement le déroulement « réel » de l'expérience individuelle ». Ce qui, chez Zywulska, trahit la mise en forme romanesque (de même d'ailleurs, que chez Schreiber ou Saveria), indépendamment de tout questionnement sur la véracité des faits rapportés, c'est l'abondance des notations temporelles (« c'est alors que », « le lendemain », « le soir même », etc.) propres à reconstruire une certaine continuité par la mise en relation narrative d'éléments que

générale. C'est ce qui fait à la fois la nécessité et la difficulté de l'écriture, contradiction que permet de résoudre le passage par la fiction, où la personne se trouve automatiquement transformée en « personnage ». Ainsi la description des autres — et de soi-même —, qui est en soi une tâche difficile, peut se faire en évitant la référence à une factualité toujours sujette à contestation.

27. Préface de Olga Wormser in : K. Zywulska, *J'ai survécu à Auschwitz*, Varsovie, Polonia, 1956, p. 8.

ne lient ni une analogie thématique ni la réalité d'un vécu individuel, forcément discontinu.

Roman hagiographique, roman réaliste, récit romancé : on a vu à quelles conditions et à quelles nécessités, non spécifiquement littéraires, répond le recours à telle ou telle forme romanesque. Celle-ci cependant n'est pas la seule façon dont un témoignage peut s'inscrire dans un projet proprement littéraire, dépassant cette sorte de « degré zéro de l'écriture » que constitue le témoignage autobiographique. Ainsi, on trouve un cas où l'écriture apparaît comme un instrument quasi exclusif du maintien (sur le moment) et de la reconquête (après coup, lors de la publication) d'une identité : il s'agit du livre d'Anna Novac[28], prolongation directe d'un journal intime commencé à quatorze ans, dès avant le camp, et continué pendant l'internement.

Dans la mesure où ce journal est la traduction d'une vocation d'écrivain (l'auteur se définit elle-même comme « graphomane »), et qu'il reflète l'ambition d'une œuvre littéraire, le récit de l'expérience concentrationnaire devient le véhicule qui permet d'exprimer en même temps la condition d'artiste : « Maintenant, j'écris. J'écris que j'écris. Sois loué, Seigneur. » Aucune date ne situe les différents passages du récit, tous rédigés au présent. Dans un cadre généralement chronologique se succèdent une série de « scènes » très stylisées. Le récit, qui commence à Auschwitz, ne dit rien du moment ni des raisons de l'entrée de l'auteur dans cet univers. Son monologue intérieur permanent, les doutes et angoisses du moi de l'écrivain s'y mêlent, pour ainsi dire, à l'expérience concentrationnaire : « Le crayon... me restitue chaque instant, en cachette, ce que tout un univers enragé cherche à m'arracher : la conscience de mon moi, le fort courage de juger, même enchaînée. Arbitre et témoin[29]. » Comme si l'écriture de la mémoire lui fournissait un instrument de maîtrise de soi-même, ce texte est destiné d'abord à l'auteur lui-même, et non pas, comme dans le cas d'un témoignage, à l'instruction d'autrui. Ce penchant autoréflexif détermine d'ailleurs les limites de son message et, corrélativement, le malaise qu'engendre sa lecture : en effet, l'impossibilité pour le lecteur de reconstruire la réalité des événements derrière l'abondance des sentiments personnels exprimés

28. A. Novac, *Les Beaux Jours...*, *op. cit.*
29. *Ibid.*, p. 23.

contraste avec le registre habituel des témoignages, dont la légitimité fait d'autant moins problème que la factualité y est prégnante ; ici, au contraire, l'attention exclusive portée par l'adolescente à sa propre personne et, plus encore qu'à sa personne, à son expression sous la forme de ce journal, confère un caractère dérisoire et répétitif à l'acte pourtant exceptionnel consistant à tenir un journal dans de telles conditions. Ce qui, en tout cas, apparaît clairement, c'est la fonction de maintien de l'identité remplie par ce journal au moment de son écriture. Mais ce moment n'est pas, on l'a vu, le seul pertinent pour analyser ces écrits, y compris lorsqu'ils prennent forme littéraire. Le moment de la publication a également son rôle à jouer dans la gestion de l'identité du survivant. Or les quelques indications biographiques que nous fournit l'avant-propos de ce livre (une carrière d'écrivain et des pièces de théâtre à Bucarest, avant l'exclusion de l'Union des écrivains et l'émigration en Occident) font apparaître le déchirement d'une femme chez qui l'expérience concentrationnaire et les difficultés à vivre son statut d'artiste se renforcent mutuellement. L'enfermement dans une recherche permanente de son moi de survivante et d'écrivain l'empêche de former autre chose que l'expression de cette quête impossible : « Face à mon aventure, où en suis-je ? Quelle est ma place dans ce monde disloqué ? Serai-je jamais en mesure de me détacher assez fortement des mes propres épreuves pour pouvoir les considérer avec les yeux de mes arrière-petits-enfants[30] ? »

Projet littéraire

Le dédoublement provoqué par l'expérience concentrationnaire est facilement source de déchirements et d'une réflexion permanente sur son identité, pourtant incapable d'aboutir à une reconquête du moi, qui seule permettrait (même si elle est toujours précaire) un travail de transformation de cette réflexion en œuvre littéraire à vocation plus générale.

C'est là que le projet littéraire de Charlotte Delbo prend tout son sens. Si, en effet, elle ne joint que très tard sa voix aux autres, c'est

30. *Ibid.*, p. 17.

qu'elle ne vise pas seulement à ajouter un témoignage pour renforcer la véracité de ce qui a pu être dit sur Auschwitz. L'enjeu de son œuvre est moins historique (reconstruire et transmettre le passé) que littéraire : « Je ne suis pas sûre que ce que j'ai écrit soit vrai. Je suis sûre que c'est véridique. » Comment trouver le style approprié pour donner forme à la vision d'un camp d'extermination et de ses effets sur les déportés ? Aussi le projet littéraire qui se dessine dans ses livres déplace-t-il l'objet et la démarche de la réflexion. Il ne s'agit plus tant de rendre compte de la survie et des modes de résistance qui ont permis de maintenir intacte son intégrité physique et morale, que de mettre en lumière les déformations imposées à la personne et leurs conséquences à long terme, à travers les tensions de l'expérience concentrationnaire : tensions entre la survie individuelle et la solidarité avec le groupe, entre la parole et le silence, entre la commémoration et le témoignage. La maîtrise de la survie commence dès lors avec le nécessaire travail de deuil, susceptible de rétablir le lien entre toutes les victimes, mortes et vivantes.

Son premier livre, *Aucun de nous ne reviendra,* écrit en 1946 mais publié seulement en 1965[31], se distingue de tous les autres récits publiés dans l'immédiat après-guerre et annonce son approche littéraire. Déjà le titre, qui est aussi la conclusion (« Aucun de nous ne reviendra, aucun de nous n'aurait dû revenir »), établit le lien entre morts et vivants : les survivants, sauvés par la fin de la guerre et des camps, ne sont coupés des morts que par les quelques jours ou les quelques semaines séparant le moment de la libération de celui, tout proche, de l'anéantissement inscrit dans la logique du camp, qui ne laissait aucune possibilité d'espoir, aucune possibilité d'héroïsme. Or, à partir d'une telle expérience, aucun projet littéraire ne peut créer de l'espoir là où il n'y en a pas, ni ne peut construire un discours édifiant à l'usage des générations futures. Loin de l'optimisme témoigné par les théoriciens de la survie, qui trouvent en celle-ci le réconfort de voir confirmées certaines valeurs transcendantes, Charlotte Delbo construit son œuvre avec la même absence d'illusions que lorsqu'elle s'adresse à cette petite fille juive : « Que lui dire pour lui remonter le moral ? Elle est petite, chétive. Et je n'ai pas le pouvoir de me persuader moi-même. Tous les arguments sont insensés. Je lutte contre ma raison. On lutte

31. Ch. Delbo, *Aucun de nous ne reviendra,* Genève, Gonthier, 1965.

contre toute raison[32]. » Aussi ce premier livre de Charlotte Delbo restitue-t-il le désespoir à l'état pur : au corps mutilé correspond le cœur brisé. Le survivant porte à jamais les marques de la mort, la réalité d'un camp d'extermination efface toute distinction de qualités ou de conduites entre survivants et morts, renvoyant au plus arbitraire la ligne de démarcation entre les uns et les autres.

La reconstruction des biographies de ses camarades du convoi du 24 janvier 1943[33] compose une galerie de portraits qui fait apparaître toute la diversité des situations, au camp et après. Or c'est le désespoir lui-même qui doit être transmis dans sa diversité, car restituer une pluralité de voix est ce qui permet aussi d'exprimer la voix éclatée de chaque rescapée prise individuellement, qui ne cesse de se comparer aux autres, à ses compagnes dans le camp et à son entourage, dont elle est pour toujours séparée à cause de son expérience et de son souvenir[34].

Pour mener à bien ce projet littéraire, Charlotte Delbo choisit des genres littéraires et un langage spécifiques. Dans *Une connaissance inutile,* elle présente des scènes et des portraits ordonnés selon les thèmes et non selon la chronologie, et entrecoupés de poèmes. Un seul autre auteur, l'actrice polonaise Zarebinska-Broniewska, utilise cette même technique de présentation[35].

La distanciation littéraire consiste donc ici à créer un espace discursif qui permet à une pluralité de voix de s'exprimer. Le caractère autobiographique des récits-témoignages se trouve ainsi dépassé sans qu'il y ait besoin de passer du registre individuel et singulier à un registre général, comme le font les récits judiciaires, scientifiques ou politiques. Le langage et le style précis, sobres, sans aucun pathos recréent cette communauté de souffrance qu'une commémoration héroïsante ne pourrait qu'exproprier de son expérience. En refusant l'oubli, Charlotte Delbo surmonte au moyen de l'écriture son désespoir et ses blessures. En s'adressant en premier lieu à ses camarades, elle leur fournit des instruments pour en faire autant : « Oublier ce serait atroce. Non que je m'agrippe au passé,

32. *Ibid.,* p. 18-19.
33. Ch. Delbo, *Le Convoi du 24 janvier,* Paris, Ed. de Minuit, 1965, pp 16-17.
34. Pour ce problème de la mise en forme littéraire de l'expérience concentrationnaire, voir la discussion de l'œuvre d'Elie Wiesel par Lawrence L. Langer, *Versions of Survival,* Albany, State University of New York Press, 1982, pp. 132 sq.
35. M. Zarebinska-Broniewska, *Auschwitz Erzählungen,* Berlin (Est), VVN, 1949.

non que j'aie pris la décision de ne pas oublier. Oublier ou nous souvenir ne dépend pas de notre vouloir, même si nous en avions le droit. Etre fidèles aux camarades que nous avons laissées là-bas, c'est tout ce qui nous reste. Oublier est impossible de toute manière... Je ne suis pas vivante, je suis morte à Auschwitz et personne ne le voit[36]. »

Mais si reconquérir son identité exige le deuil et le refus d'oublier, c'est ce qui permet aussi de contrôler « cette providentielle faculté qui m'a aidée à sortir d'Auschwitz : me dédoubler, ne pas être là ». En effet — et la littérature des survivants des camps d'extermination le confirme —, le maintien de l'estime de soi, d'une certaine liberté dans les pensées plutôt que d'une petite marge d'autonomie dans l'action découle, la plupart du temps, du dédoublement de la personne, de sa capacité à se penser à l'écart de la réalité à laquelle elle ne peut se soustraire. Mais une fois qu'il a été fait de nécessité vertu, l'habitude de ce dédoublement est l'hypothèque qui pèse sur l'adaptation à la vie civile après le retour : « J'étais double et je ne parvenais pas à réunir mes doubles » ; ou, parlant d'un autre rescapé rencontré pendant le retour : « Il se souvient de tout... seulement il a l'impression que ce n'est pas à lui que c'est arrivé. Il a un passé qui n'est pas le sien, pour ainsi dire[37]. » Ne pas oublier, garder la mémoire, devient alors une condition pour éviter les effets destructeurs de ce dédoublement : assumer le passé au nom de la maîtrise du présent.

L'acte littéraire rend publique l'expérience concentrationnaire dans sa diversité, dans son ambivalence, dans tous les aspects de l'atrocité. Et cette « publicité » (au sens de rendre public, et donc dicible, une partie au moins de l'indicible) permet, dans l'impossibilité de restaurer la justice, d'ouvrir au moins la possibilité d'une compréhension plus générale, susceptible d'établir un lien social qui pourrait alléger le poids que représente le souvenir pour chaque rescapé pris individuellement.

Mais il ne faut pas oublier que l'identité de Charlotte Delbo était déjà construite, avant le camp, autour de sa relation avec la littérature (elle travaillait dans le théâtre, et réussira d'ailleurs à faire jouer une pièce à Auschwitz par ses codétenues), de sorte que l'écriture sur les camps peut être également une façon de résoudre

36. Ch. Delbo, *Le Convoi...*, *op. cit.*, pp. 64-66.
37. *Ibid.*, pp. 75-120 et 133.

le dédoublement, en instaurant un lien entre le statut de survivante et celui d'écrivain. C'est ce qui expliquerait la constance, dans sa carrière, de l'écriture sur les camps, et sous toutes ses formes (prose, théâtre, poésie), mais toujours avec un projet proprement littéraire.

Enfin, après 1945, c'est la littérature en général qui se trouve confrontée à un nouveau problème : donner forme à une réalité qui a dépassé tout ce qu'on peut imaginer. C'est alors que se constitue un genre spécifique : la « littérature de l'atrocité », à laquelle appartient l'œuvre de Delbo[38], dans laquelle ces problématiques, promues d'abord par des écrivains survivants des camps de concentration, ont été reprises par d'autres pour constituer un objet de réflexion relativement autonome du lien personnel de l'auteur avec l'univers concentrationnaire. Ainsi, contrairement au constat pessimiste d'Adorno dans *La Dialectique négative* selon lequel, après Auschwitz, la poésie ne sera plus possible, l'art devient une ressource qui permet de relever le défi, en tentant de donner une forme d'expression à l'horreur. Les personnages que met en scène cette littérature cumulent souvent le besoin simultané de parler et de garder le silence, et se voient surtout dans l'impossibilité de rétablir leur unité à l'aide de valeurs transcendantes ou mythiques[39]. Ces traits caractéristiques rappellent les tensions constitutives des différents types de témoignages analysés ici, mais dont on voit qu'ils sont susceptibles de faire l'objet d'un travail d'euphémisation par la mise en forme littéraire.

Celle-ci s'oppose donc tant à l'idéalisation psychologique ou idéologique telle qu'elle tend à s'opérer de l'extérieur, qu'à la description « plate » telle que la pratiquent le plus souvent les survivants dès lors qu'ils entreprennent de témoigner. Dans la nécessité de parler de soi-même, et dès lors que c'est le statut même de ce « soi » qui fait problème du fait du décalage (temporel, statutaire...) entre l'identité concentrationnaire et l'identité civile — dans cette difficulté de parler, doublée d'une nécessité de le faire —, le recours à la forme littéraire peut être l'une des modalités

38. L. L. Langer, *The Holocaust and the Literary Imagination,* New Haven, Yale University Press, 1975, p. 35 ; voir également : I. Halperin, *Messengers from the Death. Literature of the Holocaust,* Philadelphia, Westminster Press, 1970.

39. L. L. Langer, *ibid.*, pp. 12, 120-284.

de l'expression, entendue soit comme effort de distanciation, soit comme entreprise de restauration de liens.

Parler au nom de soi-même

Près de la moitié des récits de notre corpus, tant publiés que recueillis par entretiens, invoquent peu ou ne font pas du tout appel aux motivations générales pour justifier cette prise de parole publique. Parmi les treize récits qui se trouvent ainsi énoncés « au nom de soi-même », cinq ont été écrits directement après la libération entre 1945 et 1946, les huit autres après 1956. Ces deux groupes d'écrits ont en commun une narration chronologique et événementielle, avec peu d'incursions thématiques, mais ils se distinguent par le fait que les textes publiés directement après la libération, très détaillés et précis dans la description des événements relatés, n'accordent que peu de place à des réflexions plus générales et philosophiques sur ces mêmes événements, qui prennent par contre une certaine ampleur dans les textes publiés après 1956 — et dont font état également certains entretiens.

Si on compare ces récits « au nom de soi-même » avec ceux qui s'énoncent au nom d'une valeur générale, on constate que les premiers ne mentionnent qu'un faible nombre d'amis ou de proches, et ne font guère référence à des groupes d'appartenance constitués. Si on prend pour indicateur du degré d'intégration dans un groupe, et indirectement de protection collective dans une situation de répression extrême, le nombre d'amis ou de proches qui jouent un rôle important soit pour maintenir l'espoir, soit pour « organiser » la survie ou pour se protéger réciproquement, celles qui parlent au nom d'elles-mêmes semblent effectivement avoir passé leur expérience concentrationnaire dans un isolement encore plus grand que les autres. Ainsi, dans le récit d'Edith Bruck, seule sa sœur apparaît comme une personne proche et fiable sur laquelle elle peut compter[40] ; Reiska Weiss organise une partie du récit autour de l'infaillible entraide avec une amie ainsi que de sa

40. Cité dans la traduction allemande, E. Bruck, *Wer Dich so liebt, op. cit.*

proximité avec ses deux belles-sœurs[41] ; Estrea Zacharia-Asséo et Lucie Adelsberger se réfèrent plus particulièrement à deux amies très proches[42].

Or, à y regarder de plus près, on s'aperçoit que ces modes différents de prise de parole et cet isolement apparent dans l'internement sont à mettre au compte de la raison officielle de l'arrestation et de la déportation. Sans nécessairement se traduire par un traitement distinct à toutes les étapes de l'expérience concentrationnaire, les différentes raisons de l'arrestation, « politique » d'un côté, « raciale » de l'autre, sont à l'origine de traumatismes supplémentaires pour les juives, ainsi que d'une moindre intégration dans un groupe constitué. En effet, les déportées « politiques », lors de leur arrivée à Auschwitz, se trouvaient en général intégrées dans un groupe de militantes qui se connaissaient de longue date, ou qui avaient eu la possibilité de se connaître en prison, parfois pendant des périodes de plusieurs mois avant leur transfert au camp de concentration. Les juives, en revanche, avaient souvent été prises dans des rafles et avaient passé, au plus, quelques semaines dans un autre camp, avant d'être déportées à Auschwitz. Elles ne connaissaient la plupart du temps de leur convoi que les membres de leur famille déportés en même temps qu'elles et, dans ce cas, le choc à l'arrivée était rendu d'autant plus insupportable qu'il s'accompagnait souvent de la perte des proches, du mari, des enfants ou des parents. Cette différence initiale marque toute l'expérience concentrationnaire. L'isolement relativement plus grand des juives à l'arrivée au camp ne semblait pas pouvoir être surmonté par la suite.

On peut opposer, de ce point de vue, le récit de Louise Alcan du « convoi du 24 janvier », écrit en 1945 et où abondent les références à ses amies et aux « Françaises », à celui de Suzanne Birnbaum, d'un autre convoi, arrêtée comme juive. Celle-ci attribue son recrutement à Rajsko à l'intervention de Louise Alcan et de la doctoresse Stéphane. Mais, malgré ses liens très forts avec deux femmes du « convoi du 24 janvier », son récit fait état d'un destin plus solitaire et de l'appui d'un nombre très restreint d'amies[43]. Le

41. R. Weiss, *Journey through Hell, op. cit.*

42. E. Zacharia-Asséo, *Les Souvenirs d'une rescapée,* Paris, La Pensée Universelle, 1974 ; L. Adelsberger, *Auschwitz. Ein Tatsachenbericht, op. cit.*

43. L. Alcan, *Sans armes et sans bagages, op. cit. ;* S. Birnbaum, *Une Française juive est revenue, op. cit.*

« convoi du 24 janvier », est, sans aucun doute, l'exemple le plus parlant d'une expérience concentrationnaire collective. Soudées entre elles par une longue période passée en prison et au fort de Romainville, ces Françaises qui arrivent au camp en chantant *La Marseillaise* font corps et réussissent à ne jamais être complètement séparées, au point que, lorsque Marie-Claude Vaillant-Couturier se voit offrir un poste de traductrice, elle le refuse, malgré l'avantage personnel inconstestable qu'il lui aurait procuré, pour ne pas abandonner les autres. Cette cohésion de groupe, à base politique et patriotique, permit au noyau de ce convoi de tisser des liens avec d'autres Françaises au Revier et à Rajsko, et de sauver un grand nombre de camarades du même convoi, d'autres Françaises et elles-mêmes.

Les entretiens confirment les tendances ainsi dégagées dans la littérature. Trois Françaises, sur neuf interviewées, ne font pas partie du convoi du 24 janvier. A l'exception de l'entretien avec une émigrée juive polonaise, arrêtée en France et qui au camp ne fréquentait guère que des Polonaises, les entretiens avec ces juives font état d'une situation très solitaire dans le camp — proche en cela de la situation d'une juive allemande et d'une juive autrichienne qui, à la différence d'autres juives autrichiennes également interviewées, n'avaient aucune affiliation politique avant leur déportation. Les deux exceptions à ce plus grand isolement des juives sont Fania Fénelon et Margareta Glas-Larsson. Pour la première, la continuité d'une multitude de relations stables et durables tient à sa position de musicienne dans l'orchestre du camp [44]. La seconde se distingue par une capacité rare à nouer des contacts — disposition en partie due à une éducation mondaine tout orientée vers le « bon mariage » et renforcée par un long périple en prison [45].

Il n'est pas sans intérêt de constater que, dans plusieurs cas, on retrouve difficilement dans le récit la raison officielle de la déportation. Par exemple, dans trois entretiens sur quatre menés avec des résistantes, par ailleurs juives, celles-ci ne peuvent plus indiquer avec certitude le classement dont elles avaient fait l'objet au camp : parmi les « politiques », les « juives », ou les deux à la fois. Dans ces trois cas — il s'agit d'une émigrée juive polonaise et

44. F. Fénelon, *Sursis pour l'orchestre*, Paris, Stock, 1976.
45. M. Glas-Larsson, *Ich will reden, op. cit.*; pour une présentation en français, voir : chapitre 1 de ce livre.

d'une émigrée autrichienne qui avaient rejoint la Résistance en France, ainsi que d'une juive autrichienne réfugiée et arrêtée en Belgique —, la judéité, quoique connue des autorités ou découverte très vite après l'arrestation, n'en avait pas été la cause directe.

Dans son livre publié en 1945, Louise Alcan, sans jamais élucider ce point, raconte simplement avoir été soupçonnée par la Gestapo d'être juive. Ce n'est que dans la réédition de 1980, et sous le choc de l'attentat à la bombe contre la synagogue de la rue Copernic, que cette femme, « totalement athée » indique explicitement ses origines juives. Dans son cas, on assiste à un refus politique des classifications inhérentes à la politique raciale nazie, tandis que dans d'autres cas il s'agit moins d'un refus expressément politique que du trouble individuellement ressenti face à l'imposition d'une classification « raciale » là où le statut de « juif » n'était pas forcément vécu comme tel, ou du moins ne l'était que comme un fait d'ordre culturel ou religieux, c'est-à-dire relevant davantage d'une « pratique » (sur laquelle la personne a une prise) que d'une « essence » (à laquelle elle ne peut rien).

Ainsi, dans le récit de son arrestation, une jeune fille lyonnaise décrit cette situation comme un conflit qui a pour enjeu la force de conviction de différents instruments de preuve — du certificat de baptême à une physionomie typique en passant par le nom — pour établir l'appartenance chrétienne ou juive : « Alors, voulant absolument nous arrêter, ils ont décidé que nous étions juifs (c'était vrai d'ailleurs), mais ils n'en avaient aucune preuve, car mon père, juif d'origine, avait été baptisé dès sa naissance... Ils ont alors réclamé son certificat de baptême, que Papa chercha en vain... entrant dans la chambre de ma grand-mère, ils lui demandent sa carte d'identité... Les Allemands trouvent ce nom suspect, et devinent aussitôt... que nous étions israélites... Il se trouvait par ailleurs qu'une vieille photo de famille traînait par hasard sur une table. Les Boches foncent dessus comme sur une proie, trouvant que ces personnages avaient indéniablement le type sémite. Il faut dire qu'ils ne s'y connaissaient que trop dans la science qui consiste à dépister les juifs d'après leur type physique. » On conçoit bien, à la lecture de ce passage, et à la seule juxtaposition du « ils ont décidé que nous étions juifs » et du « c'était vrai d'ailleurs », l'ambiguïté d'un statut — à la fois originaire et tardivement éprouvé, imposé autoritairement et revendiqué, arbitraire et authentique, artificiel et naturel, faux et vrai — qui représente en même temps une cause de destruction physique et un instrument de différenciation supplémentaire vis-à-vis des bourreaux. Une telle ambiguïté rend pour le moins improbable une claire revendication, par le déporté, d'un statut porteur de tant de contradictions.

Dans d'autres cas encore, tel celui de Margareta Glas-Larsson, rien dans l'histoire personnelle n'induit un rattachement à une quelconque judéité, à l'exception bien évidemment de la désignation comme telle par les nazis. Ces variations dans l'identification et le refus d'identification avec la raison officielle de la déportation suggèrent que la prise de parole au nom de soi-même, contrairement à celle qui se fait au nom d'une valeur générale, appelle plusieurs interprétations. Tout d'abord, si le fait d'avoir été arrêtée pour ce qu'elle a fait permet à la victime de conférer une portée générale à la souffrance endurée au nom d'une « cause », par contre la prise de parole au nom de soi-même pourrait signaler l'impossibilité d'une telle valorisation de son destin. Car, en soi, l'expérience concentrationnaire est avilissante. La compassion qu'elle provoque est plus proche de la pitié que de la reconnaissance d'une qualité apte à rehausser l'estime de soi du rescapé. La parole individuelle (ou individualiste) apparaît alors négativement comme le dernier recours pour exprimer ses griefs, faute de pouvoir les rattacher à une référence plus générale.

Par ailleurs, la prise de parole au nom de soi-même peut ressortir d'une ligne de conduite constante qui résulte d'un refus du classement. Ce refus peut être double. On a vu que les « juifs », définis comme tels par une loi fondée sur la validité supposée des « lois d'hérédité de Mendel dans le cas des “ races humaines ”[46] », récusaient la plupart du temps cette définition. Le refus de s'identifier, avant la déportation, avec ce qu'on est censé être, peut se doubler, au camp, du refus de s'identifier avec la catégorie des internés juifs, dans la mesure où, dans ce cas précis et contrairement à toutes les autres catégories de déportés, l'appartenance et la solidarité avec le groupe n'était pas synonyme de protection mais d'une menace de mort collective. Ainsi, des victimes ayant toujours récusé le critère qui les avait désignées comme telles se trouvent après leur libération dans la situation paradoxale où leur témoignage tend à s'inscrire dans une cause qu'elles n'ont jamais

46. M. Pollak, « Interpréter et définir : Droit et expertise scientifique dans la politique raciale nazie », *Le Discours psychanalytique*, 25, 1985, pp. 25 sq.

reconnue comme leur. On voit apparaître là une difficulté supplémentaire du témoignage.

Enfin, on sait que la nature des crimes commis par le régime nazi au nom d'une théorie raciale avait rendu nécessaire, après la guerre, l'adjonction à la terminologie juridique de la notion de « crime contre l'humanité ». C'est à cette dimension, la plus générale qui soit, de la criminalité que semble faire écho le refus, par certaines victimes des camps de concentration, de tout classement social et l'affirmation que la simple qualité d'être humain est une raison suffisante pour vivre et pour exiger le respect. L'affirmation la plus forte de la valeur individuelle et le refus de tout classement vont alors de pair avec la reconnaissance du groupe humain le plus large qu'on puisse imaginer : l'humanité. Ce qui apparaît, à première vue, comme une parole « au nom de soi-même » de la victime la plus isolée, la victime à l'état pur, est en même temps ce qui ouvre la voie à l'identification avec une humanité « nue » et libérée des clivages nationaux et religieux, celle, justement, au nom de laquelle a été inventée la notion de « crime contre l'humanité ». Cela pose, plus généralement, la question du lien entre la formation des mémoires individuelles et collectives.

6. *Registres et modes d'énonciation*

Si on a pu, dans un premier temps, approcher les discours biographiques comme les produits de contraintes de justification propres à des situations spécifiques, on doit, dans un second temps, prendre en considération la permanence du locuteur. Certes, un récit de vie, condensé d'une histoire sociale individuelle, résulte de la rencontre entre une offre et une demande de parole sur le marché des échanges linguistiques[1] : il est susceptible de multiples modes de présentation en fonction de la situation et du moment d'énonciation. Mais l'étendue de ces variations n'est pas illimitée. De tous les récits superposés de la même vie, on peut dégager un noyau dur que l'on retrouve chaque fois, et cela de façon identique, mot par mot[2]. En effet, dans tous les entretiens-récits de vie d'une longue durée, au cours desquels la même personne revient à plusieurs reprises sur un nombre restreint d'événements clés (soit à sa propre initiative, soit sollicitée par l'enquêteur), on constate ce phénomène jusque dans l'intonation.

Pierre Bourdieu dit du langage du corps qu'il fonctionne « comme un langage par lequel on est parlé plutôt qu'on ne le parle, (...) où se trahit le plus caché et le plus vrai à la fois, parce que le moins consciemment contrôlé et contrôlable[3] ». Or, même le langage le plus consciemment contrôlé et mis en forme nous

1. P. Bourdieu, *Ce que parler veut dire. L'Economie des échanges linguistiques,* Paris, Fayard, 1982.

2. H. Lehmann, *Erzählstruktur und Lebenslauf,* Francfort, Campus, 1983.

3. P. Bourdieu, « Quelques remarques provisoires sur la perception sociale du corps », *Actes de la recherche en sciences sociales,* 14 avril 1977, p. 51.

renseigne sur les côtés « cachés » et « vrais » de son auteur, par le choix des registres et des modes d'énonciation qui, eux, renvoient directement aux instruments intellectuels et linguistiques d'une personne et, indirectement, à ses ressources pour maîtriser la réalité.

La vie mutilée

Si tout récit de vie passe sous silence certaines périodes ou les résume rapidement, parce que « rien d'important ne s'y est passé », les « moments marquants » y sont grossis[4]. Ce phénomène prend des proportions extrêmes dans le cas des rescapés des camps de la mort. Il est difficile de trouver dans tous les écrits des informations sur la vie avant et après le camp, les trois quarts d'entre eux portant exclusivement ou quasi exclusivement sur la vie au camp (80 % à 100 % des pages).

C'est dans le cas d'écrits plus personnels et explicitement liés à une reconquête de l'identité que le récit hors camp peut atteindre jusqu'à la moitié du texte[5], voire s'inverser au point de ne concerner l'expérience au camp que sur 20 % des pages[6]. Même dans les entretiens, il est difficile de dépasser la limitation à la période concentrationnaire. Aux dires même de certaines femmes interviewées, la déportation correspond au seul moment de leur vie qui mérite un intérêt général : elle représente plus de 60 % du temps dans sept entretiens et presque la moitié du temps dans quatre autres. Lorsque la période pré- ou post-concentrationnaire occupe une place importante, c'est souvent pour rendre compte des activités de Résistance qui ont précédé l'arrestation ou la fuite, ou le retour d'une rescapée en 1945. Dans les trois entretiens qui portent le moins exclusivement sur la période au camp, les difficultés de réadaptation au monde ordinaire forment le sujet principal.

4. O. Ducrot, T. Todorov, *Dictionnaire encyclopédique des sciences du langage*, Paris, Ed. du Seuil, 1972, p. 402.

5. E. Zacharia-Asséo, *Les Souvenirs d'une rescapée*, Paris, La Pensée Universelle, 1974.

6. E. Bruck, cité dans la traduction allemande : *Wer Dich so liebt, op. cit.*

Cette disproportion des différents temps du récit renvoie à une existence mutilée, parfois à une jeunesse « volée », souvent à des perspectives détruites, et dans tous les cas à l'empreinte laissée par cette période sur le reste de la vie. La disproportion de la place ici accordée aux différentes périodes de la vie indique la blessure durable infligée par la déportation.

Un premier classement des témoignages au sein de chaque catégorie (dépositions judiciaires, témoignages historiques, récits biographiques écrits et oraux) nous avait permis de distinguer entre les registres « quasi judiciaires », « politiques », « professionnels ou scientifiques » et « personnels ». La chronologie n'est donc qu'un critère de structuration de la mémoire parmi d'autres. Seuls les récits de la première période témoignent d'un souci de datations précises, qui y abondent. Plus tard, en revanche, et même dans le cas de récits dont le principe d'organisation est la chronologie, les dates se raréfient, jusqu'à être réduites à celles de la déportation et de la libération. En outre, plus le souci de laisser un témoignage de portée générale est grand, plus la mise en forme suivra une logique soit juridique, concentrant les informations sur la gestion du camp et les SS (un cas), soit thématique, en abandonnant la chronologie (ce qui est souvent le cas de récits de médecins). L'intégration, dans le récit autobiographique, d'éléments d'information sur le camp dont l'auteur n'a pas pu avoir connaissance personnellement traduit également une telle vocation, plus universelle, du témoignage. Au contraire, les récits autobiographiques qui ne manifestent pas de telles visées suivent, la plupart du temps, un ordre chronologique et événementiel, même si les repères temporels précis y sont rares — ordre qui est celui de l'expérience personnelle beaucoup plus que de la reconstruction historique. On voit ainsi que, tout comme la place du témoignage dans le temps (date de publication), l'organisation chronologique de la narration est très fortement fonction du type de nécessité auquel répond le fait de témoigner, du type de ressources mobilisées pour y parvenir — l'une et l'autre liées au degré de généralisation de l'expérience que le sujet peut se permettre.

Ce même phénomène est à l'œuvre dans le livre de Germaine Tillon sur Ravensbrück. Elle y fait un inventaire détaillé des changements de sa mémoire, qui va de la restitution précise de certains événements et dates à des souvenirs plus vagues, devenant de plus en plus brouillés avec le temps. Cette perte de précision temporelle s'accompagne d'une interprétation de plus en plus nuancée, dépouillée de toute amplification[7]. Tout en changeant de caractère — de la précision chronologique à la distance analytique —, son histoire reste profondément la même en ce qui concerne les événements marquants qui en forment le fil conducteur. On peut se demander si cette évolution de l'écriture est à mettre au compte d'une perte de mémoire ou si elle reflète la véritable vocation et formation professionnelle de son auteur : anthropologue, et non pas historienne. L'effet de mémoire est ici entremêlé à l'effet de socialisation qui façonne les modes de maîtrise de la réalité, de perception et de mémorisation du monde social. De sorte que ce récit devient plus « vrai » et révélateur de l'auteur au fur et à mesure que Germaine Tillon se détache de l'obligation ressentie de faire œuvre d'historienne.

Les structures narratives

Dans les récits à caractère privé ou, plus précisément, domestique, les événements datés relèvent de la vie personnelle et familiale de l'auteur, alors que les grandes dates historiques y figurent en nombre limité. L'histoire politique y intervient comme un bruit de fond, à peine audible, ou alors comme une irruption catastrophique. En tout cas, il s'agit d'un bruit dont la signification est difficile à détecter. Ce qui importe dans la vie et ce qui est digne d'être rapporté sont les relations familiales et amicales, les séparations et les ruptures. Nous devons ces récits aux femmes de condition modeste ou, si l'on monte dans la hiérarchie sociale, aux femmes au foyer. Le livre de E. Zacharia-Asséo, l'entretien avec Margareta et, dans une moindre mesure, celui avec Ruth relèvent de cette catégorie. Il en est de même du manuscrit, écrit directement au retour du camp, qui nous avait été remis par une femme, à l'époque adolescente. Le caractère domestique indique, en partie seulement, le handicap social d'une position dominée. Il renvoie au statut de femme doté de ressources spécifiques, souvent efficaces, ce que prouve l'exemple de Margareta.

De ces récits à logique domestique se distinguent les rares récits

7. G. Tillon, *Ravensbrück,* Paris, Ed. du Seuil, 1973, réédité en 1988.

militants[8]. Leurs auteurs font alterner chronologie politique et passages réflexifs dans lesquels le temps est comme suspendu. Le manuscrit que Macha Ravine nous avait remis en est l'épure. Tout y est énoncé autant au nom d'une organisation qu'à titre personnel. Le personnage se confond parfaitement avec l'organisation à laquelle elle appartient. Tout comme dans la logique d'un récit à caractère juridique et scientifique, ce témoignage politique se dégage presque automatiquement de la chronologie. La participation effective du narrateur à certains des événements relatés est souvent obscure. Il en est de même des personnages héroïques longuement décrits et dont il n'est pas toujours précisé si Macha Ravine les a rencontrés personnellement ou pas. Mais le manque d'explication n'indique pas forcément une propension à l'exagération. Les services rendus à une organisation politique et un engagement total façonnent la mémoire, dans laquelle le moi s'efface aux dépens du « nous » du parti. En contrepartie, le militant s'approprie l'histoire politique de son organisation, d'où la fusion dans un passé glorieux du moi et du collectif. Ainsi le militant, « ayant payé de sa personne », peut se sentir dédommagé. Trois autres récits, de Louise Alcan, de Mali Fritz et de Eva Tichauer, empruntent un registre proche. Mali Fritz, résistante juive autrichienne, d'origine ouvrière, n'a jamais réussi à établir dans le camp des relations avec les organisations clandestines, comme c'était le cas de Macha Ravine. Elle n'a pas non plus accédé à un poste de travail relativement protégé et physiquement moins éprouvant que les commandos de travail manuel. On ne trouvera dans son récit ni portraits héroïques ni récits marquants d'actes de résistance, mais l'apologie d'une éthique politique explicitement attribuée à l'apprentissage dans les organisations de jeunesse socialiste : solidarité active, engagement quotidien en faveur des plus démunis, méfiance systématique à l'égard des dominants et des puissants, qu'il s'agisse des SS ou des déportés faisant fonction d'encadrement. Ici, l'identification de la personne ne se fait plus

8. Les registres ici mis en évidence s'apparentent aux « natures » des économies de la grandeur (Luc Boltanski, L. Thévenot, *Les Economies de la grandeur*, Paris, PUF, 1987), c'est-à-dire aux six formes de légitimité différentes auxquelles ont recours les personnes pour orienter leurs conduites et justifier leur action. On trouve dans notre corpus essentiellement la logique domestique et civique (politique).

avec l'organisation politique — avec laquelle Mali Fritz avait rompu suite aux désillusions et déceptions liées à l'Anschluss —, mais avec le bagage culturel et éthique qu'elle lui doit.

Conformément aux critères de crédibilité en vigueur dans le domaine politique et historique, le souci de la précision des dates distingue également le récit de Louise Alcan, qui se situe à mi-chemin entre un récit domestique et militant. Tous les récits qu'on avait classés sous la rubrique « au nom d'une valeur générale » comportent de nombreuses références à des événements politiques datés. Or les événements retenus varient : la victoire soviétique contre les Allemands à Stalingrad et l'attentat manqué du 20 avril 1944 contre Hitler — deux événements qui ont eu des répercussions directes sur la vie du camp — apparaissent dans les récits indépendamment de l'auteur. En revanche, la révolte du ghetto de Varsovie est relatée presque exclusivement par les Polonaises, le débarquement et la libération de Paris par les Françaises. Cette observation souligne l'importance de l'appartenance nationale (et indirectement linguistique) dans la formation de la mémoire. Sélectivement perçues et diffusées dans le camp, ces dates politiques se sont solidifiées après la guerre comme critères d'organisation de la mémoire officielle au fur et à mesure que l'histoire a été écrite et énoncée publiquement. L'historiographie nationale, organisée autour de certaines dates, s'impose alors progressivement à tout le monde comme autant de repères temporels de sa propre vie.

La densité mesurée à la quantité événementielle[9] distingue les récits domestiques et politiques du registre thématique dans lequel le temps de l'histoire est ralenti, voire suspendu. L'exposé, rythmé par peu d'événements, se fait sur le mode de l'analyse. Dans deux entretiens menés avec des doctoresses françaises, celles-ci ont adopté, indépendamment et spontanément, une telle démarche, recontrée également dans les publications de Ella Lingens-Reiner, Lucie Adelsberger et, dans une moindre mesure, de Olga Lengyel — les deux premières médecins, la dernière infirmière.

L'ouvrage de Ella Lingens-Reiner représente l'épure d'une telle organisation narrative. La chronologie ne structure que les dix pour cent du texte consacrés à la période entre son arrestation et son arrivée à Auschwitz. Elle attribue explicitement cette structure

9. O. Ducrot, T. Todorov, *op. cit.*, p. 403.

narrative au travail d'analyse et de synthèse rendu possible par sa position d'« observateur » et par son statut doublement privilégié de médecin et d'Allemande. Ce statut l'avait « mise à distance des conditions les plus dures » et lui avait permis la « distance analytique » indispensable au dépassement d'un « récit événementiel », préoccupé par la dénonciation des « horreurs les plus sensationnelles » plutôt que par celle de « l'horreur bien plus profonde de tout le système ».

« Ma position personnelle fut bien particulière. En tant qu'" aryenne " et " allemande ", j'ai pu exercer pendant tout le temps ma fonction de médecin. Je dois à cette position ma survie. De plus, elle m'a permis de prendre connaissance des dimensions du camp que d'autres n'ont probablement jamais connues ; cette position m'a également permis de sauvegarder mon esprit analytique, contrairement à d'autres aux expériences plus horribles encore que les miennes[10]. »

Tout comme dans les analyses socio-historiques sur la division entre travail manuel et intellectuel[11], l'éloignement physique des conditions matérielles les plus éprouvantes apparaît ici comme condition de possibilité à la fois de la survie, de la mise à distance de la réalité et de son analyse critique. Anna Pawelczynska, ethnologue et sociologue de profession, ayant occupé au camp une position administrative, décrit sa situation de la même manière.

De toute évidence, cette structure narrative tient — outre la position assez protégée dans le camp — à la capacité de synthèse et à toute la socialisation professionnelle de ces femmes. Tout d'abord, le peu d'importance accordée à la chronologie et l'agencement analytique du discours tiennent à une tournure d'esprit formée aux sciences, qui s'intéresse aux relations et aux configurations générales plutôt qu'aux événements isolés dans l'espace et dans le temps.

On trouve une confirmation de la prégnance de cette socialisation, dans la prédominance d'une telle structure narrative en ce qui concerne le cas de toutes les doctoresses et, *a contrario,* dans

10. E. Lingens-Reiner, *op. cit.,* Introduction.

11. M. Weber, *Wirtschaft und Gesellschaft,* tome 1, Tübingen, J.C.B. Mohr (P. Siebeck), 1956, p. 48.

l'absence presque complète de passages analytiques thématiques à l'intérieur de tous les autres récits.

Les récits des deux artistes de notre échantillon, Charlotte Delbo et l'actrice polonaise Maria Zarebinska-Broniewska, partagent avec le regard analytique thématique le désintérêt relatif pour les repères chronologiques, mais s'en distinguent par un principe de sélectivité opposé. Tandis que la pensée scientifique valorise le « général » en même temps que le « moyen » et le « normal » (dans le sens de la moyenne statistique et de la régularité), et évacue, du coup, l'exceptionnel et le sensationnel, le regard d'artiste, son mode de perception, d'enregistrement et de présentation, favorise plutôt les scènes et les personnages « typiques », en ce qu'ils sont le condensé de tous les cas de figure plus courants, moins colorés et étonnants. Plutôt que de restituer le moyen et le régulier, ces récits veulent illustrer la pluralité de la réalité. Ils empruntent la technique de narration stéréoscopique, dans laquelle « une seule scène au plan du temps de l'histoire est narrée plusieurs fois, par un ou plusieurs personnages[12] ».

Cependant, mis à part les quelques entretiens déjà mentionnés qui épousent parfaitement l'une des structures narratives, la plupart constituent des « genres mixtes », mélangeant les registres et notamment la chronologie domestique et politique.

Souvent l'absence de toute distance, l'implication du narrateur dans ce qu'il raconte, comme s'il devait, par l'acte de parole, revivre les horreurs passées, fait obstacle à la mise en ordre du récit. Les larmes, le regard intense et plein de questions fixé sur l'enquêteur, les mains cachant le visage pour se rendre invisible ou pour chasser les mauvaises images montées des profondeurs de la mémoire, ce langage corporel ajoute au caractère décousu et fragmentaire de ce qui est dit expressément, rappelant l'impossible distance, la mutilation et la perte que rien ne peut réparer. Et si le moteur de l'entreprise autobiographique — « recherche du temps perdu, recollection de soi, rédemption de l'âme par le souvenir » — est souvent la disparition dans la prime enfance d'un être proche[13], l'énormité de la perte de toute une famille, de toute une tranche de vie, de tout ce qu'on a aimé rend une telle recollection de soi quasiment impossible et dépourvue de sens.

12. O. Ducrot, T. Todorov, *op. cit.*, p. 403.
13. M. Neyrat, *L'Autobiographie,* Paris, Les Belles Lettres, 1988, p. 26.

Loin de « recoller » les morceaux d'une vie détruite, le regard sur le passé peut rouvrir des plaies qui, de fait, n'ont jamais été cicatrisées. L'émotion et les gestes sont alors les gages de la véracité d'un récit qui reste contenu dans le non-dit ; la forme appropriée au récit d'une vie précaire. Ce non-dit s'oppose aux entreprises autobiographiques « réussies » qui, en analogie avec la psychanalyse, ont pour fonction « précisément de parvenir à clore un processus et d'en finir avec son passé [14] ».

Les pronoms personnels

Les gages de véracité du récit sont, dans le cas des registres domestique et politique, les repères chronologiques, dans celui du registre thématique, la cohérence analytique et l'esprit de synthèse ; et, dans le registre de l'artiste, l'appel à la compassion. Ces registres et postures ne sont pas à la libre disposition des personnes. En adoptant un registre plutôt que l'autre, la personne révèle une certaine vérité d'elle-même ; contrairement à l'interprétation d'un acte manqué, des mots d'esprit ou des rêves, il ne s'agit pas ici d'une vérité refoulée ou enfouie dans les profondeurs de l'inconscient. Il s'agit d'une vérité de surface, connue de tout le monde, mais qui, dans nos sociétés actuelles, est le critère essentiel de l'identité sociale de la personne : sa position socioprofessionnelle. La prédominance du registre domestique indique la position du locuteur en dehors du monde du travail. Le registre thématique et analytique renvoie à la formation intellectuelle, et le registre politique à l'investissement dans une organisation politique.

L'usage des pronoms personnels et leur fréquence nous fournissent un indicateur supplémentaire de cette corrélation. Selon Benveniste, le pronom « je » se réfère toujours au nom propre du locuteur. Il est une sorte d'abréviation ou de répétition de cette « marque conventionnelle d'identification sociale » qui parcourt, bien évidemment, tout récit autobiographique. En revanche, l'usage des pronoms « on » et « nous » varie fortement en fonction

14. S. de Mijolla-Mellar, « Survivre à son passé », in M. Neyrat, *op. cit.*, p. 126.

de l'importance accordée à différents collectifs d'appartenance[15].

Chez Louise Alcan, Krystyna Zywulska et Pelagia Lewinska, le « nous » se réfère autant aux femmes de la même nationalité qu'aux camarades politiques. Chez Suzanne Birnbaum, juive française qui n'avait pas appartenue à la Résistance, ainsi que chez Fania Fénelon, le « nous » désigne les autres Françaises, et, dans un sens plus restreint, les quelques amies proches avec qui elles ont traversé le calvaire de Birkenau.

La signification du « nous » va donc du collectif le plus général (nation) au collectif le plus particulier (les membres de la famille), en passant par les collectifs intermédiaires de taille variable. Or la fréquence du « nous » dans chacune de ces significations est directement liée au registre narratif, politique et civique ou domestique.

Dans la situation extrême du camp de concentration, où il est très difficile de créer et d'animer une organisation, le « nous » militant tend lui aussi à se rétrécir aux réseaux les plus restreints d'entraide. L'intime connaissance personnelle y est le garant de la confiance réciproque. A côté de tels groupes de solidarité, les groupes « nationaux » semblent être les seules appartenances qui soient à l'origine d'un réflexe automatique de solidarité et du recours au « nous ».

Le « on », utilisé pour désigner un groupe, a, lui aussi, deux significations très différentes. A défaut d'être clairement identifiable, la « troisième personne » est, aux yeux des linguistes, une « non-personne[16] ». Ce terme, tout comme les autres pronoms personnels de la troisième personne, renvoie non pas à des personnes identifiables, mais à des situations et structures.

En effet, la première signification du « on » relevée dans notre corpus est celle d'un collectif en situation d'impuissance. Si le « nous » implique une capacité collective (présumée ou réelle) d'agir et de maîtriser la réalité, le « on » désigne plutôt des groupes temporaires, sans prise sur la réalité et auxquels la personne n'appartient pas de son propre gré. La description suivante de

15. E. Benveniste, *Problèmes de linguistique générale,* Paris, Gallimard, 1974, pp. 226 et 252. Voir également la revue *MOTS,* dont le n° 10, 1985, dirigé par Annie Geoffroy, est consacré à l'usage du « nous » dans le langage politique.

16. E. Benveniste, *op. cit.,* pp. 255-256.

l'ambiance dans le wagon d'un convoi de déportés illustre bien cette signification.

« Nous sommes plus de cinquante dans le wagon... Il n'est pas question de pouvoir nous allonger, ni même de nous asseoir tous... Ce premier jour, sans trouver beaucoup d'échos, des jeunes gens tentent de chasser la morosité en entonnant quelques chansons. Vers le soir, l'atmosphère commence à se dégrader. Nous sommes plongés dans une obscurité complète, déchirée de temps à autre par la lueur crue d'un réverbère au passage d'une gare ou d'une localité. Cette lumière soudain éclaire le spectacle sinistre d'une masse agglutinée et grouillante, où chacun cherche une position supportable. Des disputes éclatent autour du seau hygiénique. On se querelle pour des places assises... La deuxième nuit, un peu de calme revient. Nous sommes tous épuisés, certains dorment debout. L'agitation des plus nerveux est retombée, les laissant amorphes. D'autres sont plongés dans une torpeur bienfaisante. »

Tant que le groupe éphémère réussit à maintenir un minimun d'organisation et d'ordre, le narrateur utilise le « nous » en reconnaissant sa propre appartenance. Mais le groupe se transforme en « masse » et en « on », dont le locuteur se distancie dès que les conditions imposées provoquent le désordre, des conflits et la disparition de tout sentiment de communauté. Ce passage du « nous » au « on », de la maîtrise de la réalité au sentiment d'impuissance, est d'autant plus fréquent que la personne est socialement isolée.

Cette première signification du « on », synonyme d'impuissance et de perte de contrôle, se distingue de celle où le « on » désigne des actions soumises à l'adhésion à un code déontologique, à une démarche professionnelle et à un lot commun de valeurs. Ce qui importe ici n'est plus la personne, mais le rôle qu'elle accomplit. Ce deuxième « on » marque tous les récits des doctoresses et infirmières, comme on a pu le voir dans l'entretien avec Myriam. La disparition de la personne derrière la formule neutre du « on » nous renseigne donc soit sur son degré de puissance et de maîtrise, soit sur son appartenance à un groupe (professionnel) dont l'éthique montre la voie à suivre dans une situation donnée. Plutôt que de parler d'impuissance de la personne, il convient ici de parler de la conformité aux normes et rôles professionnels issus d'un long travail de définition et de structuration en dehors de la personne et de la situation particulière.

Si le même mot peut avoir plusieurs significations, la connaissance du contexte de son usage dans le récit est indispensable à la compréhension. Dans le passage suivant, tiré de l'entretien avec Myriam, on passe du « nous » au « on » dont la signification oscille entre la référence professionnelle et le sentiment d'impuissance des médecins dans la situation du camp.

« Nous médecins, on ne pouvait pas faire grand-chose, malheureusement, parce qu'on n'avait pas de médicaments. Et d'autre part, même si on avait pu avoir quelques médicaments, c'étaient des traitements beaucoup trop longs qu'il fallait. Qu'est-ce que l'on pouvait faire avec les médicaments que nous avions ? Ou on choisissait une malade en se disant celle-là a des chances de se sauver, mais l'autre, celle qui est dans un coma, qu'est-ce que vous voulez qu'on fasse ?... »

Le glissement du « on » au « ils » ou « elles » indique un degré supplémentaire de distanciation du collectif désigné, une sorte de démarcation définitive où s'entremêlent souvent dégoût et mépris : « Ils sont devenus fous ! » Recourir, en parlant de soi, au « tu », ou au « il » ou « elle » est un phénomène plus rare. Là encore, il faut distinguer entre les significations contradictoires du même mot que révèlent les exemples suivants.

« Et à ce moment, je me suis dit en toute clarté : soit tu en finis avec ta vie, tu tires un trait sur le passé, et tu recommences avec une attitude positive. C'était pour moi une décision très claire, car la mort ne me faisait plus peur du tout. »

Dans ce passage de l'entretien avec Ruth, le dialogue avec soi-même lui permet de gagner la distance nécessaire à la réflexion et la prise de décision. Ce dialogue fictif n'a rien à voir avec le monologue intérieur où le « je », se perdant dans une chaîne d'associations, risque de brouiller la pensée, de « tourner en rond » plutôt que de clarifier le choix d'actions envisageables.

Cette prise de distance réflexive dans un dialogue fictif se distingue du dédoublement incontrôlé de la personne relaté dans la troisième, plutôt que la deuxième, personne. La description du rêve éveillé d'une déportée pendant les appels en est un exemple :

« Au début, certaines ont perdu leur mémoire, et on croyait qu'elles étaient devenues folles. Mais c'est pas du tout cela. Moi aussi, je l'ai eu. Le dédoublement, c'est une chose terrible. Par exemple, j'avais une double, et je le lui disais : " Pousse-toi ! " Et elle ne voulait pas se pousser, et c'était moi, bon : " Baisse-toi "... C'est une sensation. Et j'ai dû encore longtemps rêver. Au fond, je crois que c'est une séquelle, une maladie. C'est-à-dire... j'avais beaucoup d'amies qui ressentaient la même chose, quelque chose de terrible... parce que je subissais. J'ai vu ma mère, je voulais parler avec elle, et je lui disais : " Ecoute, écoute, je veux te dire quelque chose ! "... Mais ma mère ne restait pas, elle s'enfuyait. Elle n'écoutait pas. Et cette autre qui était à côté de moi, qui ne se détachait pas de moi alors que c'était moi... Je voulais lui dire de s'en aller, et elle ne s'en allait pas. Et ma mère, elle s'en allait, elle fuyait. »

Contrairement au premier exemple, où le « tu » délibéré sert la clarification, le « tu » avec lequel la deuxième déportée s'adresse à son double évoque une situation involontaire, incontrôlable, un dédoublement qui lui est infligé par l'expérience concentrationnaire, et qu'elle désigne spontanément comme « une séquelle, une maladie ». Le passage immédiat de la deuxième à la troisième personne, ainsi que l'incapacité d'orchestrer ses rêves éveillés soulignent le caractère involontaire et incontrôlable de ce dédoublement : la mère n'écoute pas, elle fuit, tandis que le double reste.

A ce double incontrôlé désigné par la troisième personne répond l'usage de la troisième personne dans l'écriture académique. Le « il » et le « elle », proches ici du « on » de la profession, font alors fonction de preuve d'une prise de distance analytique réussie, permettant à l'auteur d'accéder à la position d'observateur au-dessus de la mêlée [17]. Rarement trouve-t-on une explicitation aussi claire de ce processus et de cette position que dans l'introduction au récit de sa propre expérience concentrationnaire par Bruno Bettelheim. Si, en anglais, ce phénomène ressort du recours à la forme

17. K. Mannheim, *Idéologie et utopie,* Paris, M. Rivière, 1956.

passive, la traduction française utilise automatiquement les pronoms appropriés et chargés de sens.

« La formation universitaire de l'auteur et l'intérêt qu'il porte à la psychologie l'ont certainement aidé à faire ses observations et à conduire son enquête... L'étude de ces comportements était un mécanisme mis en œuvre par lui, et à dessein, afin de pouvoir, grâce au moins à une activité intellectuelle, être mieux armé pour supporter la vie des camps. Ses observations et le fait qu'il ait récolté un ensemble de faits doivent donc être considérés comme un type particulier de défense élaboré dans une situation extrême... Pendant ses premiers jours de prison, et particulièrement au cours des premières journées passées dans un camp, il se rendit compte qu'il ne se comportait pas comme d'habitude. Il commence par rationaliser, en se disant que ces changements de comportement n'étaient que des phénomènes superficiels, suite logique de la situation particulière où il se trouvait placé. Mais il comprit bientôt que le fractionnement de sa personne en deux — celui qui observait les événements et celui qui les subissait — ne pouvait pas être qualifié de normal et constituait au contraire un phénomène psychopathologique typique. Il se demande alors : “ Est-ce que je suis en train de devenir fou, ou est-ce que je le suis déjà ? ” (...) Répondre à cette question angoissante était évidemment de première importance. De plus, l'auteur voyait ses compagnons de captivité agir de façon très bizarre, alors qu'il avait toute raison de croire qu'ils étaient, avant leur captivité, des personnes aussi normales que lui-même... Si bien qu'une autre question se posa : “ Que dois-je faire pour m'empêcher de devenir comme eux ? ” Il était assez simple de répondre aux deux questions : il suffisait de découvrir ce qui se passait en eux, et en moi [18]. »

L'analyse des pronoms personnels nous permet de constater le degré de distance et/ou d'aliénation que ressent la personne dans une situation donnée. Ceux du singulier signalent des dialogues fictifs et des phénomènes de dédoublement et sont autant d'indicateurs d'une identité plus ou moins assurée du locuteur. Les pronoms personnels du pluriel vont de pair avec la perception de la puissance ou de l'impuissance dont dispose le collectif pour maîtriser la réalité.

18. B. Bettelheim, *Survivre*, Paris, Robert Laffont, 1979, p. 61.

Si l'analyse des pronoms personnels nous aide à mieux saisir la place de la personne dans une situation qu'elle subit ou qu'elle domine, la fréquence, dans un récit, des pronoms, dans leurs significations multiples, nous renseigne sur le caractère plutôt individuel ou collectif de l'expérience concentrationnaire et sur la maîtrise que peut conférer l'insertion dans un groupe. On retrouve alors les mêmes oppositions que celles constatées entre les récits « au nom d'une valeur générale » et « au nom de soi-même », entre registres politique, thématique-analytique et domestique. Les différentes approches du même matériel — en termes de marché, de registres et de logiques narratives, de pronoms personnels — se confirment réciproquement. Une dernière dimension, celle de la formation d'une mémoire collective, complète ce tableau.

La formation d'une mémoire collective

Le travail de constitution d'une mémoire collective dans le cadre sociabilisé d'une association de déportées a pu aider individuellement des rescapées à se décharger, au moins en partie, de leurs souvenirs traumatiques. « Pour que notre mémoire s'aide de celle des autres, il ne suffit pas que ceux-ci apportent leurs témoignages : il faut encore qu'elle n'ait pas cessé de s'accorder avec leurs mémoires et qu'il y ait assez de points de contact entre l'une et les autres pour que le souvenir qu'ils nous rappellent puisse être reconstruit sur un fondement commun[19]. » Ce travail au sein de ce que Maurice Halbwachs appelle une « communauté affective » peut atténuer tout ce qui, dans les souvenirs individuels, rappellerait l'isolement et aussi les conflits déchirants entre déportés dont font état les récits relatés directement après la guerre, ainsi que les traumatismes qui ont pu provoquer par la suite des processus de refoulement, d'angoisse vis-à-vis des autres et de refus des contacts.

On peut donner pour exemple cet entretien avec une rescapée, arrêtée en 1942, sur la ligne de démarcation, à l'âge de dix-sept ans, avec du matériel de propagande de la Résistance. Dans son récit, quelques situations traumatisantes sont incorporées à une narration

19. M. Halbwachs, *La Mémoire collective*, Paris, PUF, 1968, p. 12.

événementielle sans chronologie précise, où abonde le souvenir de la solidarité de quelques Françaises à qui elle s'était raccrochée durant les deux années de déportation. « Ce qui reste surtout, c'est cette peur, cette angoisse. » Après son retour, à moins de vingt ans, elle dut rester plus d'un an et demi en sanatorium, et chercha à oublier, à refouler : « Quand je suis rentrée chez moi, une petite commune, tout le monde voulait voir, j'ai eu une réception extraordinaire à la gare. Les gens venaient chez moi, mais souvent je me cachais, parce que je ne voulais pas parler de ça. On était tellement traumatisées qu'on ne voulait plus se souvenir. » Après son mariage avec un camarade résistant, lui-même déporté, une vie de travail et l'éducation de deux enfants, elle participe très activement depuis 1977 aux diverses animations pédagogiques dans des lycées et à la vie de l'Amicale. Sa mémoire, peu détaillée, est inséparable de la mémoire collective qu'elle a contribué à créer : son « moi » de déportée se confond avec le « nous » des Françaises déportées, et plus particulièrement de celles de son convoi.

En France, il n'est pas étonnant de rencontrer, parmi les femmes qui ont pris en main le travail de témoignage et d'animation de l'Amicale, une proportion importante de rescapées du convoi du 24 janvier 1943 : Louise Alcan, Charlotte Delbo, Marie-Elisa Nordmann, Marie-Claude Vaillant-Couturier, pour n'en nommer que quelques-unes. Composé en majorité de résistantes (sur 229 sympathisantes, 12 gaullistes, 51 déportées pour divers faits de Résistance, 12 passeurs de la ligne de démarcation), il s'agit du seul convoi acheminé sous l'étiquette « politique » au camp de femmes d'Auschwitz-Birkenau à partir de la France. Selon une multitude de témoignages, elles avaient joué un rôle important dans les réseaux d'entraide de résistance politique. Tout indique qu'en commun avec quelques Françaises déportées avant elles, telle Claudette Bloch, elles avaient formé l'ossature d'un réseau sur la base de l'appartenance nationale. Ainsi Louise Alcan, Maria-Elisa Nordmann et Danièle Casanova apparaissent également dans d'autres récits, soit comme symboles d'espoir, soit comme celles qui réussiront, avec l'aide de doctoresses françaises ou de la légendaire Mala, à « placer » des Françaises à Rajsko ou dans d'autres endroits relativement protégés. Organisant dès leur retour des rencontres annuelles à Paris pour se soutenir mutuellement, ces femmes du convoi du 24 janvier réunissent tous les éléments susceptibles de forger de façon crédible le noyau de celles qui, une fois surmontés les faiblesses physiques et les plus graves traumatismes, contribueront aussi le plus à la formation d'une mémoire collective.

Ce travail n'a été possible que grâce à leur référence fortement constituée à une appartenance nationale, qui fait défaut aux juifs dans les pays marqués d'un antisémitisme officiel — ce qui est le cas de presque tous les pays d'Europe centrale et de l'Est avant, pendant et (malgré certains changements) également après la guerre. Il n'est pas étonnant alors que le récit qui diverge le plus de ce « nous » fortement constitué provienne d'une juive polonaise immigrée et déportée de France, qui traversa l'épreuve du camp en s'appuyant autant sur des amitiés de jeunesse avec des Polonaises que sur ses liens avec des camarades françaises.

En l'absence d'une telle communauté affective des déportées — lieu de constitution d'une mémoire collective et de gestion des mémoires individuelles apte à atténuer d'éventuels conflits ou ressentiments —, le silence des victimes peut procéder du besoin de maintenir les liens sociaux avec l'entourage et de se conformer aux représentations dominantes.

Les phénomènes de concordances et de tensions entre mémoires individuelles et mémoire collective deviennent encore plus manifestes lorsqu'on compare les dix entretiens recueillis en France, et celui qui a été recueilli en Pologne, aux cinq entretiens recueillis en Allemagne et en Autriche. Les sept Françaises qui nous avaient été présentées par l'Amicale étaient toutes, à une exception près, plus hésitantes à parler sur l'« après » et sur leur réadaptation à la vie civile que sur le camp. Il ne s'agissait pas alors d'un refus, mais d'une incompréhension quant à l'intérêt que pouvait avoir ce récit. Les interviewées d'Allemagne et d'Autriche, elles, n'ont jamais posé cette question ; et cela sans aucun doute parce que le sujet est, à leurs yeux, légitime et sensé. Elles firent alors apparaître les difficultés qu'a pu poser la gestion individuelle de leurs souvenirs.

Le travail social au service des rescapés s'élargit vite à celui du contrôle des discours historiques au service de la lutte contre l'oubli. Ainsi, les responsables des associations de déportés et de résistants se transforment en « gardiens de la mémoire ». C'est à eux qu'on s'adresse quand on cherche des témoins dans le cadre de procès, de l'enseignement ou de commémorations. Ils veillent à la transmission de leur expérience, en même temps qu'ils défendent l'image du groupe et de leur association. Leur fonction de « gardiens de la vérité » les rapproche des entrepreneurs de morale qu'analyse Howard S. Becker[20]. L'enjeu est l'intégration de l'histoire des déportés dans l'histoire plus générale, politique et nationale. Ainsi émerge un champ d'associations concurrentielles, avec ses discours orthodoxes et hétérodoxes, ses scissions et exclusions. On peut en prendre pour preuve l'histoire des associations au niveau international pendant la guerre froide. En 1956, suite aux événements en Hongrie, des conflits éclatent au sein du Comité international d'Auschwitz, dominé par les communistes. Celui-ci est transféré de Vienne, en Autriche, à Varsovie, et plusieurs de ses dirigeants, parmi lesquels Hermann Langbein, s'y trouvent marginalisés et quittent l'association à la fin des années 1950 ou au début des années 1960. S'opposait au Comité l'Union internationale de la Résistance et de la Déportation (UIRD), pro-occidentale, et plus tard le Comité international des camps (CIC), fondé en 1963, justement afin d'échapper aux catégorisations de la guerre froide, nuisibles non seulement à la crédibilité des associations, mais aussi au déroulement des négociations avec les autorités allemandes sur les modes de compensation[21].

Un fait incommensurable

Luc Boltanski a pu montrer que la dénonciation d'une injustice procède d'ordinaire par une rhétorique visant à convaincre et à mobiliser d'autres personnes afin de les associer à la protestation, de sorte que la violence consécutive au dévoilement soit à la mesure de l'injustice dénoncée[22]. La lecture des différents témoignages de déportés montre que les voies de la dénonciation ainsi décrites leur semblent paradoxalement fermées. Le registre thématique et analytique, apparenté à la logique scientifique, aide à mettre à distance

20. H. S. Becker, *Outsiders,* Paris, Métailié, 1985, pp. 171 sq.

21. H. Langbein, « Entschädigung für KZ-Häftlinge. Ein Erfahrungsbericht », in L. Herbst, C. Goschler (eds), *Wiedergutmachung in der Bundesrepublik Deutschland,* Munich, Oldenbourg, 1989, pp. 327-329. Sur le problème moral de la falsification historique au nom de causes, voir le livre de A. Grosser, *Le Crime et la mémoire,* Paris, Flammarion, 1989, pp. 166 sq.

22. L. Boltanski, avec Y. Darré et M. A. Schiltz, « La dénonciation », *Actes de la recherche en sciences sociales,* 51, mars 1984, p. 3.

une expérience plutôt qu'à en dénoncer l'injustice. Même le registre de la rhétorique politique est, on l'a vu, faiblement représenté dans notre corpus. Les témoignages les plus personnels, empruntant un registre domestique, ne portent guère, eux non plus, de marques revendicatives, comme si le motif ordinaire d'une dénonciation, le rétablissement de la justice, était de toute évidence hors de portée. En s'intéressant non seulement aux documents biographiques, mais aux discours commémoratifs, on aurait pu, comme le fait Guy Van den Berghe[23], trouver des tentatives de « grossissement » et d'« exagération », absentes de notre corpus. De même, la négociation sur les compensations introduit les éléments de la logique marchande dans les discours des déportés[24].

Tous les registres disponibles pour parler d'une façon cohérente de l'expérience concentrationnaire restent manifestement incapables de rendre compte de cette expérience dans ce qu'elle a de personnel, c'est-à-dire en ce qu'elle touche directement l'identité de la personne. Restituant nécessairement le passé de façon lacunaire, ces registres ne permettent pas véritablement de comprendre les victimes et tous leurs problèmes. Eu égard aux blessures et aux traumatismes avec lesquels les survivants sont contraints de vivre, toute tentative qui vise à rétablir la justice reste impuissante. Aussi l'expérience concentrationnaire n'est-elle peut-être si « indicible » que parce qu'il n'existe effectivement aucune possibilité de rétablir une justice. Et le besoin de parler et celui de se taire peuvent cœxister parce que les mots adéquats manquent et que le langage courant, avec des formules telles que « je meurs de faim », « je meurs de fatigue », peut creuser, sans intention aucune, un fossé infranchissable entre les survivants et les « autres ». C'est là peut-être qu'intervient le recours au registre littéraire, qui opère sur le mode non plus de la dénonciation (rétablissement de la justice), mais de la communion émotionnelle (rétablissement du lien avec les « autres ») — d'où, sans doute, le caractère assez tardif des formes les plus littéraires dans les récits autobiographiques.

Si cette expérience est difficilement communicable, cela est dû à son étrangeté : c'est la rupture avec le passé et avec l'avenir qui donne à l'expérience concentrationnaire le caractère d'une expé-

23. G. Van den Berghe, *Met de Dood voor Ogen,* Berchem, EPO, 1987, p. 231 sq.

24. L. Boltanski, L. Thévenot, *Les Economies de la grandeur, op. cit.*

rience hors du temps et de l'espace, d'autant plus difficile à raconter qu'il n'y a rien à quoi l'associer pour la rendre plus crédible ; c'est l'étrangeté aussi des conduites qui ont pu accroître les chances de survie, et dont on peut difficilement rendre compte en dehors du contexte ; et c'est la difficulté enfin de situer cette expérience par rapport à la morale courante. Les registres judiciaire, scientifique et politique évitent, certes, d'évoquer la part des traumatismes imputables aux relations entre déportés, qui, du même coup, se trouvent dans la nécessité de les gérer individuellement ou entre eux. On peut se demander si les manifestations concrètes et l'ampleur de certains traits caractéristiques du « syndrome du survivant », constaté par des psychiatres et des psychanalystes, ne résultent pas de l'impossibilité d'évoquer publiquement certains de leurs traumatismes et d'en faire partager le souvenir[25]. Tout au moins la difficulté de les communiquer a pu les renforcer au point de les solidifier pour constituer un syndrome spécifique[26] : angoisse de la mort, fragilité psychique (et souvent physique), dureté dans les rapports humains, penchant à la méfiance. Autant que dans le passé et les souvenirs des survivants, la genèse de ce syndrome est à rechercher dans l'absence de possibilité de communication, due à l'absence de toute volonté d'écoute perceptible chez autrui.

Cette littérature révèle également chez les survivants un sentiment de culpabilité, condensé autour de la même interrogation obsédante : « Pourquoi moi et pas les autres ? » Or, plus encore que les autres aspects du « syndrome du survivant », ce sentiment de culpabilité pose problème, tout au moins dans sa formulation générale qui sous-entend qu'il peut s'appliquer à tous les survivants, indépendamment de leurs expériences concrètes, fort diverses, et des possibilités sociales de gérer des souvenirs qui, comme on a pu le voir, varient tout aussi fortement.

25. Voir surtout : R. J. Lifton, *Death in Life, op. cit.* Ainsi que : P. Matussek et R. Grigat (eds.), *Die Konzentrationslagerhaft und ihre Folgen,* Berlin, Springer, 1971 ; W. G. Niederland, *Folgen der Verfolgung : Das überlebendensyndrom,* Francfort/Main, Suhrkamp, 1980 ; R. Jaffe, « The sense of guilt within Holocaust survivors », *Jewish Social Studies,* 32, 1970, pp. 307-314 ; G. Schneider, « Survival and guilt feelings of Jewish concentration camp victims », *Jewish Social Studies,* 37, 1975, pp. 74-83.

26. Dans la littérature psychiatrique, M. Richartz a insisté sur ce problème de communicabilité : « Zu Frage der wesentlichen Mitverusachung schizophrener Psychosen durch verfolgungsbedingte Extrembelastungen », Contribution au VIe Congrès médical international de la FIR, Prague, 30 nov.-2 déc. 1976.

En fait, cette hypothèse d'un sentiment de culpabilité que provoquerait la survie en situation extrême montre plutôt que l'attention exclusivement psychologique portée à l'individu a pour première conséquence de laisser le champ libre au jugement moral. Il semble en effet que l'interprétation psychanalytique, qui proclame un lien de causalité entre expérience concentrationnaire et sentiment de culpabilité, ne fasse qu'exprimer sur le plan moral et individuel une tension qui peut aussi bien s'expliciter dans le registre politique, juridique, scientifique, ou littéraire. Parler de « sentiment de culpabilité », loin de fournir une quelconque explication, ne fait donc que déplacer l'expérience sur un registre particulier, dont il convient bien plutôt de se demander pourquoi il est adopté, par qui et à quel moment. Autrement dit, nous nous proposons de considérer ledit « sentiment de culpabilité » — qu'il soit énoncé par le déporté ou par celui qui interprète son discours — comme un symptôme et non pas comme une cause, encore moins comme une catégorie explicative. En outre, en négligeant l'effort propre au temps écoulé, une analyse qui relie directement aux expériences concentrationnaires tel ou tel constat d'un trouble psychique sous-estime forcément l'apport des modes de gestion des souvenirs dans la constitution et la fixation de tels troubles.

Mesurer, ne serait-ce qu'implicitement, l'expérience concentrationnaire à l'aune de la morale courante revient à imposer aux survivants une exigence intenable, à savoir le comportement constamment héroïque permettant la survie dans la dignité. La simple anticipation d'une telle exigence rend extrêmement difficile toute communication sur l'expérience concentrationnaire, dans la mesure où il est très peu probable que ceux qui écoutent soient capables de se défaire de préceptes moraux et de conceptions de la dignité dont le caractère absolu constitue justement une bonne part de leur efficacité ordinaire.

Les récits de déportés peuvent représenter une mise en question, difficilement admissible, des conditions de validité de valeurs tenues pour inaliénables. L'écart ne peut alors que se creuser entre les « survivants », avec leurs souvenirs, et les « autres ». Or, n'est-ce pas justement cet écart qui contribue à provoquer un sentiment de culpabilité chez certains survivants, dans la mesure où le décalage entre la morale courante et l'expérience du sujet influence les critères de jugement sur ses propres actes et ceux d'autrui ?

Les groupes restreints d'amis formés d'anciens déportés ou les associations plus formelles deviennent alors les seuls lieux où ces souvenirs peuvent être librement vécus. La possibilité de s'appuyer sur de tels liens de groupe est donc d'une importance cruciale pour les déportés dans leurs efforts pour surmonter les traumatismes et pour préserver leur sentiment d'identité.

Troisième partie

SURVIE ET IDENTITÉ

« *Il y a des impressions que tout déporté, d'autres que tout prisonnier, a ressenties — qu'il s'agisse du moment de la capture, ou de l'attente, ou encore de ce qui suit le retour. Il y en a d'autres liées à une situation précise ; il y en a de personnelles.* »

(M. Dambuyant, « Remarques sur le moi dans la déportation », *Journal de psychologie normale et pathologique,* avril-juin 1946, p. 181.)

Les études sur l'expérience concentrationnaire et la survie en situation extrême sont certainement le seul exemple où l'expérience personnelle de l'auteur a pu jouer comme le garant principal, sinon exclusif, de leur crédibilité théorique. Les premières interprétations concordantes émanent de psychanalystes déportés — Bruno Bettelheim, Erich Federn et Viktor Frankl. Ces théories lient la survie en situation extrême à la force que l'interné réussit à opposer aux mécanismes de désintégration physique et morale de sa personnalité. La base de cette lutte contre la désintégration est la mobilisation des valeurs positives de la vie contre l'angoisse de mort commune à tous les hommes[1]. Or, selon cette interprétation psychanalytique, la possibilité de surmonter cette angoisse de mort — préalable à toute résistance physique, psychique et morale — dépend de la capacité qu'a l'individu de sauver les valeurs essentielles de son ancien système de maîtrise de soi-même. Le maintien de l'autonomie personnelle permet alors de « mettre une certaine distance entre soi et son expérience, pour mieux la maîtriser[2] ».

Toute la conception théorique de ces premières interprétations de la survie dans les camps de concentration a trouvé sa forme la plus accomplie dans l'œuvre de Bruno Bettelheim. Sa théorie et sa

1. Les premières publications de Bruno Bettelheim, reprises dans la traduction française, datent de 1943, *Survivre,* Paris, Robert Laffont, 1979 ; E. Federn, « The terror as a system : The concentration camp », *Psychiatric Quarterly Supplement,* 22, 1948, pp. 52-86. Plus tard s'ajoutent, dans la même perspective, les analyses d'un autre psychologue survivant : V. E. Frankl, *Men's Search for Meaning,* Boston, Beacon Press, 1962.

2. B. Bettelheim, *op. cit.,* p. 61.

position très spécifique au sein du champ de la psychanalyse découlent d'un présupposé anthropologique qu'il explique en introduction à son livre : « Toutes les défenses psychologiques que l'homme oppose à l'angoisse de mort se sont brisées chaque fois qu'une catastrophe inattendue a provoqué soudainement la mort d'une grande quantité d'individus dans un temps très court... En réalité, ce n'est pas une lutte entre les pulsions de vie et de mort qui gouverne la vie de l'homme, mais une lutte des pulsions de vie contre le danger d'être écrasé par l'angoisse de mort. En bref, il existe une peur omniprésente qui menace de s'insinuer d'une façon destructive si on ne parvient pas à la maintenir fermement sous le contrôle de notre conviction des valeurs positives de la vie[3]. »

Plus de trente années plus tard, prenant appui sur quelques témoignages publiés par des survivants, Terrence Des Pres opposa, à ces théories qui considèrent la rigueur morale comme le moyen principal pour maintenir l'intégrité de la personnalité, une interprétation « sociobiologique » selon laquelle les pulsions égoïstes fondamentales et les liens restreints de parenté constitueraient les ressources de la survie individuelle ou du groupe restreint, parental ou amical. Contraints de transgresser la plupart des tabous qu'impose la civilisation, les survivants nous rappelleraient, selon Des Pres, les valeurs et les gestes primaires et réprimés par notre civilisation mais qui, seuls, garantissent la permanence de l'espèce[4]. Dans un univers sans institutions médiatrices, la survie résulterait de la capacité d'adaptation rapide à des circonstances en transformation permanente, donc de la capacité à recréer en permanence de nouveaux liens sociaux[5], tandis que les conceptions « morales » joueraient un rôle négligeable. Les survivants ont donc su accepter le défi des contraintes extrêmes et s'adapter aux exigences de cet univers, notamment en se libérant de principes moraux tenus pour universels. Contrairement au sentiment de culpabilité, constaté par des psychanalystes et des psychiatres, Des Pres attribue aux survivants une qualité spécifique, à savoir le fait de garder une distance et un scepticisme à l'égard des canons de la morale courante. Par conséquent, les survivants sont, selon Des Pres, les

3. *Ibid.*, pp. 20-21.
4. T. Des Pres, *The Survivor. Anatomy of Life in the Death Camps,* New York, Washington Square Press, 1976, pp. 182, 74 et 190.
5. *Ibid.*, pp. 214 et 226.

précurseurs d'une nouvelle morale, pratique et modeste, orientée vers la survie de l'espèce, en rupture aussi avec les valeurs de notre civilisation. Traduisant la recherche de la grandeur individuelle et collective, ces valeurs de notre civilisation — qui, selon Bettelheim, ont justement permis la survie dans la dignité — expriment, selon Des Pres, un esprit de domination de la nature et des autres qui mène inéluctablement à la destruction de l'espèce.

Il en résulte une opposition irréductible, Des Pres reprochant à Bettelheim de vouloir justifier une conception particulière d'un moi intellectuellement autonome et complètement indépendant[6], Bettelheim reprochant à Des Pres de présenter « les survivants comme des êtres exceptionnels, supérieurs en raison de leurs expériences dans les camps d'extermination... Il transforme en héros ces rescapés du hasard[7] ».

Des Pres se demande si des théories comme celle de Bettelheim ne reflètent pas avant tout une expérience singulière, conduisant à justifier la catégorie des déportés politiques à laquelle Bettelheim avait lui-même appartenu. Mais il omet de soumettre son propre corpus de témoignages — un échantillon par définition limité — à un questionnement similaire. On est alors en droit de se demander si cette opposition théorique entre interprétation « psychologique » et interprétation « sociobiologique » n'est pas d'autant plus irréductible qu'en est absente toute réflexion sur les méthodes et les matériaux empiriques qui ont permis la construction de telles interprétations. Cette impression se trouve encore renforcée dans les deux cas, par le recours, presque sous forme de profession de foi, à la vision du monde de l'auteur, à sa conception philosophique et anthropologique comme ultime instance de légitimation du discours théorique. Ainsi Bruno Bettelheim fait-il découler sa théorie d'une thèse personnelle, postulant une angoisse universelle de la mort qui serait contenue par les valeurs de notre civilisation, nous permettant de l'« adoucir par une foi solide en une vie future ». Quant à Terrence Des Pres, son livre débouche sur un véritable règlement de comptes avec les traditions intellectuelles occidentales[8]. Selon lui, une théorie qui mesure la survie au

6. *Ibid.*, p. 188.
7. B. Bettelheim, *op. cit.*, pp. 123-124.
8. T. Des Pres, *op. cit.*

maintien de valeurs supérieures et qui condamne au sentiment de culpabilité tous ceux dont la conduite n'aurait pas été à la hauteur s'inscrit dans une tradition philosophique menant à dénier à la vie en tant que telle une valeur en soi. Ainsi la polémique contribue-t-elle à l'explicitation des points de vue et des effets performatifs de l'une et de l'autre théorie : chez Bettelheim, le plaidoyer, présent dans tous ses livres, pour une pédagogie qui renforce l'autonomie et la force de résistance de l'individu contre les formes de domination dans une société de masse ; chez Des Pres, la stylisation de la vie pour la vie. A l'humanisme traditionnel, héritier de la tradition philosophique occidentale, s'oppose alors un nouvel humanisme qui, au nom de la préservation de l'espèce et s'appuyant sur l'image de l'antihéros, s'attaque à l'individualisme héroïque élitaire.

Notre matériel montre qu'on peut retenir comme complémentaires ces hypothèses que le jeu des oppositions théoriques entre la psychanalyse et la sociobiologie tend à polariser. Ces deux théories, aussi unilatérales l'une que l'autre, constituent en fait les deux pôles extrêmes du champ de l'expérience concentrationnaire, entre lesquels toutes sortes de positions intermédiaires — et, souvent, contradictoires — peuvent apparaître, en fonction des configurations concrètes qui dépendent largement des différents types de ressources de l'individu, et de son accès à certains liens sociaux qui façonnent son identité. Or ces ressources sont également à l'œuvre, comme le montre la deuxième partie de cet ouvrage, dans la forme même des témoignages, dont l'analyse apparaît ainsi comme un préalable indispensable à toute interprétation qui se refuse à occulter, par une volonté de théorisation unilatérale, la réalité des conditions d'adaptation à une expérience proprement sociale, donc multiple.

Cette recherche sur une expérience limite rappelle aussi combien est difficile le maintien de la continuité et de la cohérence, tant pour un individu que pour un groupe. Car, de même que l'ordre social — ce précaire équilibre de forces — résulte d'un travail de négociation et de compromis, l'ordre mental est le fruit d'un travail permanent de gestion de l'identité qui consiste à interpréter, à ordonner ou à refouler (temporairement ou définitivement) toute expérience vécue de manière à la rendre cohérente avec les expériences passées ainsi qu'avec les conceptions de soi et du monde qu'elles ont façonnées : il s'agit, au nom de la maîtrise de l'avenir, d'intégrer le présent dans le passé. C'est ce travail permanent qui sous-tend l'*habitus,* grâce auquel la personne apparaît comme dotée de continuité et de cohérence.

Ainsi, en rendant compte de troubles identitaires fondamentaux et de leur possible maîtrise, l'analyse de l'expérience concentrationnaire atteste à quel point, selon la formulation de Max Weber, « l'identité n'est jamais, du point de vue sociologique, qu'un état de choses simplement relatif et flottant[9] » — et à quel point les individus, en tant qu'ils sont le produit d'une construction sociale, sont également une construction d'eux-mêmes.

La deuxième partie de cet ouvrage, consacrée à la prise de parole, nous a permis d'appréhender le jeu de certains paramètres de l'identité repérables dans la présentation de soi des déportés. Il y a, tout d'abord, les paramètres liés au corps (sexe, âge, état de santé, force physique), auxquels s'ajoutent des indicateurs juridiques dans la définition d'une personne. Ceux-ci ne sont repérables qu'à travers un travail de verbalisation (le nom, l'usage de pronoms personnels, la parenté). Une dimension importante de l'identité est formée par les appartenances d'une personne (nationalité, politique, langue). Ces divers paramètres sont autant de ressources mobilisables dans des situations imprévisibles. La troisième partie de cet ouvrage porte sur les différentes formes de gestion de l'identité aux moments clés de l'expérience concentrationnaire, à commencer par l'arrestation et l'arrivée au camp de la mort. Une fois surmonté ce traumatisme initial, le déporté doit trouver sa voie, en comprenant la logique de fonctionnement de cet univers incompréhensible et/ou en apprenant sur le mode pratique ce qui l'aide à se mettre à l'abri des menaces et à survivre. A cela s'ajoutent les constructions de l'espoir dans une situation *a priori* désespérée. Enfin, si on ressaisit les identités des déportés à l'échelle de toute une vie, la question se pose de leur réinsertion dans la vie civile après la libération.

9. M. Weber, *Essais sur la théorie de la science,* Paris, Plon, 1965, p. 360.

7. *Ruptures et séparations*

L'arrestation, la déportation et l'arrivée au camp de la mort sont les moments de rupture les plus violents pour pratiquement tous les déportés. Mais la force du traumatisme ressenti varie en raison des circonstances précises de ces événements, de la capacité de les anticiper et de la possibilité de s'y préparer.

Etre arrêté lors d'une rafle imprévue, suite à une dénonciation individuelle ou après une longue recherche par la police dans le cas de résistants politiques : ces différents cas de figure façonnent les réactions autant que les circonstances de la déportation et de l'arrivée à Auschwitz. Un transfert individuel ou en petit groupe en provenance d'un autre camp et l'absence de sélection à la rampe peut, pour ainsi dire, différer le traumatisme. C'est le cas, à Auschwitz, des quelques convois politiques tel celui des Françaises du 24 janvier 1943, ainsi que de plusieurs transferts en provenance de Theresienstadt comme le montre l'exemple de Margareta, ou de Ravensbrück, dans le cas d'Orli Wald-Reichert.

Etre déporté avec ses proches — membres de la famille, voisins, amis d'enfance, camarades politiques — atténue souvent les inquiétudes et angoisses, et diffère le sentiment de séparation. Si la découverte, dans le convoi, d'amis ou de connaissances provoque « la joie » et « rassure », la sélection et la séparation à l'arrivée au camp s'inscrivent dans, et accentuent, le processus de « dépersonnalisation »[1], de réduction radicale de la « sphère privée » attachée

1. B. Bettelheim, *Survivre,* Paris, Robert Laffont, 1979, pp. 69-72, commence son essai sur l'expérience concentrationnaire par une discussion de la « dépersonnalisation » telle qu'il l'observe dans son propre cas et dans celui de ses compagnons.

à un individu dans l'existence ordinaire. Il en résulte un sentiment décrit en termes de « confusion », de « perte de mémoire », de « désorganisation », d'« anesthésie ». Ces termes renvoient aux techniques de destruction du moi civil (mise à nu et confiscation des vêtements et de tous les objets « personnels », rasage complet du corps, remplacement du nom par un numéro de matricule) préparant à la soumission à l'ordre d'une institution totale au sens où l'entend Erving Goffman, à savoir « un lieu de résidence et de travail où un grand nombre d'individus, placés dans la même situation, coupés du monde extérieur pour une période relativement longue, mènent ensemble une vie recluse dont les modalités sont explicitement et minutieusement réglées[2] ». Ainsi la « dépersonnalisation » apparaît comme première étape d'un rite de passage[3] infligé aux déportés pour détruire toute volonté de résistance à une situation qui, tôt ou tard, doit déboucher sur leur mort.

Pour pouvoir s'adapter en même temps que résister aux contraintes de l'institution totale, le prisonnier doit surmonter le « traumatisme originel ». Plus tard seulement, il peut récupérer sa force physique, psychologique, son estime et l'assurance de soi. Les processus de dépersonnalisation et de repersonnalisation peuvent être également décrits en termes de désocialisation (les séparations et ruptures arrachent la personne à ses liens sociaux courants) et resocialisation (la construction de nouveaux liens au sein de l'institution totale). Stabiliser le moi et stabiliser les relations avec autrui sont les deux faces d'un même processus. Le degré d'assurance de l'identité d'une personne dépend de l'insertion dans un environnement suffisamment stable, apte à lui procurer les repères qui lui permettent d'anticiper la réalité et d'agir en conséquence.

Face à la menace

L'étude des réactions à la menace diffuse de la déportation, avant que celle-ci ne prenne la forme d'un risque prévisible, nous

2. E. Goffman, *Asiles, Etudes sur la condition sociale des malades mentaux*, Paris, Ed. de Minuit, 1968.

3. A. Van Gennep, *Les Rites de passage*, Paris, La Haye, Mouton, 1969.

renseigne sur la préparation des uns et des autres au traumatisme originel.

La proximité avec la mort physique (celle des autres et de soi-même) distingue les camps d'extermination des autres camps de concentration et, *a fortiori,* d'autres institutions totales. D'où l'étonnement si fréquemment exprimé, surtout à l'égard des victimes « raciales » du nazisme : « Pourquoi ne pas avoir choisi à temps l'émigration face à une menace irrévocable ? » Posée de cette manière, la question suppose réglé ce qui, justement, fait problème. Etre informé d'une menace et en avoir clairement conscience n'induit pas forcément les démarches adaptées[4]. S'y opposent les habitudes, la réticence à abandonner ses biens, les sentiments de dignité et le fait qu'une telle décision est rarement individuelle et nécessite la concertation et la négociation avec d'autres. Cet acte impliquant souvent une interaction et non une décision solitaire, il ne suffit pas que le sujet soit convaincu de la nécessité de l'émigration, mais qu'il sache en convaincre d'autres.

Les situations de grande menace et d'incertitude plongent les individus, les familles ou des groupes entiers dans le désarroi. Elles imposent la gestion de contradictions et de tensions d'une identité mise en question et soumise à l'épreuve. Plusieurs possibilités existent dans cette situation. Pour reprendre la terminologie de Albert O. Hirschmann[5], celles-ci peuvent être classées en trois grandes catégories : la sortie de la situation (« exit » : défection, émigration, fuite, suicide), l'action visant à changer la situation (« voice » : prise de parole, opposition, résistance, action collective), et l'obéissance (« loyalty »).

Si on observe, d'ordinaire, une tendance à minimiser les adaptations identitaires aux situations changeantes afin de maintenir autant que possible la continuité de la personne, on comprend que la précision progressive de la menace a finalement provoqué moins de « sorties » sous forme de départs vers des lieux sûrs qu'on n'aurait pu l'imaginer.

Aussi longtemps que la menace concerne essentiellement la perte

4. Il en est de même pour d'autres menaces et risques mortels, tel le sida, cf. M. Pollak, *Les homosexuels et le sida. Sociologie d'une épidémie,* Paris, Métailié, 1988.

5. A.O. Hirschmann, *Exit, Voice and Loyalty,* Cambridge, Mass., Harvard University Press, 1970; A.O. Hirschmann, *Vers une économie politique élargie,* Paris, Ed. de Minuit, 1986.

du statut professionnel et des biens, en un mot la marginalisation sociale, l'émigration apparaît comme le résultat d'un calcul mettant en balance, d'un côté, l'appréciation de la situation (jugée réversible ou irréversible) et, de l'autre, les pertes et les difficultés d'adaptation et d'intégration escomptées dans le pays choisi. Aussi bien dans le cas d'opposants politiques que de juifs, soumis en Allemagne à des mesures d'exclusion dès la prise de pouvoir en 1933, ce calcul ouvre des options multiples, mais dont le nombre diminue au fur et à mesure que le IIIe Reich adopte des réglementations limitant et interdisant les transferts de devises et de biens matériels, et que les autres pays limitent l'accueil. Le début de la guerre réduit presque à zéro toute possibilité de départ, au moment même où se précise la nature de la menace qui pèse sur les juifs : l'extermination. A partir de 1942, les rumeurs qui circulent dans les populations concernées sont confirmées par des informations données par la BBC. Même si la plupart des victimes désignées n'ont pas, personnellement, entendu ces émissions, une forte majorité en avait entendu parler, tout en refusant d'y croire.

L'identification avec leur statut social et avec leurs biens a retardé et empêché l'émigration de beaucoup de juifs[6]. On voit à quel point les biens que nous possédons nous possèdent. Les femmes, moins attachées que les hommes à ces repères de l'identité, poussent souvent à l'émigration. Si elles ne réussissent pas à convaincre leur mari à temps, elles maintiennent généralement l'engagement contracté et acceptent de subir le même sort[7].

Le suicide est la seule solution de « sortie » qui reste ouverte après le début des déportations massives de juifs et de Tziganes. Comment interpréter ce phénomène, bien plus fréquent que la place qui lui est généralement accordée dans la littérature sur la déportation ?

Selon une étude menée directement après la guerre auprès de rescapés juifs hongrois, les suicides juste avant la déportation étaient courants[8]. De même, Herbert Strauss, qui a vécu à Berlin

6. Pour l'importance de ces identifications, voir : A.L. Strauss, *Mirrors and Masks. The Search for Identity,* Glencoe, Illinois, The Free Press, 1959, p. 36.

7. *Ibid.*, p. 42.

8. J. Goldstein, I.F. Lukoff, H. Strauss, *An Analysis of Autobiographical Accounts of Concentration Camp Experiences of Hungarian Jewish Survivors,* Project MH — 213, 1949-1951, Graduate Faculty New School for Social Research, Report submitted to US Public Health Service.

jusqu'en 1943 avant d'entrer dans la clandestinité et de s'exiler, estime qu'environ 20 % de ceux qui étaient enregistrés sur les listes de déportation établies par la communauté juive berlinoise se sont suicidés. Toujours à Berlin, on estime officiellement à 25 % les cas de suicides parmi tous ceux qui ont été enterrés au cimetière juif de Weissensee entre 1942 et 1943[9]. Si le suicide apparaît ici, à première vue, comme le fruit de la peur et de la résignation, et indirectement, de la capacité à imaginer l'horreur, il peut renvoyer également à une ultime protestation contre la barbarie : choisir sa mort plutôt que la subir, n'est-ce pas la preuve de la liberté et de la dignité ? De plus, le suicide juste avant la déportation est rarement un acte solitaire. Il concerne des couples ou des familles entières. La dignité ainsi démontrée renouvelle l'engagement d'amour contracté envers les siens.

Dans le cadre de la persécution raciale, l'opposition et la résistance collectives (« voice ») sont bien moins probables que les solutions de « sortie ». Comment se doter d'une voix et d'une force collective ? Le fait que les autorités nazies aient réussi à enrôler, partiellement au moins, les représentants des communautés juives et à les transformer en courroie de transmission de leurs ordres a dû renforcer la résignation. Le passage à la clandestinité et à la résistance organisée est presque toujours le fruit d'opposants politiques parmi lesquels, bien évidemment, des juifs[10]. Par contre, le choix de la clandestinité solitaire, qui, dans les grandes villes, a permis à des milliers de gens de sauver leur vie, s'apparente plus à une réaction de fuite qu'à la résistance. Leur appellation dans le jargon populaire — « sous-marin » — souligne bien cette différence. En attendant des jours meilleurs, il s'agit de n'être ni vu ni entendu.

Les déportés qui n'ont essayé ni d'émigrer, ni de fuir, ni de choisir la clandestinité, suivent à première vue les ordres jusqu'à l'entrée de la chambre à gaz. Selon la formule célèbre, ils se sont laissé massacrer sans réagir, « comme des agneaux conduits à l'abattoir ». Mais s'agit-il vraiment d'une obéissance et d'une loyauté résignées ? On peut opposer à cette hypothèse la formation, de plus en plus consciente, de la volonté de survivre de la part de

9. B. Blau, « The Jewish Population of Germany, 1939-1945 », *Jewish Social Studies,* XII, 2, 1950, pp. 161-172.

10. A. Wieviorka, *Ils étaient juifs, résistants, communistes,* Paris, Denoël, 1986.

ceux qui ont échappé aux sélections à la rampe. Le refus du suicide en est le premier signe. En effet, des cas de suicides sont rarement rapportés au camp, et de toute façon moins fréquemment que juste avant la déportation. Le refoulement et le dédoublement autoréflexif sont souvent les premières réactions de défense du moi, qui précèdent la recherche de nouveaux liens sociaux et l'acquisition des savoirs et des savoir-faire indispensables. Cet apprentissage commence souvent dans les institutions totales que les déportés traversent avant leur entrée dans un camp de la mort : prisons, camps de transit, ghettos surveillés et coupés de leur environnement.

Dans une certaine mesure, il est possible d'« apprendre la logique du camp », de « trouver les filons qu'il faut connaître », de « s'organiser et de trouver sa voie et sa place ». Les déportés eux-mêmes utilisent tous ces termes quand ils parlent de leur adaptation à l'univers concentrationnaire. Toutefois, ces modes d'adaptation ne prennent qu'exceptionnellement la forme de véritables stratégies. Réussir dans un espace social où le seul enjeu de la compétition est la survie dépend, certes, des ressources physiques, psychiques et morales d'une personne. Mais les incertitudes et l'arbitraire qui règnent dans le camp peuvent anéantir à tout moment un calcul stratégique. Pour cette raison, des événements ponctuels jouent un rôle important en tant que facteurs de découragement ou, par contre, d'encouragement et d'espoir.

Les événements traumatisants et euphorisants

La lecture de tous les témoignages suggère qu'il n'y a pas de véritable adaptation aux conditions d'un camp de la mort, et que le traumatisme originel n'est jamais parfaitement surmonté. Si l'on observe couramment une certaine désublimation et désensibilisation, il est rare qu'un déporté s'« habitue » au camp au point de devenir indifférent à l'omniprésence de la mort ainsi qu'aux privations physiques — la faim, la soif, la fatigue et le bruit — qui font partie de son lot quotidien. Trouver dans ces conditions un certain équilibre est une chose difficile, périodiquement remise en question. La routine du camp, le déroulement à l'identique des journées introduisent la possibilité de prévoir au moins l'avenir immédiat. Les privations quotidiennes mais prévisibles, les appels interminables du matin, le manque de sommeil, la marche au travail font partie de la routine. Malgré leur caractère éprouvant, leur régularité réduit le sentiment d'incertitude et, indirectement, l'angoisse.

Par contre, la plupart des événements imprévisibles et donc incompréhensibles réintroduisent l'incertain. Ils dérangent, voire menacent un équilibre précaire. L'attitude la plus courante des prisonniers est donc de les redouter. Certains événements annoncent effectivement une grande menace, telle la Blocksperre (l'interdiction de quitter les blocs), décrétée avant chaque sélection. D'autres événements imprévus font partie des techniques répressives de l'institution totale visant à empêcher l'émergence de réseaux de solidarité, notamment les changements fréquents d'un bloc à l'autre, d'un commando de travail à l'autre. A ces interventions événementielles dans la routine du camp s'ajoutent des changements physiologiques et des séparations douloureusement ressentis.

Parmi les événements traumatisants figurent en premier lieu les changements physiologiques ressentis comme la perte d'une dimension essentielle de l'identité. Ainsi, beaucoup de femmes déportées indiquent comme profondément choquant le moment où elles se sont pour la première fois rendues compte de l'arrêt de la menstruation. Dans le cas des hommes, l'événement équivalent, mais moins fréquemment rapporté, est l'absence de toute érection spontanée, particulièrement au moment du réveil, ainsi que de pollutions nocturnes. Après la perte du nom civil et de la réduction à un numéro, la perte de ces garants des fonctions biologiques et de l'identité sexuelle (féminine ou masculine) perturbe profondément la personne. Mais les mêmes personnes qui rapportent comme « traumatisante » la découverte de ces changements physiologiques, les envisagent souvent sous l'angle de leur avantage à plus long terme, avantage hygiénique en l'absence des possibilités élémentaires pour se nettoyer dans l'univers concentrationnaire, avantage psychologique dans la mesure où l'absence de menstruation s'accompagne, selon certaines déportées, de la disparition des sautes d'humeur afférentes.

Le traumatisme originel est renouvelé à chaque sélection. Si les changements physiologiques mettent en question les aspects les plus personnels de l'identité (la sexualité), la perte des proches menace l'insertion, difficile et fragile, d'une personne dans des réseaux familiaux et amicaux, à la base de ses relations de confiance, d'affectivité, d'entraide et de solidarité.

Plus que les humiliations, la dureté du travail ou la dégradation physique, chaque séparation avec des parents ou amis est source de traumatismes et de dépressions qu'il s'agisse de séparations définitives, par la mort, ou temporaires, par le transfert dans un autre bloc ou l'affectation à un poste de travail éloigné. Le meurtre collectif marque moins les consciences que la perte d'un ou de plusieurs êtres proches.

Certains travaux provoquent, plus que d'autres, un dégoût que l'éducation a profondément enraciné et que beaucoup de prisonniers ne surmonteront jamais. En font plus particulièrement partie les tâches qui exposent au contact direct avec la mort (ramasser les cadavres) et les excréments (nettoyage des latrines, par exemple). La confrontation avec sa diarrhée ou celle des autres, la fréquentation des insectes et de rats sont tout autant des sources de dégoût que des risques évidents pour la santé puisqu'elles favorisent les infections. Plus que l'affaiblissement physique général, les signes précurseurs de maladies épidémiques au camp, le typhus par exemple, renforcent les angoisses de mort et le découragement.

La profondeur d'un traumatisme n'est pas seulement fonction de la souffrance et de la douleur. Elle dépend autant, sinon plus, du sentiment d'injustice qui l'accompagne. Ainsi, une privation ou un châtiment physique sont ressentis comme d'autant plus injustes qu'ils visent un seul individu et non pas tout un groupe et qu'ils sont infligés par des agents dont la victime se sent plutôt proche. Une dispute entre prisonniers à propos de la nourriture et qui dégénère en bagarre physique affecte souvent plus un(e) déporté(e) que les sévices physiques infligés par un SS, car ce type de comportement fait, en quelque sorte, partie de son rôle. M. Dambuyant observe ce phénomène et le compare avec des sévices lors d'interrogatoires de la Gestapo : « L'horreur de ces spectacles est si forte que, par comparaison, à ces moments-là, la cruauté de la Gestapo paraît du moins posséder un sens : ce sont des gens faisant un métier, ayant besoin de renseignements, et s'ils les obtiennent par les pires moyens, du moins ont-ils un but [11]. » Une autre scène significative à

11. M. Dambuyant, « Remarques sur le moi dans la déportation », *Journal de psychologie normale et pathologique,* avril-juin 1946, p. 185.

cet égard est celle rapportée plus haut par Ruth. Une kapo pour laquelle elle avait une certaine estime, la gifle afin de se mettre en valeur devant quelques SS qui passent par hasard. Elle décrit cet épisode, physiquement supportable, comme particulièrement traumatisant et révoltant. Dans ce cas, le sentiment d'injustice de la victime est partagé par la kapo qui essaie de réparer le tort commis par un cadeau : quelques pommes de terre.

Le traumatisme infligé par un acte accompli sous la contrainte, et en rupture avec la conception morale d'une personne, atteint ses proportions maximales dans le cas des accouchements suivis du meurtre du nourrisson au nom de la survie de la mère. On comprend mieux la rareté de tels témoignages au vu de la force du traumatisme et de la mauvaise conscience qui résultent inéluctablement, pour la mère, de son consentement et, pour les infirmières et les doctoresses, de leur participation, au nom du moindre mal, à un meurtre [12]. Les événements de rupture et de séparation ont en commun d'accentuer le sentiment d'impuissance, en détruisant les ingrédients essentiels du sentiment d'identité d'une personne : la continuité de son être physique et de ses liens avec d'autres.

Aux événements traumatisants font écho des moments d'encouragement qui aident les déportés à reprendre espoir. Chaque fois que les prisonniers osent sortir d'une conduite de soumission, ils parviennent à rétablir l'estime de soi et le sentiment d'avoir prise sur la réalité. Ces actes vont du fait d'avoir osé répondre à un SS, « de refuser de s'agenouiller devant une kapo », jusqu'à la désobéissance (par exemple le refus célèbre du docteur Hautval de participer aux expérimentations médicales) ou au sabotage dans la production, pour culminer finalement dans la révolte collective ou le courage héroïque qui consiste à subir la torture sans dénoncer des camarades.

Parler, à chaque fois, de « résistance », dans le sens politique du terme, serait un abus de langage. François Bédarida a raison de dénoncer la perte de clarté et de rigueur de ce concept au fur et à mesure que l'on étend son champ d'application en y intégrant toutes

12. A notre connaissance, le seul récit où une femme rapporte son propre accouchement à Auschwitz et la mise à mort de son bébé par les médecins et infirmières du Revier est l'entretien avec l'Autrichienne Anna Sussmann fait par Rebecca Hopfner dans le cadre de ce projet de recherche et de la préparation d'une thèse sur les enfants à Auschwitz. Les témoignages d'infirmières et de doctoresses sont plus fréquents.

les conduites d'insoumission et d'entraide[13]. Mais il est indéniable que même les gestes les plus anodins d'opposition à l'oppresseur renforcent le moi en s'inscrivant contre le sentiment d'impuissance absolu, et que les véritables faits de résistance, par leur exemplarité, procurent à tous les déportés, qu'ils y aient ou non participé, un sentiment de dignité.

Tout se passe, par ailleurs, comme si l'exercice, par les SS, d'un pouvoir arbitraire et illimité sur la vie et la mort de milliers d'hommes avait pour préalable de « réduire ces êtres à zéro », de les avilir et de les transformer en « moins que rien » afin de parvenir à les mépriser suffisamment pour pouvoir les tuer. La toute-puissance des uns ne peut se déployer qu'en rapport avec l'absolue impuissance des soumis. D'où le mépris et la haine des SS, particulièrement violents à l'encontre des « musulmans », marqués par la dégradation physique et jugés « répugnants ». Par contre, le maintien d'un minimum de propreté et une approche directe et ferme valent souvent aux déportés l'estime des supérieurs et des SS, et ne provoquent qu'exceptionnellement réprimandes et punitions. Une telle attitude fait réémerger, dans l'interaction entre dominant et soumis, le sentiment de « commune humanité », à l'origine d'un espace de négociation, aussi minime soit-il. On a vu que les moments clés dans l'accession de Margareta au poste d'aînée de bloc correspondent toujours à une audace dans la communication avec d'autres. Cet exemple prouve également qu'il ne suffit pas, pour survivre, de disposer de certaines compétences monnayables dans le camp (et dont rendra compte le chapitre sur les ressources) : il faut également savoir saisir les occasions qui se prêtent à leur mise en valeur. Ces occasions clés sont, en quelque sorte, les moments qui inaugurent la reconquête de la singularité, l'accès, à partir du statut de numéro, à celui de personne et, s'il s'y ajoute la notoriété (le cas de résistants, d'artistes, de l'« aristocratie du camp »), à celui de personnalité.

Ajoutons donc, parmi les événements valorisants dans le camp, tous les contacts qui rendent, à des personnes devenues des numéros, leur singularité. Faire comprendre à une personne, par un sourire, un geste ou une parole, qu'elle est désirable la rehausse, la sort de la « masse grise » et renforce son ego. Un seul regard furtif

13. F. Bédarida, « Jalons et réflexions sur l'historiographie du génocide », in F. Bédarida (ed), *La Politique nazie d'extermination,* Paris, Albin Michel, 1989.

peut rendre le sentiment d'être une personne. On en a d'innombrables exemples dans les rencontres occasionnelles entre déportés hommes et femmes, pendant la marche au travail, parfois sur les lieux du travail.

Même s'ils ne sont pas assortis d'un sentiment amoureux, les rapports sexuels occasionnels librement consentis entre déportés (hétéro- ou homosexuels) sont presque toujours vécus comme valorisants et euphorisants. Par contre, les actes sexuels en échange d'un pain, d'un peu de beurre ou d'un vêtement, que les personnes concernées classent elles-mêmes dans la « prostitution », ont les effets inverses.

Finalement, les événements qui rétablissent un lien avec l'extérieur sont les ingrédients essentiels de l'espoir et donc de la volonté de survie. En font partie les quelques évasions et surtout les nouvelles du front, à partir de 1943, après la victoire décisive de l'Armée rouge à Stalingrad. La nervosité qui, à de tels moments, se répand parmi les gardiens subvertit leur image de toute-puissance et leur ôte la qualité présumée d'êtres invincibles. Si les nouvelles confirmées de défaites allemandes ont un effet d'encouragement, les rumeurs se révélant infondées provoquent des déceptions d'autant plus grandes que les déportés y avaient cru.

Au-delà de l'irruption de la grande histoire dans la routine du camp et de ses effets sur les déportés, ceux-ci doivent gérer les tensions issues de la contradiction entre l'adaptation aux conditions extrêmes d'un côté et, de l'autre, l'attachement à la vie en dehors du camp dans le passé et/ou dans l'avenir. Et si les nécessités de la lutte pour la survie dans le présent mobilisent toutes les énergies, l'espoir se construit par référence au passé et à l'avenir dans le monde extérieur (au camp).

Dedans et dehors

Dans un camp d'extermination plus que dans toute autre institution répressive, la coupure est presque totale entre ceux qui sont à l'intérieur et ceux qui sont à l'extérieur du camp. Le « rite de passage » à l'arrivée au camp a pour fonction de détruire tous les repères identitaires dans le passé d'une personne, et l'absence de tout contact avec l'extérieur entrave l'espoir dans l'avenir. A partir du moment où toutes les forces doivent se concentrer sur le présent et la survie physique, « penser » et imaginer autre chose devient improbable : « Il faut apprendre à ne pas penser, se serrer très fort les unes contre les autres. » « Dans le tourbillon des cruautés que nous subissions chaque jour, il ne restait pas de place pour la pensée. Nous étions hors du monde des vivants. Il y avait une cassure entre ceux qui existaient normalement, et nous ; moralement, nous étions morts, mais notre corps subissait encore des exigences. C'est ainsi que, lorsque nous avions soif, faim ou froid, nous éprouvions cela tellement fort que nous étions incapables de penser à autre chose. Cette soif, cette faim et ce froid obstruaient toutes autres pensées[14]. » Dans un entretien, une Française, qui à l'époque, avait à peine seize ans, dit qu'elle ne pouvait pas « imaginer qu'il existe encore des gens en France ».

Par cette coupure, le monde étrange et absurde du camp devient le seul « monde réel » pour ceux qui y sont internés : « Il est définitif, " éternel ". Si on entend par là : où le temps n'a plus de repère et plus de contenu intelligibles, où cesse même l'attente. C'est un monde infiniment pauvre, dépourvu de beauté, dépourvu d'amour, inférieur par conséquent à toute valeur, profane si on veut l'exprimer ainsi. Par-dessus tout, c'est un monde dépourvu de sens[15]. »

On imagine alors l'importance de tout ce qui peut atténuer cette coupure, c'est-à-dire de tout ce qui relie les internés à l'extérieur. Il s'agit, tout d'abord, des liens directs de personne à personne, dans le cas de déportés affectés à des usines externes ou à des postes de travail qui peuvent les mettre temporairement en rapport avec des « civils » venant du monde extérieur. D'une certaine manière, la circulation restreinte entre le camp des femmes et celui des hommes ouvre, elle aussi, une petite fenêtre vers la « vraie vie », celle du dehors, ne serait-ce qu'en permettant exceptionnellement la rencontre entre gens de sexe opposé. Avec l'aide d'intermédiaires, Margareta Glas-Larsson et Olga Lengyel ont même réussi à rester en contact avec leur mari[16].

14. L. Alcan, *Sans armes et sans bagages,* Limoges, Les Imprimés d'art, 1945, p. 46, et E. Zacharia-Asséo, *Les Souvenirs d'une rescapée,* Paris, La Pensée universelle, 1974, p. 79.

15. M. Dambuyant, *art. cit.*, p. 184.

16. Cf. l'entretien présenté plus haut, ainsi que O. Lengyel, *Souvenirs de l'au-delà,* Paris, Ed. du Bateau ivre, 1946, p. 272-276.

Même sans qu'il y ait échange de paroles, le regard, un signe de main ou les gestes de soutien (le fait de déposer sur le chemin des déportés un bout de pain, une pomme de terre ou des cigarettes) signalent aux déportés qu'on ne les a pas complètement oubliés en dehors du camp.

Le courrier, dans lequel rien d'important ne peut se dire, joue un rôle analogue. Selon le règlement officiel de la plupart des camps, un détenu pouvait recevoir et envoyer deux lettres ou cartes postales par mois, soumises à une censure extrêmement stricte. Or, étaient exclus de ce « droit » les détenus classés de « races inférieures » destinés à terme à l'extermination, et les détenus politiques arrêtés lors d'une action « Nuit et brouillard ». L'usage imposé de l'allemand limitait le nombre des déportés susceptibles d'exercer ce droit tout autant que l'interdiction de correspondre, une des punitions les plus fréquentes[17]. On imagine la rareté du courrier dans le camp d'Auschwitz-Birkenau. Dans notre corpus, une seule femme, polonaise, parle du courrier reçu à Birkenau. Le courrier mentionné par deux autres déportées, l'une autrichienne, l'autre française, concerne la période antérieure à leur arrivée à Birkenau. En revanche, selon plusieurs récits, les Polonaises (non juives) ont pu recevoir non seulement des lettres, mais aussi des colis ce qui représentait éventuellement un supplément considérable de nourriture. Le caractère exceptionnel de cette situation provoque, bien évidemment, des interprétations critiques de la part de celles qui en sont exclues ; elles grossissent, sans aucun doute, ce fait quand elles le qualifient de « privilège », et elles accusent les Polonaises d'être des « égoïstes qui ne partageaient qu'avec d'autres Polonaises et qui ne manquaient de rien ».

Si le lien par courrier est fermé au plus grand nombre, l'accès aux journaux et, même parfois, à la radio, est plus fréquent. Malgré l'interdiction formelle, les déportés travaillant dans les bureaux en contact avec les SS ou à Rajsko pouvaient profiter de l'absence de leurs supérieurs ou gardiens pour survoler les titres. Les ouvriers civils laissaient traîner les journaux ou les cachaient aux toilettes pour les déportés. Même si le cercle de ceux qui avaient ainsi directement accès aux nouvelles de l'extérieur était extrêmement

17. J. Lajournade, *Le Courrier dans les camps de concentration. 1933-1945*, Paris, L'Image document, 1985, p. 55.

restreint, celles-ci, diffusées de bouche à oreille, circulaient très rapidement.

Mis à part les liens avec l'« extérieur au présent », le rapport avec son passé permet au sujet de penser sa propre continuité, cette dimension essentielle de l'identité. Ce travail identitaire est d'autant plus facile à faire que le déporté n'est pas isolé, qu'il n'a pas subi de séparation avec tous les membres de sa famille ou qu'il a au moins su nouer des amitiés avec d'autres déportés de la même région, des mêmes écoles ou ayant eu les mêmes amis. C'est ainsi que s'ouvre la possibilité de parler de soi-même et de ses proches, de faire revivre son passé. En ce sens, les conversations familiales et amicales sont une technique de survie morale. A cause de cette fonction identitaire, les déportés rapportent beaucoup plus souvent des conversations portant sur le passé que sur l'avenir — thème réservé aux plus politisés.

L'avenir, rarement approché dans les conversations, l'est plus souvent par des techniques magiques : se laisser lire les lignes de la main ou tirer les cartes. Dans l'impossibilité d'avoir des renseignements fiables sur ceux qu'on a dû quitter ou qui, à un moment donné, ont disparu, la superstition devient l'instrument par excellence pour atténuer l'incertitude.

Si la magie constitue l'instrument privilégié du déplacement de la situation critique lorsqu'on ne peut trouver dans le réel les ressources pour l'affronter, elle rencontre forcément un champ d'application privilégié dans un monde aussi désespérant que le camp. Tout d'abord, elle atténue les tensions psychiques liées à une situation présente insupportable[18]. De plus, elle réduit les incertitudes concernant le sort des proches dont les déportés ont été coupés. Ce faisant, elle ouvre une fenêtre vers l'avenir. L'inquiétude concernant ses proches peut être tellement paralysante que les déportés cherchent à s'informer, même s'ils redoutent la découverte de la mort d'une proche et la perte des dernières illusions. D'où, à côté du recours aux diseuses de bonne aventure, la tendance à s'enquérir auprès des nouveaux venus, à chaque arrivée d'un convoi en provenance de son pays et de sa ville d'origine. L'attitude

18. J. Favret-Saada, « La genèse du producteur individuel », in *Singularités — textes pour Eric de Dampierre,* Paris, Plon, 1989, analyse le recours à la magie comme mode de résolution de tensions psychiques insupportables.

inverse, c'est-à-dire le refus de prendre des nouvelles, rencontrée dans le cas de Myriam, est une exception.

Les soucis sont d'autant plus marqués qu'ils concernent ses propres enfants et son conjoint. Viennent ensuite, par ordre décroissant, les parents, les frères et sœurs, les amis, les connaissances. Loin de traduire la seule angoisse de l'isolement et de la solitude en cas de perte des proches, cet ordre prouve que l'attachement émotionnel est tributaire du sentiment d'être indispensable et irremplaçable.

La réduction, au moins dans l'imaginaire, des incertitudes sur ce qui se passe « dehors » et sur les personnes que le déporté a dû y abandonner donne sens aux combats pour la survie que celui-ci doit livrer au camp.

Si la crainte et l'ignorance poussent, dans ce contexte, beaucoup de personnes à croire au caractère véridique des prédictions données grâce aux techniques magiques, le recours ou le retour à la pensée religieuse, rarement rapportés, concernent essentiellement les croyants fervents, aux convictions inébranlables dès avant leur déportation. « Comment Dieu peut-il laisser se développer une telle injustice ? » est la réaction courante de ceux dont la foi n'est pas profondément ancrée. Pourquoi ce recours, en situation extrême, aux techniques magiques plutôt qu'à la foi ? Les premières mettent en contact le demandeur avec une personne jugée compétente en matière de telle ou telle technique. Le jeu du regard, des gestes et de la formulation de la demande introduit dans cette interaction un élément de négociation du sort, l'expert en magie répondant, en quelque sorte, à la demande précise qu'il a réussi à décoder. Par un effet de réduction de l'incertitude, les « bonnes » et les « mauvaises » prédictions peuvent calmer et apaiser le demandeur. La foi, quant à elle, ne se négocie pas. L'acte de « remettre son sort aux mains de Dieu » peut être ressenti comme un abandon de soi-même et comme la perte du peu de maîtrise de la réalité qui reste au demandeur. D'ordinaire, le croyant se conforme à la volonté de Dieu, qui lui dicte les désirs. En situation extrême, le silence de Dieu le renvoie à soi-même. Le sentiment d'incertitude, doublé par le doute religieux, aura alors tendance à monter. Le sentiment religieux, défini comme un rapport intime et intériorisé avec Dieu, peut se révéler inopérant. Par contre, le rituel renforce le lien avec d'autres. En donnant de la force à la communauté des participants, le rituel console, réconforte et rassure chaque croyant pris individuellement. L'organisation, dans des conditions extrêmement difficiles, de la prière et de la pratique religieuse avec d'autres croyants renforce donc l'assurance de soi individuelle et collective, au même titre que les regroupements politiques ou nationaux.

En tant que techniques de survie morale et culturelle, les conversations entre déportés intègrent souvent la littérature, le théâtre, la musique. Cela permet d'introduire de la couleur dans un univers gris, et, plus important, procure le sentiment d'avoir retrouvé singularité et distinction par rapport à une masse soumise à l'abrutissement. L'activité culturelle qui naît ainsi au camp va jusqu'à la réunion d'amies pour réciter des poèmes, reconstituer et jouer des pièces de théâtre. Les Françaises de Rajsko animées par Charlotte Delbo, en sont l'exemple le plus connu.

A ces instruments intellectuels et culturels s'ajoutent des « jeux de parole » qui singent la vie au-dehors et, ce faisant, rétablissent un lien, au moins imaginaire, avec les désirs.

Pratiquement tous les témoignages de notre corpus rapportent ainsi les jeux de cuisine, l'échange de recettes et les rituels de préparation. Mis à part sa fonction imaginaire, la fréquence de ces jeux suggère qu'ils permettent momentanément d'atténuer la faim et les déficiences les plus élémentaires, d'où l'importance des plats consistants et des desserts dans les recettes échangées. D'autres jeux mettent en scène le cadre de vie, le choix de tissus et de meubles, les vêtements et les produits de beauté. Par ailleurs, ces jeux reprennent tous les fantasmes courants de féminité : cultiver son intérieur et son extérieur, sa maison, son apparence, son esprit, sa conversation[19]. Ces jeux ont pour dénominateur commun la volonté de redevenir un être singulier et désirable, d'où aussi leur nom dans le jargon du camp : « Je suis une femme[20]. »

Ces techniques, si importantes pour la reconquête de l'identité, ne sont pas ouvertes à tout le monde et restent inégalement distribuées[21] : en fonction de la socialisation reçue avant la

19. N. Heinich, « Crises d'identité, état de femmes et recours au roman », GSPM, 1989, manuscrit non publié, pp. 14-15.

20. G. Perl, *I was a Doctor in Auschwitz,* New York, International Universities Press, 1948, en parle à plusieurs reprises.

21. Pour comprendre cette distribution inégale, on devrait transposer au contexte du camp les logiques de distinction esthétique en relation avec la différenciation sociale : P. Bourdieu, *La Distinction,* Paris, Ed. de Minuit, 1979.

déportation, en fonction de la position acquise au camp, et tout particulièrement en fonction du traumatisme, d'autant plus difficile à surmonter dans le cas des déportés (majoritairement juifs) qui savent qu'ils sont les seuls survivants de leur famille. A quoi alors se rattacher, comment ressourcer l'espoir, comment maintenir la volonté de survie ?

Le travail de reconquête de l'identité commence par les dimensions physiques de l'être (maîtriser la faim et la fatigue, se rassurer sur ses fonctions biologiques et sexuelles), avant de s'étendre aux dimensions relationnelles (s'informer sur le sort de ses proches, renouer des liens) et esthétiques (l'apparence corporelle et vestimentaire).

C'est ainsi que le sujet essaie de faire coïncider les trois moments de toute identité : l'image de soi pour soi (autoperception), celle qu'il donne à autrui (représentation) et celle qui lui est renvoyée par les autres (hétéroperception)[22]. Ce processus suit une logique interne par le triple principe d'unicité, de similitude et de cohérence temporelle du sujet, que privilégie l'approche psychologique et psychanalytique[23], et une logique externe que privilégie l'approche sociologique : les principes en sont les critères de cohérence d'une trajectoire, la compatibilité, la proximité géographique et la prévisibilité des positions successivement occupées et des fonctions remplies par le même sujet. Ces deux logiques emmêlées se renforcent mutuellement, d'où l'importance, pour le déporté, d'introduire, au moins dans son imaginaire, le « monde au-dehors » dans la vie qu'il mène dans un univers fermé.

Pouvoir établir des liens avec le « dehors » remplit plusieurs fonctions : des liens matériels (réception de colis, dons de nourriture) contribuent à assurer la survie physique ; des informations d'ordre général peuvent nourrir l'espoir ; des informations (présumées ou réelles) sur les proches, reçues par d'autres déportés ou par les diseuses de bonne aventure, aident les déportés à envisager l'avenir, soit par la désillusion (en cas de certitude de la mort des autres), soit par l'espoir de récupérer, en cas de libération, la position et la fonction que le déporté avait occupées vis-à-vis d'autres (de mère et de père, de fils ou de fille, d'ami, etc.). Pouvoir

22. N. Heinich, *art. cit.*
23. A. Green, « Atome de parenté et relations œdipiennes », in C. Lévi-Strauss, *L'Identité,* Paris, PUF, 1977, pp. 81 sq.

ou pas se ressourcer dans son passé, reprendre espoir grâce aux informations sur le déroulement de la guerre, envisager l'avenir après la libération : ces éléments du « dehors » façonnent les modes d'adaptation à la réalité du camp.

8. *Trouver sa voie*

La sortie du traumatisme originel s'accompagne presque toujours, non seulement d'une prise de conscience, mais d'une « prise de décision » : survivre à tout prix. Or si la volonté, décrite en termes de décision, est une condition indispensable à l'engagement dans une lutte pour la survie, elle n'est pas suffisante.

Tout d'abord les chances de succès de la lutte pour la survie dépendent de la situation d'hygiène du camp, qui varie en fonction de l'encombrement et de l'irruption d'épidémies. Selon le commandant d'Auschwitz, Höss, le camp des femmes, Birkenau, était surchargé dès les premiers jours de son existence et les installations sanitaires suffisaient à peine pour le tiers des déportées. En l'absence d'un système d'égouts, des épidémies éclataient périodiquement. Ainsi, la mortalité quotidienne se situait entre 150 et 300 personnes. Les épidémies presque annuelles de typhoïde exanthémique étaient les plus meurtrières de toutes les maladies contagieuses. La plus forte des épidémies, entre octobre 1943 et février 1944, fut accompagnée de l'intensification des sélections au Revier et dans le camp, perçues par certains comme des mesures pour contenir l'épidémie. En conséquence, le nombre des internés tomba de 32 000 à 24 000[1].

S'agissant d'un camp de la mort, toute analyse doit prendre en compte que, dans un contexte d'extermination du plus grand

1. E. Lingens-Reiner, *Prisoners of Fear*, Londres, Victor Gollancz, 1948, pp. 62-65 ; voir également les passages dans plusieurs témoignages présentés par O. Wormser, H. Michel, *Tragédie de la déportation 1940-1945. Témoignages de survivants des camps de concentration allemands*, Paris, Hachette, 1954.

nombre (par le gaz ou par le travail), rares étaient les détenus occupant des positions plus protégées. Avec la croissance du camp d'Auschwitz augmentait également le nombre des positions auxiliaires de gestion : administration, cuisine, tri et envoi en Allemagne des vêtements et objets confisqués, services hospitaliers, etc. L'importance quantitative de cette structure « autogestionnaire » ressort d'un appel secret concernant le travail à Auschwitz, du 14 février 1944 : presque un détenu sur trois qui travaillaient s'occupait de la gestion interne du camp[2], les autres étant affectés aux travaux manuels extérieurs. Ce chiffre est à rapprocher de la relation quantitative entre les SS et les détenus, qui était de un pour quarante. Le recrutement dans les positions administratives et auxiliaires se faisait le plus souvent sous la responsabilité autonome des détenus. La structuration du camp en positions plus ou moins éloignées de l'extermination produisait des couches de détenus qui se superposaient partiellement aux différentes catégories officielles : 1 à 2 % des détenus appartenaient à la « couche supérieure » (aînés de camp, aînés de bloc, médecins-détenus, etc.), 10 % à la « couche moyenne » (kapos et détenus occupant des positions gestionnaires), et 90 % étaient des détenus sans avantages ou des « musulmans »[3]. Le terme même, « survivre », est souvent utilisé dans le jargon du camp pour désigner l'occupation des positions supérieures. La différence entre ces chiffres et ceux qui ont été donnés plus haut indique que, en période de fort encombrement des camps, un peu plus d'un tiers seulement des détenus étaient considérés comme aptes au travail. Les « races inférieures » (juifs et Tziganes), soumises à l'extermination directe, étaient exclues de la participation à ce système. Ce système d'« autogestion » explique le développement, dans le camp de concentration, d'un ensemble de règles et de normes de conduite parmi les détenus, dont la maîtrise pouvait considérablement augmenter les chances de survie.

2. Standortbefehle, Syg D-AV-I-1, Archives du Musée national d'Auschwitz, Oswiecim.

3. H.G. Adler, « Selbstverwaltung und Widerstand in den Konzentrationslagern der SS », *Vierteljahreshefte für Zeitgeschichte,* 2, 1960, p. 225. Voir également : D. Rousset, *L'Univers concentrationnaire,* Paris, Editions du Pavois, 1946, pp.158-162.

La réalité perçue

Aucun déporté n'a de vision globale et exhaustive de la réalité du camp. La connaissance du camp s'élabore en même temps que les tentatives pour améliorer la position qu'on y occupe. D'où l'erreur qui consisterait à analyser la survie en termes de stratégies. Dans leurs actes, les déportées sont guidées par une vision limitée de la structure et du fonctionnement du camp, vision qui s'élargit avec le temps et grâce aux expériences acquises. La trajectoire dans le camp dépend, en premier lieu, des catégories de perception, variables d'une personne et d'un groupe à l'autre, qui permettent de s'orienter et de se positionner[4].

Pratiquement toutes les femmes de notre corpus parlent explicitement de quelques endroits qu'elles ont personnellement connus : les lieux d'enregistrement au camp et les blocs de quarantaine où passent toutes les déportées avant leur admission et leur affectation aux équipes de travail. Suivent le Revier et le Canada, mentionnés par le plus grand nombre à cause de leur importance pour la survie. Les postes dans le Revier sont convoités par la plupart des déportées à cause des avantages qu'ils procurent : dispense de l'appel du matin, accès aux douches. Les chances d'y être affectée sont, de fait, minimes. Mais la quasi-totalité des déportées ont fréquenté le Revier en tant que patientes. Même si les risques de sélection pendant une période d'hospitalisation, fréquemment invoqués, sont considérables, les déportées en gardent surtout le souvenir du repos et du soutien moral donné par telle ou telle doctoresse ou infirmière.

« Canada » désigne, dans le jargon du camp, le centre de stockage et de tri de tous les biens retirés aux déportés à leur arrivée au camp. 2000 déportés y travaillaient. C'est dire la taille de ce lieu central et décisif pour alimenter le marché noir du camp. Toutes les femmes de notre corpus connaissent Canada. Presque un tiers des femmes de notre corpus ont, à un moment ou un autre, été affectées à ces travaux. Elles avaient donc directement accès à certains biens.

4. L. Boltanski, L. Thévenot, « Finding one's way in social space : A study based on games », *Social Science Information,* 22, 4/5, 1989, pp. 631 sq.

Si le travail physique y est, en général, moins éprouvant que dans les commandos de terrassement ou dans les usines, il est moralement mal supporté à cause de l'origine des objets, provenant des déportés gazés. De plus, ce travail comporte des risques, et peut exposer au jugement moral des autres. C'est ainsi qu'un rescapé décrit Canada : « A Auschwitz, la corruption battait tous les records... Car au camp d'extermination, il y avait " Canada ". Dans les bagages des juifs déportés, on trouvait, à portée de main ou dissimulés dans des cachettes, toutes sortes d'objets de valeur. Tant que les bagages n'étaient pas mis en ordre et séquestrés, tout le monde, internés aussi bien que SS, pouvait s'approprier ce qu'il voulait de façon assez incontrôlée. Il suffisait d'accéder à " Canada " et de trouver un moyen pour emporter des biens en cachette[5]. »

Ce qui se trouve ici décrit en termes de corruption et d'échanges chaotiques est, de fait, soumis à des règles bien précises. Faire entrer en contrebande certains biens indispensables au camp et s'exposer au risque de punition ne peut que susciter l'admiration. Il est clair qu'un marché noir assez anarchique vaut mieux que pas de marché du tout, pour se procurer quelques vêtements supplémentaires, des chaussures, des instruments de travail. Ce marché est à la base des échanges qui permettent aux déportés de « s'organiser » et d'« organiser ».

Ces termes désignent tous les actes de contrebande et de vol permettant l'amélioration de la situation du reclus. S'agissant d'activités en rupture avec la morale courante, elles sont comparées tantôt aux actions positives de soutien, tantôt aux actes criminels : « Suzanne organise. Cette dernière, avec qui j'étais au bloc de convalescence, est maintenant aux " pommes de terre ". Elle " organise ", c'est-à-dire qu'elle vole le plus possible et elle nous donne très souvent des rutabagas crus ou préparés en choucroute. Cela nous paraissait délicieux[6]. » Ici, le vol entrepris au nom d'avantages individuels et collectifs est valorisé et justifié par le dénominateur commun : la survie physique. De plus, le vol de légumes ne porte préjudice à « personne », ou alors uniquement

5. H. Langbein, *Menschen in Auschwitz,* Vienne, Europa, 1972, p. 161. On trouve des descriptions similaires dans pratiquement tous les témoignages.

6. L. Alcan, *Sans armes et sans bagages,* Limoges, Les Imprimés d'art, 1945, pp. 52-53.

aux gardes SS qui, dans ce cadre, ont perdu leurs qualités de « personnes » par rapport auxquelles les déportés accepteraient de justifier moralement leurs actes. Le partage avec d'autres rend ici moral des activités réprouvées en d'autres circonstances. Or ce partage concerne essentiellement les camarades les plus proches, dans la même catégorie. Ce manque d'« équité » suscite peu de contestation de la part des autres déportées, qui l'acceptent comme normal.

Par contre, voler les objets d'autres déportés est unanimement réprouvé. Il émerge même spontanément des formes de justice collective. Quand, par exemple, une déportée ayant perdu une chaussure ou sa gamelle tente de récupérer ces objets en les volant et se trouve prise en flagrant délit, celles qui la voient peuvent l'obliger à les rendre en utilisant la pression par l'opprobe ou, en cas de refus, la force physique[7].

Des commandos de travail ouvrant également l'accès au marché noir, mais plus périphériques et moins connus dans leur fonctionnement que Canada, sont les cuisines et les champs de pommes de terre. Un commando « privilégié », à l'abri des sélections et du travail manuel, est l'orchestre, composé d'une vingtaine seulement de déportées. La station de recherche Rajsko, qui forme un petit camp de travail à part et où travaillent des déportées laborantines et spécialistes de biologie, chimie et de botanique, est peu connue par la majorité des déportées mais très appréciée par celles qui ont pu y accéder.

Pervertis et vidés de leur sens dans ce monde à l'envers, ces lieux de l'« art » et de la « science » conservent, comme dans la vie courante, un style plus « poli » et « civilisé » dans les interactions entre déportées et entre celles-ci et certains dirigeants SS. Dans les récits, ils apparaissent à la fois comme les « protecteurs » et les « mécènes » de ces quelques dizaines de déportées affectées à leur territoire.

Mais malgré cette proximité, et contrairement aux postes dans l'administration du camp (Schreibstube), ces situations, trop « exceptionnelles », ne suscitent ni jalousies ni critiques. A cause des informations qu'elles procurent, à cause aussi des possibilités de manipulation des statistiques et de l'allocation des postes de travail,

7. Sur ces interprétations du vol, cf. T. Des Pres, *The Survivor*, New York, Washington Square Press, 1976, pp. 165-167.

les positions administratives sont en revanche l'enjeu d'une concurrence acharnée entre différents groupes et catégories de déportées. C'est là où s'organise la résistance. C'est là aussi où la proximité avec les SS est la plus forte et fait partie, inévitablement, de la vie quotidienne. La nature de ces conflits, invisibles pour le plus grand nombre, n'est bien comprise et explicitée que par celles et ceux qui y ont effectivement participé.

Appartenances et réseaux affectifs

La population des détenus dans les camps de concentration est fortement hiérarchisée selon les catégories correspondant aux raisons d'internement et selon les fonctions remplies au sein du camp. Après l'internement de ressortissants des territoires occupés, la nationalité s'ajoute à l'intérieur de chaque catégorie comme critère supplémentaire de différenciation. Des signes extérieurs marquent l'appartenance de chaque détenu. Des triangles de couleur et l'initiale du pays d'origine désignaient les différentes catégories : jaune pour les juifs, rouge pour les politiques, vert pour les criminels, noir pour les asociaux, rose pour les homosexuels, lilas pour les témoins de Jéhovah, brun pour les Sintis et Romas (Tziganes).

Un critère supplémentaire de hiérarchisation est la date d'internement, les « aînées » disposant de certaines facilités d'accès à des positions de gestion, mais surtout d'un savoir pratique et d'une connaissance qui leur valaient souvent le respect des « nouveaux arrivants ». A Auschwitz, le numéro brûlé sur la peau permettait une identification rapide selon la date d'entrée : certains survivants racontent que les détenus à numéro bas jouissaient d'une grande autorité, alors que les « millionnaires » (plus de six chiffres) étaient méprisés.

Parmi les différentes catégories d'internés, Bettelheim trouve la plus grande capacité de résistance au choc initial de l'internement chez les criminels de droit commun, qui vivent le fait d'être mis sur un pied d'égalité avec les membres de l'élite politique comme une revanche, source de satisfactions propres à les aider à maintenir leur identité personnelle. Quant aux prisonniers politiques, ils se voient confirmés dans leurs analyses et, de tous les internés, ils sont les mieux préparés à la réalité qui les attend. Par contre, la plupart des prisonniers non politiques appartenant à la petite et moyenne bourgeoisie — ils ne constituaient qu'une infime minorité dans la population des camps observée alors par Bruno Bettelheim — résistaient mal au choc initial. Ne pouvant croire à ce qui leur arrivait, et guidés par leur sens très développé de la légalité, ils se croyaient victimes d'une erreur qu'il s'agissait d'éclaircir rapidement. Leurs efforts pour convaincre les gardes de leur innocence contrastent avec l'attitude des membres des classes supérieures, qui manifestent une attitude aristocratique, méprisant les gardes ainsi que la plupart de leurs codétenus, vis-à-vis desquels ils marquent leurs distances, avec l'assurance d'obtenir rapidement leur libération grâce à des interventions en leur faveur[8].

Notre travail confirme, partiellement, les analyses de Bettelheim sur les réactions différentielles aux conditions d'un camp selon les classes sociales. Mais portant sur une époque postérieure à celle qu'a connue Bettelheim, et où l'internement touche une population plus vaste et sociologiquement différente, nos interprétations divergent de celles de Bettelheim en même temps qu'elles les complètent. En effet, pendant l'internement de Bettelheim à Dachau, en 1938, la quasi-totalité des internés étaient soit des « criminels », soit des « politiques », l'internement systématique des juifs n'ayant pas encore commencé. Après 1942, la situation a complètement changé : au sein des camps, les criminels ne tiennent plus les postes dominants d'auto-administration que leur avaient confiés au début les SS ; ces postes sont tenus en majorité par des « politiques », ce qui va dans le sens de l'hypothèse de Bettelheim selon laquelle ces derniers avaient plus de force de résistance parce qu'ils voyaient dans leur internement même la confirmation de leurs thèses et qu'ils étaient psychologiquement mieux préparés aux conditions du camp que toutes les autres catégories d'internés. Cette force de résistance supérieure, ainsi que la prédisposition des « politiques » à ne pas se laisser diviser leur avaient permis de créer des liens de solidarité entre eux et d'accroître leur influence dans les camps.

8. Pour le comportement de survie selon les classes sociales, voir : B. Bettelheim, *Survivre,* Paris, Robert Laffont, 1979, pp. 75-79. Des interprétations divergentes sont avancées par A. Pawelczynska, *op. cit.*, ainsi que par F. Pingel, *Häftlinge unter SS-Herrschaft, Widerstand, Selbstbehauptung und Vernichtung im Konzentrationslager,* Hambourg, Hoffmann und Campe, 1978.

A cette hiérarchisation selon les classes sociales s'en ajoute une autre, issue de la compétition pour l'accès aux positions de gestion du camp qui, en procurant certains avantages, offraient de plus fortes chances individuelles de survie. Dans la hiérarchie officielle, les « criminels » et les « politiques » d'origine allemande occupaient le haut de l'échelle, les juifs et les Gitans le bas.

Les conflits les plus intenses entre différentes catégories de détenus opposaient les « politiques » aux « criminels ». Ces derniers, officiellement dotés à leur début des positions dirigeantes dans les camps, perdirent progressivement leur influence au profit des « politiques », qui se distinguaient par une plus forte cohésion de groupe et dont les capacités d'organisation étaient appréciées par les SS à des périodes d'encombrement où la gestion des camps devenait une tâche de plus en plus difficile. A Auschitz-Birkenau, les « politiques » semblent avoir conquis le contrôle dès 1943, quand Ludwig Wörl est nommé aîné du camp Auschwitz I et Orli Wald-Reichert aînée du Revier du camp féminin.

La catégorie d'internés la moins bien préparée à la vie des camps — les membres de la petite et moyenne bourgeoisie sans engagement politique particulier, minoritaire au moment des observations de Bettelheim — vit son nombre s'accroître par la déportation systématique des juifs. Ce changement important dans la population des camps et dans les hiérarchies établies entre les différentes catégories d'internés introduisit autant d'alliances et de systèmes d'entraide. Dans un univers plurilinguistique, ceux-ci se nouent tout d'abord en fonction des possibilités de communication au sein des groupes linguistiques et nationaux. Même les réseaux politiques — essentiellement communiste, et, dans le cas polonais, catholique — transcendent difficilement ces frontières. Ainsi les contacts suivis entre communistes allemandes, françaises et polonaises sont limités. Grâce à leur double appartenance et à leurs connaissances linguistiques multiples, quelques intermédiaires purent offrir leurs bons offices dans le travail consistant à tisser des réseaux plus formels de résistance. On trouve dans ce rôle des juives polonaises émigrées avant la guerre et déportées de France, parlant yiddish, polonais, allemand et français, et également des Autrichiennes, émigrées dès avant la guerre, arrêtées dans les pays occupés et parlant souvent le français, en plus de l'allemand et d'une autre langue de l'ancien empire.

Mais en l'absence de telles qualités et de l'utilité d'une personne pour un travail politique de renseignement et de mise en contact, les déportés, dans leurs efforts visant à surmonter les tendances à l'isolement, ne peuvent guère compter sur un réseau élargi de relations et doivent s'appuyer sur un petit nombre de liens affectifs noués au camp. L'étendue de son réseau de relations dépend fortement de la place du déporté dans la hiérarchie du camp. Un peu plus d'un tiers dans notre corpus, se situant en bas de cette hiérarchie, traversèrent l'expérience concentrationnaire en s'appuyant sur un seul lien privilégié, avec la mère, la sœur ou une amie. Ces relations parentales ou de couple, où règne une confiance absolue, s'élargissent temporairement ou à plus long terme, souvent pour y accueillir des déportées plus jeunes. Emergent ainsi des îlots affectifs dans un univers hostile et cruel. Ce sont ces îlots que privilégie Terrence Des Pres, les analysant comme points de départ des complicités et des ruses indispensables à la survie dans un univers où des institutions médiatrices n'existent que pour une couche infime de la population[9]. Comment s'étonner alors que le camp apparaisse, dans la plupart des récits, comme un moment fort, voire inégalé, de l'expérience de l'amitié et de l'amour ?

A la force des sentiments fait écho celle des ressentiments et des jugements réciproques. Ces jugements, loin de constituer des préjugés relativement indépendants de la situation, doivent être reliés à la place de telle ou telle catégorie et à la participation, plus ou moins directe, de celui qui émet le jugement dans la compétition qui les oppose. En tant que catégorie, les « asociales » et les « droit commun » sont unanimement frappées d'ostracisme. Les rares jugements positifs les concernant sont émis à titre individuel, désignant alors l'exception qui confirme la règle. Le jugement général négatif est renforcé par l'exemple de la brutalité, de la saleté et des relations (homo)sexuelles de kapos issues de cette catégorie.

Quant aux nationalités, la première opposition est celle entre sa propre nationalité et toutes les autres. S'y ajoute le degré de concurrence entre deux nationalités. Plus la concurrence est forte, plus le jugement porté sur l'autre est sévère. Ainsi les Allemandes accusent-elles surtout les Polonaises et les Slovaques de « magouille », de « népotisme », d'« intrigues » et d'« opportunisme » — et réciproquement. Les Françaises, largement exclues de

9. T. Des Pres, *op. cit.*, pp. 170 et 214.

la concurrence pour les positions dirigeantes, portent des jugements plus nuancés, en général plus sévères pour les Allemandes, accusées de connivence avec les SS, que pour les Polonaises et Slovaques.

Les autres nationalités, également exclues de cette concurrence, sont approchées en fonction de certains attributs physiques, vestimentaires et comportementaux. Aux nationalités de l'Est européen, les Russes et les Ukrainiennes, la plupart des commentaires accordent des capacités de résistance physique extraordinaires, en même temps qu'un manque de civilité et de souci esthétique. Plutôt « sales », elles offrent une image déshumanisée parce qu'elles « se battent pour les épluchures ». S'y opposent le plus clairement les nationalités de l'Ouest et du Sud, les Françaises, les Hollandaises et les Grecques, jugées moins résistantes physiquement et qui — les Grecques surtout — « tombent comme des mouches ». Les Hongroises sont décrites de façon assez proche des Françaises, moralement intransigeantes et conscientes de leur apparence physique, esthétique et vestimentaire.

Les Tziganes sont une catégorie à part, également à cause de leur traitement à part. Avant leur extermination collective à l'automne 1944, ils étaient regroupés dans un camp où les familles n'étaient pas séparées. Cela a pu nourrir l'image et le souvenir qu'ils ont laissés à la plupart des autres déportés : un groupe « coloré », « bariolé », « joyeux » et relativement « insouciant ».

Ces différentes caractérisations, où s'entremêlent la perception des réalités du camp avec des idées préconçues (et parfois confirmées par l'expérience du camp), renvoient à une distribution inégale de ressources, allant des ressources corporelles aux ressources intellectuelles et morales.

Une autre catégorie, celle des « musulmans », transcende toutes ces oppositions. Ce terme désigne à Auschwitz les personnes complètement épuisées et apathiques : « Affamées, affaiblies, ces malades qui avaient tout le temps froid se rassemblaient de préférence autour des chauffages de la baraque hospitalière ou près du conduit de cheminée qui traversait la baraque. Souvent, elles se mettaient sur ces conduits comme sur un banc. De cette manière, ces femmes s'infligeaient de fortes brûlures sur le bassin et les cuisses, parfois au troisième degré. Les malades ne s'en rendaient même pas compte (...). J'ai vu un soir un cas où des rats avaient mangé la plante des pieds d'une malade, il ne restait que les tendons (...). La femme concernée ne réagissait même pas. Après qu'on lui eut mis un bandage, elle vécut encore pendant deux jours[10]. » Le professeur polonais Jan Olbrycht a publié ses observations sur le Revier du camp principal d'Auschwitz. Il y décrit le ralentissement et l'affaiblissement de tous les processus physiques et psychiques chez les malades. « C'est pour cela qu'ils exécutaient très lentement les ordres, c'est ce qu'on a parfois interprété, par erreur, comme un signe de résistance passive qui incitait les SS et les kapos à des tortures bestiales[11]. »

Comme pour d'autres termes du jargon du camp, il est impossible de retracer de façon sûre l'origine du terme « musulman ». Une explication possible est celle avancée par H. Langbein, qui dit que la position accroupie des « musulmans » rappelait la position des Arabes en prière. Une autre explication pourrait être trouvée dans le texte d'une chanson allemande pour enfants très populaire : « *C-A-F-F-E-E trink nicht so viel Kaffee, Nicht für Kinder ist der Türkentrank, Schwächt die Nerven, macht Dich blass und krank, Sei doch kein Muselmann, Der das nicht lassen kann.* » (C-A-F-E ne bois pas tant de café, la boisson des Turcs n'est pas pour les enfants, elle affaiblit les nerfs, te rend pâle et malade, ne sois pas un musulman, qui ne peut pas s'en passer.)

Situées désormais « hors jeu », entre la vie et la mort, les « musulmans » ont perdu toute qualité singulière. Elles ne font pas non plus l'objet de jugements de valeur négatifs. Ne plus pouvoir participer à la concurrence signale la fin, le passage à la mort.

Les ressources

Certains concepts forgés pour rendre compte du lien entre le psychique et le social, entre l'individuel et le collectif, tant en sociologie qu'en psychologie sociale, sont issus de l'analyse de processus et de phénomènes dotés d'un degré de stabilité relativement élevé. Cela s'applique à la littérature sur la socialisation, aux

10. H. Langbein, *op. cit.*, pp. 113-115.
11. J. Olbrycht, « Sprawy zdrowotnosci w obozie Oswiecimskim », in *Okupacja i medycyna. Wybor artykulow z « Pregladu Zekarskiergo — Oswiecim » z lat 1961-1970*, Warszawa, Ksiazka i Wiedza, 1971.

concepts d'habitus et de capital, qui étudient essentiellement l'ajustement réciproque entre les dispositions individuelles et la structure sociale [12]. Ces conceptualisations n'excluent nullement l'étude de moments de crise, de phénomènes de désajustement et de transition d'un état à l'autre [13]. Toutefois, trop globales et trop attachées à la conception de l'unité de la personne, elles ne facilitent pas forcément l'analyse de situations extrêmes, différentes de crises de transition courante, et qui renvoient l'individu à l'improvisation, à la ruse, au décodage spontané de situations imprévues et incertaines. On peut ainsi renverser une des critiques adressées par Pierre Bourdieu aux interactionnistes. Ce qui, dans l'analyse sociologique générale, fait la limitation de cette approche est ici un avantage. Selon Bourdieu, « la vision du monde social que propose l'interactionnisme correspond à un univers social à très faible degré d'institutionnalisation du capital symbolique, celui des classes moyennes urbaines, avec leurs hiérarchies multiples, brouillées et changeantes, dont l'incertitude objective est redoublée, pour la conscience commune, par le faible degré d'interconnaissance et l'absence corrélative de la connaissance minimale des caractéristiques économiques et sociales les plus " objectives " [14] ». Parce qu'ils ont été amputés des acquis de leur vie (du capital économique, social et symbolique), parce qu'ils se trouvent dans un univers où l'accumulation et la stabilisation d'acquis sont impossibles, et parce qu'ils ont une vision toujours partielle de cet univers étrange, les déportés, bien au-delà de ceux qui sont originaires des classes moyennes, sont placés dans un système dont la caractéristique « objective » la plus évidente est l'extermination du plus grand nombre. Pour s'opposer à cette donnée objective, ils ne disposent que de leur volonté de survivre et de quelques ressources qu'ils doivent mobiliser sélectivement. Si certaines de ces ressources sont opératoires à un niveau plus général, d'autres le sont seulement dans un nombre limité de situations. On peut distinguer entre ressources physiques et incorporées (liées au corps), ressources

12. Nous pensons bien évidemment à l'œuvre d'Erik H. Erikson et de Pierre Bourdieu.

13. Ce que prouverait, par ailleurs, l'intérêt que porte Erikson aux crises d'adolescence : E. H. Erikson, *Jugend und Krise,* Klett, Stuttgart, 1974. Il en est de même dans l'analyse des « stratégies de reconversion », par Pierre Bourdieu : *La Distinction,* Paris, Ed. de Minuit, 1979, pp. 145 sq.

14. P. Bourdieu, *Le Sens pratique,* Paris, Ed. de Minuit, 1980, p. 240.

relationnelles (traitées plus haut dans le chapitre sur les appartenances et les réseaux affectifs), et ressources cognitives (compétences certifiées et savoir-faire pratiques).

La logique subjective de la volonté et de la mobilisation de ressources ne doit pas être ici traitée comme simple résidu de l'analyse en termes de statut et d'appartenances collectives. L'objectivité du subjectif se manifeste tout d'abord dans le corps. Etre en bonne santé et condition physique, « être en forme » et avoir la « force » apparaissent comme des ressources essentielles pour la survie. La « forme » du corps (dans le sens physique, esthétique et figuré : « être en forme ») est directement liée à l'âge, essentiel dans cet univers et pas seulement à cause des limites d'âge qui vouent les moins de seize ans et les vieux à la sélection.

En l'abscence de possibilités de soins esthétiques qui font de la beauté un phénomène social, la beauté naturelle est un atout essentiel. Il en est de même d'autres caractéristiques corporelles, telle la taille. Une déportée explique ainsi certains avantages dont elle a pu jouir par sa « taille qui impressionne les autres » (déportées et gardes)[15]. Une autre attribue la survie à sa taille exceptionnellement petite, permettant plus facilement de « se cacher », de « se rendre invisible » et d'« organiser »[16].

Le fait d'avoir pu garder ses cheveux à l'arrivée ou de pouvoir les laisser repousser (cas du personnel du Revier) apparaît comme un avantage dans cette même logique : tout ce qui distingue et singularise une personne peut se transformer en ressource décisive en la mettant « au-dessus de la mêlée ». Il faut ajouter aux attributs proprement physiques les vêtements qui mettent en valeur ou, à l'inverse, défigurent le corps. D'où l'importance, pour les déportées, d'améliorer leur image en se procurant habits et chaussures sur le marché noir et d'échapper ainsi à la condition de « clocharde ». Il en est de même de l'accès à tout ce qui facilite les soins corporels : latrines, eau, crèmes, graisse.

La langue maternelle se rapproche des caractéristiques physiques d'une personne par son caractère incorporé et permanent. Mais si le caractère exceptionnel des attributs esthétiques du corps est au

15. S. Birnbaum, *Une Française juive est revenue,* Paris, Ed. du livre français, 1945.

16. E. Bruck, *Wer Dich so liebt...*, Francfort, Scheffler, 1961.

principe de la singularisation et de la distinction qui avantagent la personne, la rareté de la langue empêche la communication et isole. D'où l'utilité différentielle des langues à Auschwitz-Birkenau. Les deux langues les plus utiles sont l'allemand — langue officielle par laquelle passe la communication entre déportés et personnel de garde — et le polonais, langue parlée par le groupe le plus nombreux au camp et par les habitants des environs. La maîtrise d'une de ces deux langues est la ressource essentielle, mais non suffisante, pour l'accès aux positions les plus convoitées dans le camp. Certaines langues, proches les unes des autres, ouvrent des horizons plus larges que d'autres dans les contacts au-delà des frontières linguistiques. Ainsi la maîtrise d'une langue slave facilite la compréhension de toutes les autres : d'où la possibilité de communication, même limitée, entre les Polonais, Russes, Ukrainiens, Slovaques et Tchèques. On constate le même phénomène entre le yiddish et l'allemand. Par contre, les langues que parle un seul groupe, de surcroît comparativement peu nombreux (le français, le grec ou le hongrois), renforcent l'isolement et excluent de la concurrence pour les positions supérieures à l'abri des dangers les plus immédiats.

Certains savoirs certifiés ouvrent les portes à ces positions. Ils sont à ranger parmi les rares ressources acquises qui gardent leur validité dans le camp. En font partie tout d'abord la médecine, certaines disciplines scientifiques (chimie, biologie et botanique demandées à Rajsko), les savoirs relatifs au secrétariat (dactylographie, sténographie) et à la traduction.

Tous les savoir-faire pratiques qui permettent de maintenir le corps en forme apparaissent dans les récits biographiques comme faisant partie des ressources les plus efficientes : la cosmétique, la gymnastique. Il en est de même de certains savoir-faire rares et très demandés dans le camp, comme la lecture divinatoire des lignes de la main et des cartes.

Par contre, certains savoirs universitaires tels que le droit perdent toute valeur et tendent à bloquer les capacités d'adaptation à l'arbitraire le plus total de ceux qui avaient pris l'habitude de regarder le monde avec des critères de « justice » ou de « traitement équitable ». A l'inverse, toutes les connaissances qui aident à établir des relations sur le marché noir et permettent de se procurer des objets Canada sont autant de savoirs pratiques indispensables pour la survie.

Cependant, d'autres connaissances et d'autres savoirs pratiques, tout en étant apparemment « fonctionnels », peuvent être liés à des caractéristiques particulièrement « dysfonctionnelles ». Ainsi, on l'a vu, la maîtrise d'un instrument de musique pouvait donner accès à un poste dans l'orchestre du camp, relativement à l'abri des sélections. Mais on s'aperçoit, dans l'exemple d'Alma Rosé, que la sensibilité esthétique et intellectuelle qu'elle avait acquise, en même temps que la maîtrise musicale qui en est inséparable la rendaient incapable de conserver sa volonté de vivre dans le contexte le plus avilissant qu'on puisse imaginer.

C'est dans la valorisation ou la dévalorisation de ces ressources que divergent le plus les interprétations de Bruno Bettelheim et de Terence Des Pres. En mettant l'accent sur la rigueur morale — seul moyen selon lui de maintenir l'intégrité de la personnalité —, Bettelheim semble décrire principalement les moyens de résistance et de survie qui sont les siens et ceux de sa catégorie d'internés : les intellectuels internés pour des raisons politiques. Il valorise ainsi, comme moteur de la survie, la clarté d'analyse, le maintien de la rigueur, l'espoir de la revanche et d'un monde meilleur. A l'opposé, plutôt que des « valeurs morales » qui se manifestent dans des conduites exemplaires, Des Pres invoque beaucoup plus souvent des savoir-faire pratiques. Dans les deux cas, les présupposés des auteurs font de leur analyse un jugement en fonction du degré de légitimité qu'ils accordent aux différentes ressources et conduites.

On peut comparer ces partis pris d'analystes et de théoriciens, ayant connu ou non un camp par expérience, aux jugements de valeur qu'on retrouve dans le jargon des déportés. Les lieux, les relations et les ressources qui permettent l'ascension dans la hiérarchie du camp y sont associés à des « privilèges ». L'appartenance aux commandos les plus durs, l'isolement et la faiblesse corporelle apparaissent comme autant de « handicaps ». Tout comme dans le cas des appartenances plus ou moins avantageuses, analysées plus haut, les « privilèges » liés aux différentes ressources ne font l'objet de dénonciations que de la part des concurrents les plus directs. Vivant en permanence dans le compromis, à la limite de la compromission, la grande masse des déportés approche les « privilèges » avec pragmatisme et sans porter de jugement. Car le « privilège » des autres peut être ressource pour soi-même : quand on s'inspire de la conduite exemplaire et intransigeante, mais aussi quand on sollicite les services d'une esthéticienne, d'une diseuse de bonne aventure ou d'une déportée installée au Revier ou dans l'administration.

Les formes élémentaires de l'ajustement

On retrouve essentiellement quatre formes d'ajustement à l'univers concentrationnaire en fonction des ressources dont dispose une personne et/ou un groupe : le repli sur soi, l'intransigeance, l'installation, la conversion. La même personne peut adopter successivement l'une ou l'autre de ces formes, en fonction des situations rencontrées. Mais dans presque tous les cas, une de ces formes caractérisera la période concentrationnaire dans son ensemble. Il s'agit donc des pôles de réactions à une situation limite.

Le repli sur soi, imposé par les ruptures et les séparations, peut se prolonger tout au long de l'internement. Souvent, il prend la forme du silence et de la résignation. Ce sont surtout les déportés incapables de se défaire des visions de la vie normale qui risquent de désespérer dans cet univers sans dignité et, après une période de conduites inappropriées, de tomber dans la désidentification et la désolidarisation [17] d'avec les autres déportés. A l'isolement imposé suit l'auto-isolement et la perte de tout souci de soi jusqu'à la transformation en « musulman ».

De cette conduite suicidaire se distingue une autre forme, active, de repli sur soi : la concentration intérieure sur ses propres forces, assortie du refus de la communication avec d'autres. Plutôt que de « se laisser aller », l'individu renforce le contrôle sur soi-même [18] et réduit, autant que possible, le recours aux autres. Cette conduite, plutôt rare, est illustrée par Myriam et par une autre Française — le docteur Stéphane — qui l'appelle « exil intérieur » et en parle en termes de « vivre chez moi » (et non pas dans le camp) [19]. Elles

17. E. Goffman désigne par « désidentification » le fait de se faire passer pour ce qu'on n'est pas, ou, ici, pour ce qu'on n'est plus. *Stigmate,* Paris, Ed. de Minuit, 1975, pp. 60-61.

18. On peut appliquer ici le modèle du « locus of control », développé en psychologie sociale : N. Dubois, *La Psychologie du contrôle. Les croyances internes et externes,* Grenoble, PUG, 1987.

19. O. Wormser, H. Michel, *Tragédie de la déportation 1940-1945. Témoignages de survivants des camps de concentration allemands,* Paris, Hachette, 1954, pp. 17 sq et 248.

traversent l'expérience du camp en sauvegardant leur dignité, mais au prix de leur « invisibilité » et d'un relatif isolement. Certes, elles ne comptent guère sur les autres, mais elles sont également mal placées pour leur venir en aide, on l'a vu dans le cas de Myriam.

Cette forme active de repli sur soi se rapproche de l'intransigeance. Mais celle-ci s'en distingue par l'acceptation de l'interaction avec autrui, et par une attitude qui en impose aux autres. Refuser fermement un ordre et s'y tenir permit ainsi aux témoins de Jéhovah et aux Bibelforscher d'éviter la participation aux travaux liés à la guerre. Cette intransigeance leur valut l'estime des autres déportés. Elle exaspéra également les SS, qui finirent par céder et par accepter cette insoumission.

D'ordinaire, l'intransigeance est associée aux convictions profondément ancrées d'une personne, au système des valeurs spirituelles, religieuses et intellectuelles. Mais on trouve également une forme d'intransigeance dans la posture corporelle. Ne pas laisser voir aux bourreaux la douleur en situation de torture, ne pas « craquer », peut provoquer leur exaspération et un sentiment de « vengeance » pour « en finir » rapidement avec cette personne — mais aussi leur estime et l'abandon de la torture. Malgré leurs conséquences très différentes — la mort ou, au contraire, la survie —, ces deux cas de figure ont en commun la reconnaissance, de la part des bourreaux, de la supériorité, inséparablement morale et physique, de la victime, parce qu'elle a réussi à endurer les sévices sans céder. Y compris aux yeux des persécuteurs, cette forme extrême de l'intransigeance transforme la victime en héros ou en martyr.

S'ajoute une dernière forme d'intransigeance physique : le refus obstiné de laisser le corps répondre aux ordres d'autrui. Ella Lingens-Reiner parle d'un petit groupe de paysannes ukrainiennes peu instruites qui, quotidiennement, prenaient le chemin des portes d'entrée du camp comme si c'était la chose la plus normale à faire. Face à tant d'obstination, les gardes, étonnés plutôt qu'exaspérés, les empêchaient bien évidemment de partir, mais ne leur infligeaient pas de sanctions supplémentaires[20].

Si les termes de « repli sur soi » et d'« intransigeance » s'appliquent à la fois à des situations et à des dispositions plus durables, l'installation renvoie à une stabilité plus grande encore.C'est dire

20. E. Lingens-Reiner, *Prisoners of Fear,* Londres, Victor Gollancz, 1948, p. 116.

que l'installation est un phénomène rare dans l'univers concentrationnaire, concernant essentiellement des déportés ayant passé un minimum de plusieurs mois ou un an au camp (dans notre corpus, il s'agit de femmes arrivées en 1943 ou avant), et occupant les positions les plus stables dans la gestion administrative du camp : les services médicaux (Revier), les laboratoires de recherche (Rajsko), l'orchestre, et les fonctions de police et de surveillance (kapos). Les modes de recrutement, les liens obligés et/ou recherchés avec les SS, et l'exercice du pouvoir dont elle jouit, en quelque sorte, par délégation, différencient cette « aristocratie du camp ».

Les kapos responsables des blocs et des commandos de travail sont nommés directement par les SS, de préférence parmi les déportés de « droit commun » et, plus tard, les « politiques » issus des groupes nationaux et linguistiques les plus nombreux.

Le principe « diviser pour mieux régner » guide ce recrutement en fonction des catégories concurrentes. S'y ajoutent les compétences requises pour être recruté sur une telle position : talents d'organisation autoritaire (par exemple, imposer à plusieurs centaines de personnes le respect de l'ordre lors des appels de cinq personnes par rang), absence de scrupules dans l'exercice de la violence physique. Une fois nommés, ces « petits chefs » jouissent, dans leur rayon de compétence, d'une grande autonomie. Les kapos ont un pouvoir de contrainte sur les déportés qu'ils dirigent, ce qui leur permet, par exemple, de les utiliser à leurs propres fins sur le marché noir Ainsi, ils arrivent à cumuler des biens précieux au camp (vêtements, instruments de travail, nourriture), et à constituer un « capital ». Les limites de leur pouvoir sur les déportés n'étant pas clairement définies, ils peuvent laisser libre cours à leur agressivité et à leurs tendances sadiques, ce qui les rapproche, aux yeux de leurs subordonnés, des SS eux-mêmes. De fait, dans les récits des déportés, ils sont plus fréquemment dénoncés que ces derniers. Cela n'est guère étonnant : en effet, contrairement aux SS qui interviennent rarement en personne dans la vie quotidienne des déportés, les kapos exercent en permanence le pouvoir arbitraire. Les jalousies et la concurrence entre kapos sont à l'origine d'intrigues et de dénonciations réciproques. Observant de loin ce jeu, les SS tranchent ces conflits quand ils dépassent certaines limites mettant en question la soumission à l'ordre indispensable au bon fonctionnement d'une institution totale. Dans la mesure où on ne dispose guère de récits par les kapos eux-mêmes, mais uniquement sur eux, il est difficile de distinguer ce qui, dans leur conduite, doit être attribué à des traits de personnalité ou, au contraire, à leur fonction et au fonctionnement de l'institution. Si les dénonciations formulées par les autres déportés privilégient presque toujours l'explication psychologique (le caractère, les penchants sadiques, etc.), certains exemples renvoient plutôt à l'hypothèse inverse. On peut penser à celui donné par Ruth, qui montre que la brutalité des kapos est subordonnée à la nécessité de se mettre en scène et en valeur auprès de ses propres supérieurs, les SS, quand ils inspectent les commandos de travail. On peut appliquer aux kapos la thèse de la « banalité du mal », qui attribue le fonctionnement de la répression meurtrière à grande échelle aux êtres moyens et médiocres remplissant scrupuleusement les tâches qui leurs sont assignées[21].

Le recrutement aux positions supérieures de gestion du camp exige des compétences plus formelles d'organisation, de comptabilité, de classement, de rangement et/ou de traduction. Ce travail éloigne des autres déportés en même temps qu'il rapproche des SS, impliquant souvent un rapport personnalisé direct et quotidien. Cette proximité crée des liens spécifiques où coexistent l'attraction et la répulsion, la confiance et la méfiance, la sympathie et la haine. Ces sentiments contradictoires sont indissociables d'un rapport de travail aux dépendances réciproques. Le déporté dépend, de toute évidence, du supérieur SS pour lequel il travaille et qui peut le renvoyer à tout moment. Mais le supérieur SS dépend, comme n'importe quel chef de bureau, des déportés qui accomplissent, sous ses ordres, des tâches de secrétariat. A cet égard, il est également à noter que les déportés dans ces positions avaient intérêt à compliquer le plus possible la constitution et la gestion des dossiers dont ils avaient la charge, afin de « se rendre indispensables »[22]. Ce sont eux qui connaissent le mieux les classements, qui gardent les dossiers et qui, autant que les SS, deviennent les gardiens de la

21. Cette hypothèse célèbre que Hanna Arendt a développée dans son livre sur le procès Eichmann (*Eichmann à Jérusalem,* Paris, Gallimard, 1966) traverse également l'œuvre maîtresse de Raoul Hilberg, *La Destruction des juifs d'Europe,* Paris, Fayard, 1988. Cf. également la description des relations sociales dans les camps, par H. Langbein, *Menschen in Auschwitz,* Vienne, Europa, 1972, p. 315.
22. H. Langbein, *ibid.,* p. 30.

mémoire de l'institution. On les trouve parmi les déportés qui, après la libération, ont pu s'ériger en historiens des camps. On pense, bien évidemment, à David Rousset, Eugen Kogon et Hermann Langbein et bien d'autres.

Contrairement à celui des kapos, leur pouvoir sur les autres déportés est indirect, passant à travers la manipulation des statistiques de travail et d'affectation aux différents commandos et blocs. Par conséquent, ils ne font pratiquement jamais l'objet de dénonciations pour avoir usé de violence physique, mais sont parfois accusés de « favoritisme » et de « népotisme », parce qu'ils auraient profité de leur position pour recruter sur d'autres postes protégés des déportés de la même nationalité, partageant leurs convictions politiques. Accusés de « planquer » leurs copains[23], ils justifient cette démarche par la nécessité de constituer un réseau de confiance absolue au nom d'une résistance plus organisée[24]. Comme le dit une des femmes que nous avons interviewées : « Pour battre la SS, il faut accepter de communiquer avec elle. » Dans la tradition de militants dirigeants, les déportés installés dans ces positions s'opposent généralement à toutes les formes spontanées de révolte comportant, selon eux, de très faibles chances de succès et des risques incalculables de représailles collectives. Ce « souci d'ordre » les place « objectivement » dans un rapport de connivence avec leurs supérieurs SS directs. Ils ont à gérer en permanence la contradiction, constitutive de leur position, entre collaboration et résistance.

La situation est différente pour les déportés recrutés au Revier. Dans la défense de leur position, ils ont moins besoin de « se rendre indispensables » que les déportés travaillant dans l'administration du camp : ils le sont d'emblée, par la compétence certifiée. La connivence peut aller ici jusqu'à des « conversations professionnelles entre collègues » et les « colloques » dont parle Myriam. Cette proximité peut aller jusqu'à la reconnaissance, par certains médecins SS, de la supériorité professionnelle de tel ou tel médecin

23. A. Roure, D II — 7, p. 4.

24. Il convient ici de distinguer entre des actes individuels et des formes plus collectives et organisées de résistance, qui partent presque toujours des déportés occupant de telles positions gestionnaires ou, au moins, s'appuient sur leurs informations et soutiens logistiques. Cf. H. Langbein, ... *Nicht wie die Schafe zur Schlachtbank. Widerstand in den nationalsozialistischen Konzentrationslagern* Francfort, Fischer, 1980.

déporté. Au nom de préoccupations professionnelles communes, il y a donc, à certains moments, des possibilités de rencontre de « personne à personne » en dehors des définitions officielles des fonctions et des rôles dans le camp. Mais ces rencontres trouvent leurs limites dans la fonction de sélection que remplissent les médecins SS et qui leur retire durablement, dans le jugement des survivants, la qualité d'« êtres humains ».

Dans la station de recherche Rajsko, où travaillait un contingent important de Françaises, et dans l'orchestre —deux endroits à l'abri des plus grands dangers —, l'installation suit le modèle du mécénat qui satisfait la quête de prestige de certains SS. Créé directement à l'initiative du Reichführer SS Heinrich Himmler qui espérait y trouver la confirmation de certaines conceptions biologiques dans le domaine agricole, Rajsko fut dirigé par l'ingénieur agronome et SS Caesar. Pour mener à bien ces projets de recherche jugés peu sérieux par des déportés chimistes, il employait plusieurs dizaines de jardiniers, de laborantins, de dessinateurs et de chercheurs. Ayant intérêt à ce que ces travaux aboutissent à des publications scientifiques, ses instruments de contrôle ne sont pas la contrainte, et encore moins la violence physique, mais les conditions de vie plus satisfaisantes qu'il peut procurer à « ses » déportés. Le mécénat émane ici directement du sommet de la hiérarchie SS, dont Caesar n'est que l'exécutant sur le terrain. La création de l'orchestre des femmes dans le camp de Birkenau émane directement de l'initiative des dirigeants SS Kramer et Mandel, qui veulent aussi se doter d'un faire-valoir aussi prestigieux, aux yeux des autres SS, que l'orchestre du camp des hommes. L'appartenance à l'orchestre protège tous ses membres individuellement. Mais cette protection doit être reconquise en permanence auprès des « mécènes SS » grâce à la performance musicale. Fania Fénelon décrit bien, dans son propre cas et dans celui du chef d'orchestre Alma Rosé, comment la fierté professionnelle et l'application musicale s'ajoutent à l'angoisse dans la défense de cette position privilégiée[25]. Et toutes les artistes ressentent comme une véritable catastrophe le départ du camp de leurs « mécènes »[26].

Les chances de pouvoir « s'installer » dépendent donc d'éléments multiples. Le point de départ en est, par la force des choses, un

25. F. Fénelon, *Sursis pour l'orchestre,* Paris, Stock, 1976, pp. 82-83.
26. *Ibid.,* pp. 250-254.

contact avec des SS, qui se prolonge durant toute la durée de l'installation. D'où des degrés différents de connivence, de collaboration et de résistance. Si les qualités morales des personnes, leurs convictions et valeurs jouent un rôle très important, certaines contradictions constitutives des positions où elles sont installées et des situations afférentes leur échappent. En d'autres termes, les déportés « installés » ne peuvent alors éviter toute compromission qu'au prix du renoncement aux avantages acquis. Dans la gestion de ces contradictions, la ruse essentielle est de jouer sur l'écart entre la fonction officielle et les qualités personnelles des supérieurs SS. Exceptionnellement, le déporté peut user d'un pouvoir de chantage sur le SS. Ainsi, le fait qu'une doctoresse internée ait fait avorter, dans le plus grand secret, une gardienne SS, lui avait conféré un pouvoir fondé sur la peur de cette dernière que sa démarche illégale puisse être découverte et punie. Enfin, les déportés peuvent exploiter des conflits de compétence et de territoire qui opposent différentes catégories de SS : les dirigeants du camp aux médecins, aux « mécènes » et aux responsables des divers services administratifs.

Mais, dans une institution totale, les privilèges que le dominé a réussi à se faire octroyer par le dominant sont susceptibles de se transformer en haine et en agression au moindre soupçon et à la moindre déception. Les avantages acquis à force de ruse, de patience et d'habileté peuvent se perdre à chaque instant. Toutes les situations qui mettent en présence déportés et SS peuvent être submergées par la violence, qu'aucune contrainte de justification ne saurait limiter. Par définition, les épreuves de force ainsi engagées sont réglées par le pouvoir arbitraire des SS. On peut alors parler, en suivant Luc Boltanski et Laurent Thévenot, de « sortie de l'humanité » qui consiste à ne « se conduire qu'à son gré, sans s'encombrer d'explications[27] ». L'ordre du camp de concentration — forme la plus extrême d'une institution totale — empêche la définition d'épreuves conformément à un principe de justice universalisable. Mais, même à l'intérieur de cet univers, émergent des îlots limités dans l'espace et dans le temps où se négocie localement la commune humanité. Ces moments où l'arbitraire est momentanément suspendu seront à l'origine, bien plus tard, du

27. L. Boltanski, L. Thévenot, *Les Economies de la grandeur,* Paris, PUF, 1987, p. 15.

pardon ou des « circonstances atténuantes » que les déportés accorderont à tel ou tel SS qui « s'était conduit correctement ».

La nature des relations entre la grande masse des déportés, la minorité relativement privilégiée et « installée » et les SS explique la quasi-absence de toute révolte à Auschwitz. Le système de contrôle ainsi tissé est assez infaillible. Il est constitué par la menace permanente de la mort, par des sanctions exemplaires, et par un système parfait d'inter-contrôle entre internés qui fonctionne autant positivement, sous forme d'entraide et d'échanges sur le marché noir, que négativement, sous forme de dénonciations, d'indiscrétions et de violence physique.

L'installation dans des positions supérieures est tributaire de la mobilisation, par le déporté, de certaines de ses ressources et compétences, qui fonde des lignes de continuité ainsi qu'une homologie relative entre la place dans la vie avant et pendant l'internement. L'exemple le plus manifeste en est bien évidemment celui des médecins. La conversion, par contre, est la forme d'ajustement au lien le plus faible, voire inexistant, entre l'« avant » et le « pendant ». La réalité du camp fonctionne ici comme une révélation, qui déclenche ou accentue une recherche spirituelle, religieuse ou politique, érigée en mesure de sa propre conduite et de celle des autres. Ainsi, une des déportées que nous avons interviewées a daté du camp son adhésion aux valeurs communistes représentant l'incarnation de la « justice », en rupture avec son éducation et ses convictions antérieures. La conduite exemplaire de quelques camarades a été, selon ses propres termes, la « révélation » de son expérience concentrationnaire. Renouant avec les valeurs de la foi catholique qu'elle n'avait plus du tout pratiquée depuis son enfance, une autre déportée polonaise parle de l'« exercice de la charité » (ce que Luc Boltanski analyse avec le terme d'« agapé »[28]) envers les déportées plus démunies qu'elle-même en termes de critère de sa propre conduite et de ressource d'espoir identifié à la foi retrouvée. Enfin, l'identification avec le destin collectif a pu produire le retour à la religiosité de leurs ancêtres dans le cas de déportés juifs aux convictions laïques.

Ces phénomènes, plutôt rares, de conversions spirituelles profondes se distinguent des conversions vers certains traits de

28. L. Boltanski, *L'Amour et la Justice comme compétences*, Paris, Métailié, 1990.

caractère formés ou renforcés par l'« installation ». Il s'agit de formes de conversion lentes, qui se traduisent plutôt par l'abandon des valeurs spirituelles et de la dignité. Des déportés recrutés aux postes de kapo, se trouvant pour la première fois en mesure d'avoir un pouvoir sur la vie et la mort des autres, ont pu se « transformer en bêtes féroces », en « brutes sauvages ». Quand sa propre survie devient la seule chose qui compte et quand on désespère du genre humain tel qu'on l'a sous les yeux dans le camp, certains déplacent leur haine des SS, qu'ils sont incapables de combattre, vers les plus faibles de leurs semblables — de préférence les « musulmans », symboles de la dégradation physique et psychique. Toute action positive étant impossible, la conversion prend alors la forme d'une attitude cynique, dans le mépris des valeurs et des convenances ordinaires et dans l'impudence effrontée. Le cynisme n'est ici rien d'autre que le revers de la déception. Ces différentes formes d'ajustement au camp imprègnent durablement la personnalité, au-delà de la période d'internement. Elles sont, après la libération, au centre des ressentiments réciproques qui divisent les rescapés et interviennent dans leurs choix existentiels.

9. *Le retour à la vie ordinaire*

Ardemment attendue, la libération des camps aurait dû être un moment de joie et couronner les efforts obstinés mobilisés au nom de la survie. Mais les souffrances des dernières semaines et des derniers jours, et les difficultés rencontrées au retour entravent les sentiments d'euphorie et de bonheur.

A Auschwitz, les chambres à gaz s'arrêtent de fonctionner au mois de novembre 1944. Connaissant la situation militaire désespérée de l'Allemagne et l'impossibilité de retourner la situation, les dirigeants SS et les gardes du camp changent d'attitude envers les déportés, dont ils redoutent le désir de vengeance. La relative amélioration des conditions de survie qui s'ensuit est de courte durée. L'évacuation et la marche des déportés vers des camps situés plus à l'ouest sont des moments particulièrement meurtriers. Peu nombreuses sont les femmes, telle Ruth, qui sont transférées en train vers les petits camps annexes dans des conditions satisfaisantes. La majorité des déportées d'Auschwitz-Birkenau arrivent, épuisées, à Ravensbrück, avant d'être dispersées dans des camps annexes. Elles y rencontrent l'hostilité de celles qui sont déjà sur place et qui se défendent contre cet encombrement supplémentaire.

Une fois les SS enfuis, quelques journées particulièrement chaotiques s'écoulent avant que les troupes alliées arrivent et organisent le retour des déportés. La découverte des réserves alimentaires abandonnées par les SS est souvent fatale aux déportés. Après des mois ou des années de privations, le corps refuse la nourriture trop abondante et trop riche en graisse, tout autant que l'alcool — de sorte que la mort intervient souvent au moment même de la libération. Il est impossible de chiffrer ce phénomène, mais on en mesure l'importance par le taux de mortalité des rescapés immédiatement après leur libération : on comptait, sur le territoire de l'ancien Reich allemand, 50 000 juifs survivants, dont 20 000 sont morts les premières semaines après leur libération [1]. D'autres, amaigris et épuisés, resteront suspendus pendant des mois entre la vie et la mort, et passeront de longues périodes à l'hôpital ou en sanatorium [2].

Ces phénomènes jettent une ombre sur la liberté reconquise par les rares rescapés des camps de la mort. Mais où retourner et que faire de la liberté ?

Perspectives d'avenir

La discrétion et le peu d'envie de parler, dans les publications autobiographiques et les entretiens, de la période qui a immédiatement suivi la libération sont à la mesure des difficultés et des déceptions qui l'ont accompagnée.

Dans un premier temps, la libération équivaut, pour beaucoup, à la séparation autant qu'aux retrouvailles tant espérées. Les « couples » et les « familles électives » formés dans le camp ont tendance à se dissoudre, chacun prenant, si possible, le chemin du retour dans des directions opposées. Souvent, les intentions de rencontres ultérieures ne se réaliseront jamais. Les expériences exceptionnelles de confiance, d'amitié et d'amour rendent ces séparations particulièrement douloureuses : nous l'avons vu dans le cas de Margareta. Elles aggravent encore la cassure affective et/ou sexuelle irréparable, fréquemment découverte au moment des retrouvailles avec le mari, les enfants et les amis. La solitude qui s'ensuit active des pensées suicidaires, absentes pendant l'internement, mais fréquemment rapportées après, avec ou sans passage à l'acte. Les suicides directement avant la déportation symbolisent, on l'a vu, un geste de protestation, de refus et, indirectement, d'affirmation de la dignité humaine.

1. W. Jacobmeyer, « Jüdische überlebende als " Displaced Persons " », *Geschichte und Gesellschaft,* 9, 3. 1983, pp. 421 sq.
2. M. Duras, *La Douleur,* Paris, POL, 1987.

En décrivant les tentatives de suicide après le retour des camps, les rescapés utilisent souvent les mots de « choix » ou de « décision », comme si la fréquentation quotidienne de la mort leur avait donné la capacité et la force d'envisager, sans angoisse, leur propre fin à partir du moment où ils ne trouvent plus de raison de vivre.

La première décision concerne, bien évidemment, le lieu du retour. Pour ceux qui peuvent espérer retrouver famille et amis, le problème est d'abord d'ordre technique : le moyen de transport. D'autres, juifs surtout, ont perdu tous leurs proches et savent que l'antisémitisme n'aura pas disparu avec la victoire sur le nazisme[3]. D'où, dans le cas de dizaines de milliers de juifs de l'Est, l'hésitation et l'indécision qui prolongent, pendant des mois ou des années, leur condition d'internés. Aux quelque 10 000 survivants juifs de souche allemande s'ajoutent, entre 1946 et 1947, sur le territoire allemand, plus de 110 000 juifs de l'Est, vivant, pour la plupart, dans des camps de réfugiés dont le nombre augmenta jusqu'en 1949[4]. Ces « personnes déplacées » ont presque toutes choisi l'émigration en Palestine ou aux Etats-Unis. Mais les restrictions et les règlements d'immigration aux Etats-Unis et en Palestine mettent un obstacle entre ce choix et sa réalisation. Certains quitteront les camps seulement en 1948, après la création de l'Etat d'Israël.

Si l'aide apportée par les organisations juives atténue la gravité de leur sort, le marché noir et la petite délinquance, inséparables de la condition d'internés, attisent les ressentiments de la population des alentours, confirmée dans ses préjugés ancestraux. L'installation sur place, que certains choisissent faute d'autres perspectives, est ainsi rendue encore plus difficile. Malgré ces obstacles à l'intégration, les juifs de l'Est sont souvent à l'origine des communautés reconstituées en Allemagne et en Autriche.

Les conditions particulières de cette installation poussent certains à gommer toutes les traces de leur judéité en changeant de nom ou, au moins, en choisissant pour leurs enfants des prénoms bien allemands. Plus généralement, les crises identitaires provoquées par la déportation se transforment inéluctablement en héritage transmis d'une génération à l'autre, comme l'a admirablement analysé

3. Cf. M. Hillel, *Le Massacre des survivants en Pologne 1945-1947*, Paris, Plon, 1985.

4. W. Jacobmeyer, *art. cit.*

Denise Baumann[5]. C'est ainsi que se mettent en place les éléments de la transmission de crises identitaires, qui rebondiront des dizaines d'années plus tard.

Le fils d'un couple de rescapés polonais, installés dans une grande ville allemande, nous a ainsi raconté qu'il s'est rendu compte de ses origines à l'âge de seize ans seulement, quand il voulut, pour la première fois, voyager en dehors de l'Allemagne. Tout en s'intégrant bien dans la vie quotidienne grâce à un petit commerce d'alimentation, ses parents avaient gardé le statut de réfugiés apatrides et les cartes d'identité des Nations unies. Demander la nationalité allemande était, pour ainsi dire, le dernier pas de l'insertion dans le pays de leurs anciens persécuteurs, et ils ne voulaient pas le franchir.

Au moment de sa demande de passeport, leur fils a découvert simultanément le passé de ses parents et le fait qu'il n'était pas allemand, mais qu'il devait explicitement opter en faveur de cette nationalité. Ayant fait ce choix, et après une période de reproches adressés à ses parents pour lui avoir caché la vérité, il décide d'émigrer aux Etats-Unis où il découvre, dans le mouvement étudiant contre la guerre au Vietnam, l'« universalité de l'injustice ». Désormais, il n'utilise plus son premier prénom, Michael, mais le second, Mosze, en souvenir de ses ancêtres juifs polonais. Néanmoins, il garde la nationalité allemande. Après une tentative d'intégration malheureuse en Israël, il rentrera en Allemagne où il se réconciliera avec ses parents.

Cet exemple montre qu'il existe, y compris dans les rapports parents-enfants, des zones d'ombre, des silences, des non-dits. Les frontières de ces silences et non-dits avec l'oubli définitif et le refoulé inconscient ne sont, bien évidemment, pas étanches, étant en perpétuel déplacement. Cette topologie des discours, des silences, et également des allusions et des métaphores, est façonnée par l'angoisse de ne pas trouver d'écoute, d'être sanctionné pour ce qu'on dit, voire pour ce qu'on est ou, au moins, de s'exposer aux malentendus. Cela renvoie également à la définition légale, politique et matérielle du statut des rescapés, variables d'une catégorie et d'un pays à l'autre.

5. D. Baumann, *La Mémoire des oubliés. Grandir après Auschwitz*, Paris, Albin Michel, 1988.

Reconnaissance officielle et réinsertion

On voit à l'œuvre, dans les différents pays, des logiques parfaitement contradictoires pour redéfinir, après la guerre, les groupes de victimes.

L'opposition entre la France et la République fédérale d'Allemagne, qui trouve sa raison d'être dans toute l'histoire politique et sociale des deux pays, fait ressortir sur une très petite échelle la diversité des situations dans le travail d'encadrement social des victimes après la guerre. Il va sans dire que l'émigration en Israël ou aux Etats-Unis impliquait pour chaque victime d'autres prises en compte et prises en charge. Sans pouvoir prétendre à une analyse exhaustive, la confrontation de ces deux situations permet de montrer l'effet de cette diversité de conditions, d'une part sur la constitution d'une mémoire collective et, d'autre part, sur l'identité de chaque victime prise individuellement.

En France, les anciens déportés passaient par des centres de triage où on leur délivrait, sur leurs déclarations, des cartes provisoires de déportés. Quelques années plus tard, et pour évincer des STO ou de prétendus déportés qui s'étaient fait enregistrer dans cette catégorie, ces cartes furent échangées contre une carte bleue de déporté politique. Plus tard encore, les associations de déportés ont fait valoir qu'il conviendrait d'établir une distinction entre les déportés qui avaient effectivement appartenu à un réseau de Résistance et ceux qui avaient été déportés pour le seul fait d'être juif, cette distinction ayant pris la forme d'une carte rose de déporté résistant. Cette mesure eut des conséquences sur le calcul des pensions, les déportés civils (non résistants) touchant des pensions d'invalidité nettement inférieures jusqu'en 1970.

En Allemagne, les ordonnances des Alliés réglèrent au début les compensations matérielles des victimes du nazisme, avant d'être remplacées, à partir de 1952, par différentes lois fédérales et par un traité conclu entre la République fédérale et les organisations juives mondiales. Ces différentes lois reconnaissent comme victime toute personne persécutée « pour raison d'opposition politique contre le national-socialisme ou pour des raisons de race, de religion ou d'idéologie ». Mais leur application fut compliquée par la définition (territoriale et de nationalité) des « ayants droit », qui intégrait sous ce terme les juifs fugitifs de l'Est, les DP (displaced persons), installés dans des camps le 1er avril 1947 (entre 200 000 et 300 000 personnes). Par contre, cette même législation excluait toute « compensation aux personnes qui n'en paraissent pas dignes, même si le demandeur remplit toutes les conditions »[6]. Cette règle excluait du champ d'application, bien évidemment, toutes les victimes criminelles, asociales et homosexuelles pour lesquelles le nazisme n'avait fait que renforcer des législations préexistantes, mais elle pouvait s'appliquer aussi à des résistants que la criminalisation de la politique avait rangés parmi les « droit commun ». Mais — bien plus important — l'accès au statut d'ayant droit et aux compensations était aussi fonction des critères politiques de la guerre froide. Ainsi les résistants au nazisme, soupçonnés d'être ennemis de « l'ordre fondamental libéral et démocratique » défini par la Constitution de 1949, en étaient jugés indignes. Certaines victimes du nazisme, considérées après la guerre comme tout aussi criminelles qu'avant, n'eurent aucune possibilité d'exprimer leurs griefs individuels ou collectifs. Les raisons politiques du moment, à savoir la guerre froide, finirent par justifier *a posteriori* la criminalisation de la politique sous le IIIe Reich, en déclarant certaines de ses victimes indignes de toute compensation matérielle et, à plus forte raison, de toute reconnaissance morale. Cette prise en compte et cette prise en charge des victimes dans le cadre politique d'une législation qui traduit, avant tout, le souci de la continuité juridique de la légalité de l'Etat ont débouché sur un double contre-effet, qui culmine dans une reconnaissance indirecte des catégories mises en œuvre par les nazis. D'un côté, en effet, les victimes « raciales », y compris celles qui avaient toujours récusé ce classement comme absurde, devaient reconnaître sa force sociale implacable. De l'autre, l'exclusion même de certaines victimes politiques, tels des militants communistes, déclarés, après l'interdiction du parti en 1956, « ennemis de la constitution libérale et démocratique », ne pouvait que renforcer les préjugés de l'Allemand moyen, compagnon de route des nazis, reconverti aux valeurs démocratiques et

6. G. Blessin, *Wiedergutmachung*, Bad Godesberg, Hohwacht, 1960, p.33 ; cf. G. Jasper, « Die disqualifizierten Opfer. Der Kalte Krieg und die Entschädigung für Kommunisten », in L. Herbst, C. Goschler, (eds), *Wiedergutmachung in der Bundesrepublik Deutschland*, Munich, Oldenbourg, 1989, p. 361.

anticommunistes : après tout, la répression politique du IIIe Reich ne pouvait pas avoir été tout à fait sans fondement. Dépolitisant ainsi la mémoire de l'époque nazie, les acteurs politiques renonçaient largement au travail de « réconciliation intérieure », abandonné dès lors au seul dialogue interconfessionnel entre Eglises catholique et protestante et communautés juives. Cela ne fait que confirmer l'importance, en Allemagne, de l'appartenance religieuse comme critère de l'identité des individus, et condamne à une gestion individuelle de leur mémoire tous ceux qui ne se reconnaissent pas dans un tel classement. Ce n'est que sous les effets conjugués, à partir de 1965, de la fin de la guerre froide et du changement politique intérieur en RFA, qu'un travail de reformulation de ces problèmes a pu commencer sur une plus grande échelle.

Le recours contraignant, dans le cadre des procédures de compensations pour séquelles physiques et psychiques, aux experts médecins et psychiatres agréés auprès de l'administration et des tribunaux allemands est un facteur supplémentaire d'exacerbation des malentendus, contradictions et insatisfactions. Ces procédures imposent aux victimes la charge de la preuve face à des experts dont certains avaient déjà rempli leurs fonctions pendant la période nazie[7]. Finalement, la complexité des procédures et le manque d'information des bénéficiaires potentiels, dispersés un peu partout dans le monde, a engendré un marché florissant d'intermédiaires pour constituer et déposer les dossiers, travaillant à des tarifs parfois exorbitants; de sorte que le jugement porté sur l'effort de compensation est souvent resté négatif : du côté des victimes, à cause des procédures jugées humiliantes, et du côté de l'opinion publique allemande, à cause des « abus » et de l'« enrichissement » présumés de certains[8].

7. Cf. l'article de W. G. Niederland, « Die verkannten Opfer. Späte Entschädigung für seelische Schäden », in L. Herbst, C. Goschler, *op. cit.*, pp. 361-384.

8. Grâce aux prolongations des délais de dépôt de demandes, les sommes financières en jeu sont considérables. On les estime, pour la restitution de biens jusqu'en 1967 à 400 millions de marks et, pour les compensations individuelles dans leur ensemble (mais en excluant le contrat avec Israël), à 130 milliards de marks. 80 % de ces compensations vont à l'extérieur de l'Allemagne, et on estime que les paiements continueront jusqu'au début du siècle prochain. Cf. W. Schwarz, « Die Wiedergutmachung nationalsozialistischen Unrecht durch die Bundesrepublik Deutschland », et K. Hessdörfer, « Die finanzielle Dimension », in L. Herbst, C. Goschler, *op. cit.,* pp. 33-60.

Le cas de l'Autriche se situe entre ceux de la France et de l'Allemagne. Dans la mesure où plusieurs des fondateurs de la IIe République, tant de droite que de gauche, avaient été déportés sous le nazisme, le thème de la déportation et des camps pouvait facilement être assimilé à la rhétorique politique sans pour autant provoquer la mauvaise conscience de ceux qui avaient applaudi, en 1938, à l'annexion du pays par l'Allemagne nazie. Cette « génération des camps » de politiciens conservateurs et socialistes avait, selon cette rhétorique, appris la nécessité de penser la politique en termes de compromis, d'alliances et de négociations plutôt qu'en termes de confrontation et de guerre civile. Ces hommes et ces femmes rentrés des camps symbolisaient à la fois la continuité avec la Ire République, qui s'était effectivement terminée par une guerre civile en 1934, et la nouveauté du consensus rendu possible par leur catharsis concentrationnaire. En attribuant indirectement à cette même génération politique la responsabilité de la guerre civile et de l'autodestruction du pays avant même la montée du danger nazi en Autriche, cette opération rhétorique transformait l'Autriche (et les Autrichiens) en victime(s) de ses anciens dirigeants, qui puisaient justement leur nouvelle légitimité dans leur capacité de coopération et d'harmonisation d'idéologies présentées antérieurement comme irréductibles. De manière symbolique, cette rhétorique a permis une réconciliation du pays et de ses dirigeants, réunis autour d'un même objectif et d'un même intérêt : la reconstruction. De plus, certains intérêts de politique extérieure aidant (à savoir la libération des occupants), cette rhétorique a pu convaincre même d'anciens nazis de la justesse de la thèse officielle, selon laquelle l'Autriche avait été la première victime du nazisme. Quoique l'on trouve finalement bien peu de représentants de cette fameuse « génération des camps » aux postes de commande, cette opération a valorisé les déportés, surtout politiques, tout en procurant à de petits nazis une possibilité de reconversion idéologique facile et rapide. Dans le contexte de cette histoire générale, et bien que leur vie quotidienne les expose tout autant à des scènes qui leur rappellent que le passé n'est jamais terminé, les déportées autrichiennes interviewées ont montré moins d'ambivalence à l'égard de leur pays que les Allemandes.

Vu la dispersion des victimes juives par-delà les frontières nationales, la négociation était extrêmement difficile et délicate entre partenaires qui, au moment des événements, n'avaient pas encore existé juridiquement : Israël et la jeune République fédérale. Préparée dans le secret par l'intermédiaire d'organisations juives internationales, la politique de compensations matérielles butait, en Allemagne, sur l'opposition des ministères économiques, qui craignaient que les implications financières à long terme fussent imprévisibles. La jeune République fédérale, qui, à l'époque, devait intégrer plus de dix millions de réfugiés, pouvait-elle supporter ce poids financier ? Du côté israélien existaient des oppositions de principe contre tout ce qui aurait pu être interprété comme un « rachat » des crimes. Le traité définitivement conclu passa de justesse le vote à la Knesseth.

Le rôle des associations internationales de déportés était affaibli, dans toutes les négociations, par les divisions internes et les scissions intervenues pendant la guerre froide, opposant le Comité international d'Auschwitz d'obédience communiste à l'Union internationale de la Résistance et de la Déportation (UIRD) non communiste et au Comité international des camps, au-dessus des clivages politiques. Pour éviter les tentatives de téléguidage par les gouvernements du bloc communiste, aucun représentant des survivants de ces pays ne fut élu dans les instances dirigeantes de ces deux dernières organisations[9].

On voit à quel point le traitement des victimes s'inscrit dans une tradition et une réalité politique qui privilégient, en France, l'appartenance à la nation comme critère d'identification sociale des personnes, au détriment d'autres appartenances, religieuses notamment. Il en est de même des déportés politiques polonais. En Allemagne par contre et, dans une moindre mesure, en Autriche, le travail de redéfinition des différentes victimes fut médiatisé moins par des associations de déportés (quoique existantes) que par des actes législatifs et administratifs, ainsi que par une négociation internationale entre l'Etat et les représentants des intérêts de la communauté juive.

Le travail politique de classification des victimes du nazisme, avec ou sans associations de déportés, participe de la formation d'une mémoire officielle qui peut, à la limite, retirer à certaines victimes toute possibilité d'articuler des griefs, voire même de rendre publics leurs souvenirs. Un exemple extrême en est une enquête d'histoire

9. H. Langbein, « Entschädigung für KZ-Häftlinge. Ein Erfahrungsbericht », *ibid.*, pp. 330-331.

orale menée en Allemagne auprès des rescapés homosexuels des camps, et qui témoigne tragiquement du silence collectif de ceux qui, après la guerre, craignaient souvent que la révélation de leur internement puisse provoquer dénonciation, licenciement ou révocation d'un bail de logement [10]. On comprend pourquoi certaines victimes de la machine de répression de l'Etat SS — les criminels, les prostituées, les « asociaux », les vagabonds, les Tziganes, les homosexuels — ont été consciencieusement évitées dans la plupart des « mémoires encadrées » [11] ainsi que dans l'historiographie : la répression dont elles sont l'objet étant depuis longtemps acceptée, l'histoire a pu se garder de soumettre à une analyse spécifique l'intensification meurtrière de leur répression sous le nazisme.

Expérience, commémoration, politique d'identité

Dans cet ouvrage, nous sommes partis des individus placés à un moment de leur vie dans la situation extrême d'un camp d'extermination. Ainsi, on a pu montrer comment les déportés, s'appuyant sur leurs propres ressources physiques, relationnelles et intellectuelles, ont su maintenir la permanence de soi en sauvegardant l'intégrité physique et, autant que possible, l'intégrité morale. Cette démarche propose une meilleure compréhension du fonctionnement de l'individu et de l'« institution totale » (si un tel mot convient aux camps d'extermination), en corrélation l'un avec l'autre. Les formes de l'ajustement à cet univers et les ressources mobilisées au nom de la survie renvoient également à l'origine sociale et nationale, aux engagements politiques et religieux, aux rapports avec sa judéité et avec son genre (en l'occurrence, la féminité). L'expérience concentrationnaire force ceux qui la subissent à aller au plus profond d'eux-mêmes, à prendre conscience de leur capacité de résistance, de leur penchant à la compromission aussi. En un mot, les rescapés ont dû se rendre compte de ce dont ils

10. R. Lautmann, *Der Zwang zur Tugend*, Francfort, Suhrkamp, 1984, pp. 156 sq.

11. Pour ce concept, voir H. Rousso, « Vichy, Le grand fossé », *Vingtième Siècle*, 1, 1985, pp. 55 sq.

sont capables. De plus, l'expérience concentrationnaire signifie la confrontation avec l'humanité toute entière, dans la mesure où les déportés trouvent dans le camp le condensé du genre humain : condensé de nationalités, de cultures et de langues ; condensé de toute la diversité de métiers et de professions, de la haute bourgeoisie aux voyous et aux prostituées ; condensé des qualités humaines les plus admirables (amour, amitié, solidarité, courage) et les plus détestables (trahison, dénonciation, agressivité, brutalité physique et morale).

L'ambivalence des situations et des réactions dont ils ont pu prendre la mesure en s'observant eux-mêmes et en observant les autres marque profondément les rescapés. De par son caractère collectif, l'expérience concentrationnaire, même si elle est vécue de façon très individuelle, s'accompagne donc de la prise de conscience du « genre humain », de la commune humanité dans toute sa diversité. Encore faut-il se demander, comme nous l'avons fait, si et dans quelles circonstances la déportation a pu être vécue comme une expérience collective ou, plus prosaïquement, comme une expérience subie en commun ? Ce qui expliquerait la modestie des récits et la faible place accordée au grandissement de soi dans la littérature autobiographique et dans les entretiens.

L'expérience concentrationnaire se prête difficilement, on l'a vu, à l'instrumentalisation militante et partisane. Les rescapés partagent les souvenirs d'une période de la vie relativement courte, mais particulièrement intense. Dans leurs pensées et sentiments, ils sont pour toujours liés les uns aux autres. Mais le degré de formation d'un groupe selon les canons sociologiques habituels est resté faible [12]. La dispersion géographique en est la raison principale, mais la plus superficielle. Dans leur mode d'organisation, les associations reproduisent souvent les critères d'appartenance nationale et les clivages politiques de l'après-guerre, parfois même les catégories de la victimisation forgées par les nazis en séparant victimes « politiques », « raciales » et de « droit commun ». Prises dans les tâches d'entraide et de représentation des demandes les plus existentielles des adhérents, les associations n'ont pas vraiment pu s'ériger en courroies de transmission d'un message universel. Tout se passe comme si le poids du passé et du présent faisait obstacle au choix délibéré de l'expérience concentrationnaire

12. L. Boltanski, *Les Cadres*, Paris, Ed. de Minuit, 1982.

comme critère essentiel de mémoire et d'identité : trop douloureuse et trop complexe, trop pesante à cause des séquelles physiques et psychologiques à long terme. Si cette expérience difficilement dicible pose des problèmes de communication et de transmission au sein des familles, ces difficultés se trouvent exacerbées à un niveau plus général. Et si la gravité de l'injustice et de l'arbitraire propres à l'expérience concentrationnaire a donné lieu à l'innovation juridique en matière des droits de l'homme (codification du crime contre l'humanité et des règles de consentement éclairé en cas d'expérimentation médicale), son influence sur les connaissances historiques, les mentalités et les sensibilités est difficile à évaluer.

Tout au moins peut-on avancer l'hypothèse suivante, paradoxale à première vue : l'intégration de la déportation, de l'extermination et des génocides dans une logique commémorative s'accélère au moment où les derniers survivants s'apprêtent à quitter la scène. Par ailleurs, cette accélération ne se fait pas tellement à leur propre initiative, mais à celle des générations suivantes.

Dans le cas de la mémoire juive, ce travail n'est plus vraiment à faire. Le génocide occupe une place tellement centrale dans l'histoire des migrations, de la création d'Israël et de la reconstruction des communautés en Europe qu'il est impossible de penser la condition juive actuelle sans référence à la Shoah. Mais si cette référence est, depuis longtemps, fortement instituée, elle a subi des transformations en fonction d'enjeux contemporains. Au fur et à mesure que montent les divisions internes dans les communautés de la diaspora concernant la politique israélienne et l'attitude adoptée envers les Palestiniens, et que diminue la cohésion entre tendances religieuses et culturelles diverses, cette référence devient un des critères essentiels de la définition de l'identité du groupe : de ce qui le rassemble et de ce qui le différencie des autres. Cette tendance est particulièrement marquée aux Etats-Unis. Depuis les années 1970, on y assiste à la formation d'un véritable mouvement du souvenir, avec le lancement de projets d'histoire orale, la création de musées, d'archives et de mémorials, dont le centre d'archives vidéo de l'université de Yale. Initialement, le slogan « rompre le silence » visait le déblocage de la communication entre les générations sur l'expérience concentrationnaire [13]. Très vite, les objectifs

13. « Rompre le silence », le titre d'abord de groupes de paroles, plus tard d'un film sur les enfants de survivants, est devenu le slogan de ce mouvement aux Etats-

du mouvement se sont élargis, visant l'introduction de cours spécialisés dans tous les programmes scolaires et d'une journée commémorative nationale. Ce faisant, le mouvement a emprunté les voies de la politique de l'identité telle que la définit Erving Goffman et qui consiste à promouvoir simultanément la cohésion du groupe et la place qu'il occupe dans la société en s'appuyant sur son signe distinctif le plus saillant et le plus mobilisable [14]. C'est ainsi que des minorités peuvent améliorer la place qui leur est reconnue dans la société en versant leurs propres souvenirs au fonds commun des références par lesquelles se définit une société.

Dans le cas des Tziganes on observe, en Allemagne, une tendance similaire quoique plus tardive et d'une ampleur moindre. A la revendication d'une politique de compensations équitables s'ajoute, depuis la fin des années 1970, la demande, de la part du conseil fédéral des Sinti et Roma, de compensations collectives qui devraient servir à la création d'institutions culturelles communautaires. Là encore, cette demande fut appuyée par l'organisation d'un projet d'histoire orale. L'émergence de ces revendications est inséparable de celle d'une génération plus instruite qui a donné naissance à des porte-parole du groupe aptes à servir d'interlocuteurs aux instances politiques compétentes [15]. Finalement, le militantisme homosexuel, lui aussi, a fait de la répression subie sous le nazisme un thème essentiel de sa politique d'identité [16].

Ainsi émergent de nouveaux enjeux. Progressivement, les batailles de la mémoires sont menées en l'absence de ceux qui seuls disposent de l'expérience vécue. Les héritiers construisent en partie leur propre héritage, en définissent sa fonction pour le groupe d'appartenance et sa portée plus générale ou universelle. En

Unis. La revue *Dimensions, A Journal of Holocaust Studies,* créée en 1979 par le Centre international d'études sur l'holocauste et la Anti-Defamation League de B'nai B'rith, en est assez représentative.

14. E. Goffman, *Stigmate,* Paris, Ed. de Minuit, 1975, propose ce terme de politique de l'identité.

15. R. Kenrick, G. Puxon, *The Destiny of Europe's Gypsies,* Londres, Heinemann, 1972; cf. également C. Calvelli-Adorno, « Die rassische Verfolgung der Zigeuner vor dem 1. März 1943 », *Rechtsprechung zum Wiedergutmachungsrecht,* 12, 1961, pp. 529-537.

16. En témoignent la pose, par les groupements homosexuels, depuis le début des annnées 1980, de plaques commémoratives à Amsterdam et à Bologne ainsi qu'au camp de de Mauthausen. Au niveau innternational existent des projets de création d'un mémorial de la déportation homosexuelle.

témoignent certains conflits sémantiques et ceux qui portent sur la « singularité, l'exceptionnalité, l'unicité ou non, à l'échelle historique s'entend, des génocides nazis »[17].

Si, au départ, les termes les plus couramment utilisés étaient « catastrophe » et « génocide » (dans l'acception de ce terme forgé par le juriste polonais Raphaël Lemkin, à savoir la pratique de l'extermination de nations et de groupes éthniques), le terme « holocauste » commence son ascension dès la fin des années 1950. Ce terme, emprunté à la Bible et désignant les offrandes sacrificielles brûlées et exclusivement dédiées à Dieu, satisfait tous ceux qui insistent sur « le caractère sacré et unique d'un événement terrible, incarnation du mal absolu et expression de la destinée propre du peuple juif. Chargé de passion (au double sens du terme : passion et souffrance des victimes, émotion et communion des survivants et des vivants), le mot holocauste donne au génocide juif une dimension spécifique et enveloppée de mystère, à la différence d'autres génocides : d'où une signification méta-historique autant qu'historique[18] ». Son caractère sacré fait de ce terme le mot par excellence utilisé pour fonder des revendications identitaires. La reprise de ce terme par des non-juifs, parlant, par exemple, de « homo-holocauste », vise bien évidemment une même sacralisation en ce qui concerne leur propre groupe, les homosexuels, qu'ils considèrent tout autant frappé que les juifs d'ostracisme et de persécutions millénaires.

Comme le souligne François Bédarida, le terme « Shoah » n'a pas les mêmes connotations sacrales que « holocauste ». Il signifie « catastrophe ». Mais, lui aussi, il prend valeur de revendication de l'identité juive, dans la mesure ou, au lieu de se servir d'un terme traduit dans une langue occidentale, comme c'était le cas de « catastrophe », on en revient au vocable originel hébreu[19].

L'instrumentalisation du souvenir et son adaptation, par les

17. Le signe le plus visible en est, bien évidemment, l'ainsi nommé « Historikerstreit » : Devant l'histoire. *Les documents de la controverse sur la singularité de l'extermination des juifs par le régime nazi,* Paris, Cerf, 1988. Cf. également P. Halter, Y. Thanassekos, Introduction, in Y. Thanassekos, H. Wismann, *Révision de l'histoire. Totalitarismes, crimes et génocides nazis,* Paris, Cerf, 1990.

18. F. Bédarida, « Bilan et signification de quarante années de travail historique », in F. Bédarida, (ed.), *La Politique nazie d'extermination,* Paris, Albin Michel, 1989, p. 22.

19. *Ibid.*

héritiers, aux enjeux actuels s'accompagnent de conflits sur la comparabilité des phénomènes à cause de leurs tailles différentes (le nombre très inégal des morts), à cause de la technique d'extermination (le gazage dans le cas des juifs et des Tziganes, les conditions de travail et d'alimentation dans celui des autres catégories de déportés). Ainsi émerge un champ de discours concurrentiels sur la déportation, l'extermination et les génocides. La mise en question allant jusqu'à la négation des génocides intervient, elle aussi, dans la structuration de ce champ[20]. L'analyse de ce phénomène n'est plus l'objet de ce livre. Mais la question est ouverte de la signification que les générations futures réserveront à l'expérience concentrationnaire : échappera-t-elle à la banalisation, à la médiatisation et à l'esthétisation ? Sera-t-elle réduite en instrument de politiques d'identité communautaire ? Ou alors : continuera-t-elle à être perçue comme un des fondements d'une commune humanité unie par le refus d'exclusions meurtrières ?

20. P. Vidal-Naquet, *Les Assassins de la mémoire. « Un Eichmann de papier » et autres essais sur le révisionnisme,* Paris, La Découverte, 1987.

Aperçu chronologique du camp Auschwitz-Birkenau

Janvier 1940	Une Commission dirigée par le SS-Sturmbannführer Eisfeld visite Auschwitz. Conclusion : le terrain et les bâtiments de l'ex-caserne autrichienne sont inutilisables pour l'installation d'un camp de concentration.
Avril 1940	Deuxième visite par une commission que dirige le commandant du camp Sachsenhausen, Rudolf Höss.
Fin avril 1940	Rudolf Höss est nommé commandant du futur camp d'Auschwitz. Höss s'installe avec cinq SS à Auschwitz pour diriger les travaux de transformation.
Mai 1940	Sur ordre du maire d'Auschwitz, la communauté juive locale met 300 hommes à la disposition des travaux de transformation et de construction du camp. Arrivée de trente internés en provenance du camp de Sachsenhausen.
Juin 1940	2000 habitants des environs des ex-casernes d'Auschwitz sont délogés. Transfert de 728 prisonniers politiques polonais de la prison de Tarnow à Auschwitz.
Juillet 1940	• Transformation de l'ancien dépôt de munitions en four crématoire. • Première fuite du camp. Les fugitifs ne seront jamais retrouvés. Punition collective : un appel de vingt heures. • Pour empêcher l'organisation de soutiens accordés par la population locale aux internés, la SS ordonne le délogement de toute la population habitant à moins de cinq kilomètres du camp.

Novembre 1940	• Premières exécutions dans le camp. • Création d'une vaste station d'expérimentation agronomique (« Rajsko »).
Décembre 1940	• 10 % des internés, privés de toute nourriture à cause de l'absence d'un prisonnier lors de l'appel, meurent en une seule journée. • A la fin de l'année, on compte 8 000 prisonniers enregistrés.
Janvier 1941	Otto Ambros, membre du conseil d'administration de IG-Farben déclare qu'Auschwitz se prête particulièrement bien à l'installation d'usines chimiques. Les internés formeront les brigades de construction et seront employés dans les usines de IG-Farben.
Mars 1941	• Première visite de Heinrich Himmler, chef SS, à Auschwitz. Il décide d'agrandir le camp pour 30 000 internés et de construire, sur le terrain adjacent de Birkenau, un camp pour 100 000 prisonniers de guerre. • Dans un rapport d'expert d'hygiène, le professeur Zunker souligne que l'eau du camp est complètement polluée et qu'elle ne devrait même pas servir pour se brosser les dents.
Avril 1941	• Les travaux d'agrandissement du camp commencent par le délogement de la population qui restait encore dans les environs. • Après une tentative de fuite, 10 prisonniers sont enfermés dans le Bunker où on les laisse mourir de faim.
Juin 1941	Himmler demande à Höss d'élaborer les plans pour l'extermination massive de déportés juifs. Le 6 juin, le premier convoi arrive en provenance de Tchécoslovaquie.
Juillet 1941	575 prisonniers jugés inaptes au travail sont transférés à l'hôpital psychiatrique de Königstein où ils sont gazés.
Août 1941	Pour se débarrasser des internés malades et inaptes au travail, on organise leur meurtre au moyen d'injections (essence, evipan, phénole). Le phénole est injecté directement au cœur.
Septembre 1941	Premiers essais d'extermination de 250 personnes par le gaz zyclon B.
Octobre 1941	• Début de construction du camp Birkenau. • Début des déportations systématiques de juifs.

Novembre 1941	• Faute de capacité suffisante des crématoires, un charnier est créé à Birkenau.
Décembre 1941	Jusqu'à la fin de l'année 25 000 internés ont été enregistrés à Auschwitz, les effectifs, à la même date, sont de 10 000. • A la fin de l'année 1941, le camp comprend trois camps principaux (Auschwitz, Birkenau, Monowitz) et 39 camps annexes.
Janvier 1942	Une ferme transformée à cet effet sert de première chambre à gaz à Auschwitz. Les victimes sont enterrées dans des charniers adjacents.
Mars 1942	• Après la mort de plus de 8 200 prisonniers de guerre soviétiques et le transfert de 9 445 survivants au camp d'Auschwitz-Birkenau, le camp de prisonniers de guerre est officiellement dissolu. • Après l'arrivée de 1 000 femmes, les blocs un à dix sont séparés du reste du camp et serviront jusqu'en août 1942 comme camp de femmes. • Arrivée du premier convoi de France.
Avril 1942	Sur les 28 645 prisonniers officiellement enregistrés à Auschwitz, 56 % sont morts.
Mai 1942	• Premières sélections à Birkenau. Accélération des convois de juifs. Début du gazage massif à Birkenau. • Le professeur Carl Clauberg demande officiellement à Himmler l'autorisation de procéder à des expérimentations de stérilisation.
Juillet 1942	• Extension des crématoires. • Deuxième visite de Himmler à Auschwitz où il assiste à un gazage. • Epidémie de fièvre typhoïde. Par mesure préventive, les SS sont interdits d'entrée dans le camp. • Intensification des sélections.
Août 1942	• Le camp de femmes est transféré de Auschwitz à Birkenau. • Construction de nouveaux fours crématoires.
Septembre 1942	• Les 107 000 cadavres des charniers sont déterrés et brûlés sur des bûchers (fin de l'opération : novembre 1942). • Ordre de répertorier les biens précieux des déportés juifs afin de les fournir à la SS. Prise de contact avec

	une firme à Breslau en vue de l'utilisation des cheveux humains.
Octobre 1942	• Transfert de tous les internés juifs à Auschwitz ou à Majdanek. • Premiers convois en provenance de Theresienstadt.
Décembre 1942	Début des expérimentations de stérilisation au camp de femmes Birkenau, accélération de ces expérimentations à partir du mois d'avril 1943.
Février 1943	Arrivée des premiers convois de Tziganes qui seront concentrés dans un camp de familles.
Mars 1943	• Krupp décide l'installation d'une usine métallurgique à Auschwitz. • Premiers gazages de Tziganes.
Mai 1943	• Le médecin SS Mengele ordonne le gazage de plus de mille Tziganes en provenance de Bialystock et d'Autriche par mesure préventive pour éviter une nouvelle épidémie de fièvre typhoïde. • Liquidation de tous les ghettos juifs en Pologne.
Juillet 1943	Pour parer aux rumeurs sur l'extermination des juifs, tous les internés juifs (à l'exception des polonais et grecs) doivent écrire à leurs parents et demander l'envoi de colis.
Septembre 1943	• 600 internés juifs sont transférés à Mauthausen. • Début du fonctionnement de l'usine Krupp.
Novembre 1943	En remplacement de Höss, transféré à Oranienburg, le SS Liebehenschel est nommé commandant du camp.
Décembre 1943	Trente baraquements accueillent les biens des déportés triés et envoyés en Allemagne : « Canada ».
Avril 1944	Des internés juifs aptes au travail sont envoyés dans des camps à l'Ouest pour renforcer la production de guerre.
Mai 1944	• Höss est nommé « aîné » du complexe Auschwitz, une fonction qu'il remplira jusqu'en juillet 1944. SS-Richard Baer est nommé commandant d'Auschwitz.
Juin 1944	• Tentative de fuite de Mala Zimetbaum et de Edek Galinski.
Septembre 1944	• Les SS commencent à brûler des archives à Auschwitz.

• Visite d'un délégué de la Croix Rouge Internationale à Auschwitz.

Août 1944 — Arrivée du dernier convoi de France.

Octobre 1944 — Révolte du commando spécial brutalement réprimé par les SS.

Novembre 1944 — • Dernières sélections et gazages.
• Himmler ordonne la destruction des chambres à gaz et des crématoires.

Janvier 1945 — Evacuation des camps Auschwitz, Birkenau et Monowitz et de tous les camps annexes. Au dernier appel, on comte 66 020 prisonniers. A la libération du camp, le 27 janvier, les troupes soviétiques trouvent quelques 5 000 prisonniers inaptes à la marche.

Sources : L'histoire du camp n'est pas le véritable objet de cet ouvrage. Nous nous sommes donc contentés d'un aperçu chronologique très sommaire. Pour plus de détails, voir les différentes livraisons des Cahiers d'Auschwitz (Hefte von Auschwitz) Pour une liste de tous les convois en provenance de France, voir : S. Klarsfeld, *Le mémorial de la déportation des Juifs de France*, Paris, B. et S. Klarsfeld, 1978.

Le corpus des écrits biographiques analysés

Années de publication : 1945-1949

Louise Alcan, *Sans armes et sans bagages,* Limoges, Les imprimés d'art, 1945, 125 p.
Pelagia Lewinska, *Vingt mois à Auschwitz,* Paris, Nagel, 1945, 195 p.
Suzanne Birnbaum, *Une Française juive est revenue,* Paris, Editions du Livre Français, 1945, 197 p.
Olga Lengyel, *Souvenirs de l'au-delà,* Paris Editions du Bateau ivre, 1946, 304 p.
Dounia Ourisson, *Les Secrets du bureau politique d'Auschwitz,* Paris, Editions de l'Amicale des déportés d'Auschwitz, 1946, 31 p.
Marianne Schreiber, *La Passion de Myriam Bloch,* Paris, Fasquelle, 1947, 366 p.
Ella Lingens-Reiner, *Prisoners of Fear,* Londres, Victor Gollancz, 1948, 195 p.
Gisella Perl, *I was a doctor in Auschwitz,* New York, International Universities Press, 1948.
Maria Zarebinska-Broniewska, *Auschwitz Erzählungen,* Berlin-Potsdam, VVN Verlag, 1949, 91 p.

Années de publication : 1956-1961

Lucie Adelsberger, *Auschwitz. Ein Tatsachenbericht,* Berlin, Lettner, 1956, 173 p.
Krystina Zywulska, *J'ai vécu à Auschwitz,* Varsovie, Editions Polonia, 1956, 324 p.
Grete Salus, *Eine Frau erzählt,* Bonne, Schriftenreihe der Bundeszentrale für Heimatdienst, 1958, 99 p.
Edith Bruck, *Wer dich so liebt,* Francfort, Scheffler, 1961, 136p.
Reska Weiss, *Journey through hell,* Londres, Vallentine Mitchell, 1961, 255 p.
Kitty Hart, *Aber ich lebe,* Hambourg, Claasen, 1961, 190 p.

Années de publication : 1965-1968

Charlotte Delbo, *Le Convoi du 24 janvier,* Paris, Ed. de Minuit, 1965, 303 p.
Charlotte Delbo, *Aucun de nous ne reviendra,* Genève, Gonthier, 1965, 125 p.
Anna Novac, *Les Beaux jours de ma jeunesse. Alice à Auschwitz,* Paris, Julliard, 1968, 321 p.

Années de publication : 1970-1976

Charlotte Delbo, *Une Connaissance inutile,* Paris, Ed. de Minuit, 1970, 180 p.
Estrea Zacharia-Asséo, *Les Souvenirs d'une rescapée,* Paris, La Pensée Universelle, 1974, 125 p.
Charlotte Delbo, *Qui rapportera ces paroles,* Paris, P.J. Oswald, 1974, 77 p.
Fania Fénelon, *Sursis pour l'orchestre,* Paris, Stock, 1976, 397 p.

Années de publication après 1979

Renée Louria, *Les Russes sont à Lemberg,* Paris, Gallimard, 1979, 278 p.
Louise Alcan, *Le Temps éclaté,* Saint-Jean-de-Maurienne, Imprimerie Trichet, 1980, 90 p.
Margareta Glas-Larsson, *Ich will reden. Tragik und Banalität des Uberlebens in Theresienstadt und Auschwitz,* Vienne, Molden, 1981, 204 p.
Sara Nomberg-Przytyk, Auschwitz. *True Tales from a Grotesque Land* (édité par E. Pfefferkorn et D.M. Hirsch), Chapel Hill, The Univ. of North Carolina Press, 1985.
Mali Fritz, *Essig gegen den Durst. 365 Tage in Auschwitz- Birkenau,* Vienne, Verlag für Gesellschaftkritik, 1986, 183 p.
Doris Fürstenberg, *Jeden Moment war dieser Tod,* Düsseldorf, Schwann, 1986.
Eva Tichauer, *J'étais le numéro 20832 à Auschwitz,* Paris, L'Harmattan, 1988, 170 p.

Manuscrits inédits :

N.N., 1944-1945, rédigé en 1945, 203 p.
Macha Ravine, sans titre, 1975, 129 p.

Bibliographie générale

Adler, H.G., « Selbstverwaltung und Widerstand in den Konzentrationslagern der SS ». *Vierteljahreshefte für Zeitgeschichte,* 2, 1960.

Adler, H.G., *Theresienstadt 1941-1945. Das Antlitz einer Zwangsgemeinschaft,* 2e éd., Tübingen, J.C.B. Mohr (P. Siebeck), 1960.

Adler, H.G., *Der verwaltete Mensch, Studien zur Deportation der Juden aus Deutschland,* Tübingen, J.C.B. Mohr (P. Siebeck), 1974.

Adorno, Th. W., et al., *The Authoritarian Personality,* New York, Harper and Row, 1950.

Allainmat, H., *Auschwitz en France,* Paris, Presses de la cité, 1974.

Arendt, H., *Eichmann à Jérusalem,* Paris, Gallimard, 1966.

Augstein, R., *Devant l'histoire. Les documents de la controverse sur la singularité de l'extermination des juifs par le régime nazi,* Paris, Cerf, 1988.

Ball-Kaduri, K.J., « Berlin wird judenfrei », *Jahrbuch für die Geschichte Mittel-und Ostdeutschlands. Publikationsorgan der Historischen Kommission zu Berlin,* Berlin, Colloquium Verlag, 1973.

Baumann, B., *La mémoire des oubliés. Grandir après Auschwitz,* Paris, Albin Michel, 1988.

Becker, H.S., *Outsiders,* Paris, Métailié, 1985.

Bédarida, F., « Bilan et signification de quarante années de travail historique », in F. Bédarida, (ed.), *La politique nazie d'extermination,* Paris, Albin Michel, 1989.

Bédarida, F., « Jalons et réflexions sur l'historiographie du génocide », in F. Bédarida, (ed.), *La politique nazie d'extermination,* Paris, Albin Michel, 1989.

Benveniste, E., *Problèmes de linguistique générale,* Paris, Gallimard, 1974.

Berghe G. van den, *Met de Dood voor Ogen,* Berchem, EPO, 1987.

Bertaux, D., « L'approche biographique : sa validité méthodologique, ses potentialités », *Cahiers internationaux de sociologie,* 69, 1980.

Bettelheim, B., *Survivre,* Paris, Robert Laffont, 1979.

Billig, J., *Le Commissariat Général aux Affaires juives, 1941-1944,* Paris, Ed. du Centre, 1960.

Blau, B., « Entwicklung der jüdischen Gemeinde Berlin », *Der Weg,* 5, 29.3.1946.

Blau, B., « The Jewish Population of Germany, 1939-1945 », *Jewish Social Studies,* XII, 2, 1950.
Blessin, G., *Wiedergutmachung,* Bad Godesberg, Hohwacht, 1960.
Boltanski, L., *Les Cadres,* Paris, Ed. de Minuit, 1982.
Boltanski, L., Darré, Y., Schiltz, M.A., « La dénonciation », *Actes de la recherche en sciences sociales,* 51, mars 1984.
Boltanski, L., Thévenot L., *Les Economies de la grandeur,* Paris, PUF, 1987.
Boltanski, L., Thévenot L., « Finding one's way in social space : A study based on games », *Social Science Information,* 22, 4/5, 1989.
Boltanski, L., *L'Amour et la Justice comme compétences,* Paris, Métailié, 1990.
Borowski, T., *Bei uns in Auschwitz,* Munich, Piper, 1963.
Botz, G., *Nationalsozialismus in Wien. Machtübernahme und Herrschaftssicherung 1938-1939,* Buchloe, Obermayer, 1988.
Botz, G., « La persécution des Juifs en Autriche : de l'exclusion à l'extermination », in F. Bédarida, (ed.), *La politique nazie d'extermination,* Paris, Albin Michel, 1989.
Bourdieu, P., « Quelques remarques provisoires sur la perception sociale du corps », *Actes de la recherche en sciences sociales,* 14, avril 1977.
Bourdieu, P., *La Distinction,* Paris, Ed. de Minuit, 1979.
Bourdieu, P., *Le Sens pratique,* Paris, Ed. de Minuit, 1980.
Bourdieu, P., *Ce que parler veut dire. L'économie des échanges linguistiques,* Paris, Fayard, 1982.
Bourdieu, P., *Homo académicus,* Paris, Ed. de Minuit, 1984.
Bourdieu, P., « L'illusion biographique », *Actes de la recherche en sciences sociales,* 62/63, juin 1986.
Brandt, L., *Menschen ohne Schatten. Juden zwischen Untergang und Untergrund 1938-1945,* Berlin, Oberbaum, 1984.
Bruck, E., *Wer Dich so liebt,* Francfort, Scheffler, 1961.
Buchheim, H., Broszat, M., Jakobsen, H.A., Krausnick, H., *Anatomie des SS-Staates,* 2 tomes, Olten und Freiburg, Walter Verlag, 1965.
Calvelli-Adorno, C., « Die rassische Verfolgung der Zigeuner vor dem 1. März 1943 ». *Rechtsprechung zum Wiedergutmachungsrecht,* 12, 1961.
Catani, M., Mazé, S, *Tante Suzanne,* Paris, Méridiens, 1982.
Champagne, P., Lenoir, R., Merllié, D., Pinto, L., *Initiation à la pratique sociologique,* Paris, Dunod, 1985.
Czech, D., « Kalendarium der Ereignisse im Konzentrationslager Auschwitz-Birkenau », *Hefte von Auschwitz,* 2-8, Auschwitz, 1959-1964.
Dambuyant, M., « Remarques sur le moi dans la déportation », *Journal de psychologie normale et pathologique,* avril-juin 1946.
Des Pres, T., *The Survivor. Anatomy of Life in the Death Camps,* New York, Washington Square Press, 1976.
Diamant, D., *Par-delà les barbelés,* Paris, Erlich, 1986.
Dimensions. A Journal of Holocaust Studies, 1979.
Dubois, N., *La Psychologie du contrôle. Les croyances internes et externes,* Grenoble, PUG, 1987.
Ducrot, O., Todorov, T., *Dictionnaire encyclopédique des sciences du langage,* Paris, Le Seuil, 1972.
Duras, M., *La Douleur,* Paris, POL, 1987.

Elias, N., « Problems of Involvement and Detachment », *British Journal of Sociology,* VII, 3, 1956.
Elias, N., *La Société de cour,* Paris, Calman-Lévy, 1974.
Erikson, E.H., *Identität und Lebenszyklus,* Francfort/Main, Suhrkamp, 1973.
Erikson, E.H., *Jugend und Krise,* Stuttgart, Klett, 1974.
Erikson, E.H., *Life History and the Historical Moment,* New York, Norton and Company, 1975.
Ertel, R., *Le shtetl. La bourgade juive de Pologne,* Paris, Payot, 1982.
Fabian, H.E., « Liquidationsgemeinden ? », *Der Weg,* 18, 2.5.1947.
Fabian, H.E., « Ein Blick von draussen », *Der Weg,* 27, 4.7.1947.
Favret-Saada, J., « La genèse du producteur individuel », in *Singularités — textes pour Eric de Dampierre,* Paris, Plon, 1989.
Federn, E., « The Terror as a System : The Concentration Camp », *Psychiatric Quarterly Supplement,* 22, 1948.
Ferarotti, F., *Histoire et histoires de vie,* Paris, Méridiens, 1983.
Frankl, V.E., *Men's Search for Meaning,* Boston, Beacon Press, 1962.
Frankl, V.E., *Trotzdem Ja zum Leben sagen. Ein Psychologe erlebt das Konzentrationslager,* 3e éd., Kempten, Kösel, 1977.
Galinski, H., « Unsere Widerstandskämpfer », *Der Weg,* 11, 14.3.1947.
Gennep, A. van, *Les Rites de passage,* Paris, La Haye, Mouton, 1969.
Goffman, E., *Asiles, Etudes sur la condition sociale des malades mentaux,* Paris, Ed. de Minuit, 1968.
Goffman, E., *Stigmate,* Paris, Ed. de Minuit, 1975.
Goldstein, J., Lukoff, I.F., Strauss, H., *An Analysis of Autobiographical Accounts of Concentration Camp Experiences of Hungarian Jewish Survivors,* Project MH — 213, Graduate Faculty, New School for Social Research, Report submitted to US Public Health Service, 1949-1951.
Grafmeyer, Y., Joseph, I., *L'Ecole de Chicago,* Paris, Aubier, 1978.
Green, A., « Atome de parenté et relations œdipiennes », in C. Lévi-Strauss, *L'Identité,* Paris, PUF, 1977.
Grosser, A., *Le Crime et la mémoire,* Paris, Flammarion, 1989.
Habermas, S., Luhmann, N., *Theorie der Gesellschaft oder Sozialtechnologie,* Francfort/Main, Suhrkamp, 1971.
Hahn, A., « Contribution à la sociologie de la confession et autres formes institutionnalisées d'aveu : autothématisation et processus de civilisation », *Actes de la recherche en sciences sociales,* 62/63, 1986.
Halbwachs, M., *La Mémoire collective,* Paris, PUF, 1968.
Halperin, I., *Messengers from the Death. Literature of the Holocaust,* Philadelphia, Westminster Press, 1970.
Heinich, N., « Crises d'identité, état de femmes et recours au roman », GSPM, manuscrit non publié, 1989.
Héraclès, Ph., *La loi nazie en France,* Paris, Guy Authier, 1974.
Herbst, L., Goschler, C., (eds), *Wiedergutmachung in der Bundesrepublik Deutschland,* Munich, Oldenbourg, 1989.
Herlitz, G., Kirschner, *Jüdisches Lexikon,* Berlin, Jüdischer Verlag, tome 1, 1927.
Hessdörfer, K., « Die finazielle Dimension », in L. Herbst, O. Goschler, (ed.), *Wiedergutmachung in der Bundesrepublik Deutschland,* Munich, Oldenbourg, 1989.

Hilberg, R., *The Destruction of the European Jewry,* Chicago, Chicago University Press, 1961.
Hilberg, R., *La Destruction des Juifs d'Europe,* Paris, Fayard, 1988.
Hillel, M., *Le Massacre des survivants en Pologne 1945-1947,* Paris, Plon, 1985.
Hirschmann, A.O., *Exit, Voice and Loyalty,* Cambridge, Mass., Harvard University Press, 1970.
Hirschmann, A.O., *Vers une économie politique élargie,* Paris, Ed. de Minuit, 1986.
Huizinga, J., *Homo Ludens. Essai sur la fonction sociale du jeu,* Paris, Gallimard, 1951.
Jackson, J.E., « Mythes du sujet : A propos de l'autobiographie et de la culture analytique », in *l'Autobiographie,* VIe rencontres psychanalytiques d'Aix-en-Provence, Paris, Les Belles lettres, 1988.
Jacobmeyer, W., « Jüdische überlebende als " Displaced Persons " », *Geschichte und Gesellschaft,* 9, 3.1983.
Jacobson, J., *Terezin. The Daily life,* 1943-1945, s.l.n.d., ronéo.
Jaffe, R., « The sense of guilt within Holocaust survivors », *Jewish Social Studies,* 32, 1970.
Jasper, G., « Die disqualifizierten Opfer. Der Kalte Krieg und die Entschädigung für Kommunisten », in L. Herbst, O. Goschler, (ed.), *Wiedergutmachung in der Bundesrepublik Deutschland,* Munich, Oldenbourg, 1989.
Jersch-Wenzel, St., *30 Jahre Jüdische Gemeinde zu Berlin. Katalog zur Ausstellung im Berlin-Museum,* 1971.
Kautsky, B., *Teufel und Verdammte,* Vienne, Gutenberg, s.a.
Kenrick, R., Puxon, G., *The destiny of Europe's Gypsies,* Londres, Heinemann, 1972.
Kipman, S.D., *La Rigueur de l'intuition,* Paris, Métailié, 1989.
Klarsfeld, S., *Le Mémorial de la déportation des juifs de France,* Paris, B. et S. Klarsfeld, 1978.
Klarsfeld, S., *Vichy-Auschwitz. Le rôle de Vichy dans la solution finale de la question juive en France,* 2 tomes, Paris, Fayard, 1983 et 1985.
Kogon, E., *Der SS Staat. Das System der deutschen Konzentrationslager,* Berlin, Verlag des Druckhauses Tempelhof, 1947.
Kogon, E., *L'Etat SS,* Paris, Le Seuil, 1974.
Kogon, E., Langbein, H., Rückert, A., *Les chambres à gaz. Secret d'Etat,* Paris, Ed. de Minuit, 1983.
Kohli, M., « Wie es zur " biographischen Methode " kam und was daraus geworden ist. Ein Kapitel in der Geschichte der Sozialforschung », *Zeitschrift für Soziologie,* 10, juillet 1981.
Krausnick, H., « Judenverfolgung », in H. Buchheim, M. Broszat, H.A. Jakobsen, H. Krausnick, *Anatomie des SS-Staates,* II, Olten und Freiburg, Walter Verlag, 1965.
Kulisovà, T., *Kleine Festung Theresienstadt,* Prague, Nase Vojsko, 1968.
Lajournade, J., *Le Courrier dans les camps de concentration, 1933-1945,* Paris, L'Image Document, 1985.
Langbein, H., *Der Auschwitz Prozess. Eine Dokumentation,* Francfort, Europa, 1965.
Langbein, H., *Menschen in Auschwitz,* Vienne, Europa, 1972.

Langbein, H., ... *Nicht wie die Schafe zur Schlachtbank. Widerstand in den nationalsozialistischen Konzentrationslagern,* Francfort, Fischer, 1980.

Langbein, H., « Entschädigung für KZ-Häftlinge. Ein Erfahrungsbericht », in L. Herbst, C. Goschler, (eds), *Wiedergutmachung in der Bundesrepublik Deutschland,* Munich, Oldenbourg, 1989.

Langer, L. L., *The Holocaust and the Literary Imagination,* New Haven, Yale University Press, 1975.

Langer, L.L., *Versions of Survival,* Albany, State University of New York Press, 1982.

Lapierre, N., *Le Silence de la mémoire,* Paris, Plon, 1989.

Laqueur, W., *Le Terrifiant secret. La solution finale et l'Information étouffée,* Paris, Gallimard, 1980.

Laqueur, W., *Jahre auf Abruf,* Stuttgart, DVA, 1983.

Lautmann, R., *Der Zwang zur Tugend,* Francfort, Suhrkamp, 1984.

Lejeune, Ph., *Le Pacte autobiographique,* Paris, Le Seuil, 1975.

Lehman, H., *Erzählstruktur und Lebenslauf,* Francfort, Campus, 1983.

Lévi, P., *Les Naufragés et les rescapés : quarante ans après Auschwitz,* Paris, Gallimard, 1989.

Lévi-Strauss, C., *L'Identité,* Paris, PUF, 1977.

Lifton, R.J., *Death in Life. Survivors of Hiroshima,* New York, Simon and Schuster, 1967.

Lifton, R.J., *Les Médecins nazis. Le meurtre médical et la psychologie du génocide,* Paris, Robert Laffont, 1989.

Lingens, E., *Eine Frau im Konzentrationslager,* Vienne, Europa, 1966.

Luhmann, N., « Moderne Systemtheorien als Form gesamtgesellschaftlicher Analyse », in S. Habermas, N. Luhmann, *Theorie der Gesellschaft oder Sozialtechnologie,* Francfort/Main, Suhrkamp, 1971.

Manatey, V.S., Luza, R., *A History of the Czechoslovak Republic,* Princeton, Princeton University Press, 1975.

Mannheim, K., *Idéologie et utopie,* Paris, M. Rivière, 1956.

Marrus, M.R., Paxton, R.O., *Vichy et les juifs,* Paris, Calman-Lévy, 1981.

Matussek, P., Grigat, R., (eds), *Die Konzentrationslagerhaft und ihre Folgen,* Berlin, Springer, 1971.

Meinecke, F., *Die Deutsche Katastrophe,* Wiesbaden, Brockhaus, 1946.

Meyer, S., Schulze, E., *Wie wir das alles geschafft haben. Alleinstehende Frauen berichten über ihr Leben nach 1945,* Munich, Beck, 1984.

Mijolla-Mellar, S. de, « Survivre à son passé », in M. Neyrat, *L'Autobiographie,* Paris, Les Belles lettres, 1988.

Namer, G., *La Commémoration en France, 1944-1982,* Paris, Papyrus, 1983.

Neyrat, M., et al., *L'Autobiographie,* Paris, Les Belles Lettres, 1988.

Niederland, W.G., *Folgen der Verfolgung : Das überlebendensyndrom,* Francfort/Main, Suhrkamp, 1980.

Niederland, W.G., « Die verkannten Opfer. Späte Entschädigung für seelische Schäden », in L. Herbst, C., Goschler, (ed.), *Wiedergutmachung in der Bundesrepublik Deutschland,* Munich, Oldenbourg, 1989.

Novitch, M., *Le Passage des Barbares,* Nice, Presses du Temps Présent, S.d.

Olbrycht, J., « Sprawy zdrowotnosci w obozie Oswiecimskim », in *Oku-*

pacja i medycyna. Wybor artykulow z « Pregladu Zekarskiergo — Oswiecim » z lat 1961-1970, Warszawa, Ksiazka i Wiedza, 1971.

Olievenstein, C., *Le non-dit des émotions,* Paris, Odile Jacob, 1988.

Paserini, L., « Work, Ideology and Consensus under Italian Fascism », *History Workshop,* 8, 1979.

Pawelczynska, A., *Values and Violence in Auschwitz. A Sociological Analysis,* Berkeley, University of California Press, 1979.

Pingel, F., *Häftlinge unter SS-Herrschaft, Widerstand, Selbstbehauptung und Vernichtung im Konzentrationslager,* Hambourg, Hoffmann und Campe, 1978.

Pinto, L., « Expérience vécue et exigence scientifique d'objectivité », in P. Champagne, R. Lenoir, D. Merllié, L. Pinto, *Initiation à la pratique sociologique,* Paris, Dunod, 1985.

Pollak, M., « Des mots qui tuent », *Actes de la recherche en sciences sociales,* 41, février 1982.

Pollak, M., « Interpréter et définir : Droit et expertise scientifique dans la politique raciale nazie », *Le Discours pyschanalytique,* 25, 1985.

Pollak, M., *Les homosexuels et le sida. Sociologie d'une épidémie,* Paris, Métailié, 1988.

Pozner, V., *Descente aux enfers. Récits de déportés et de SS d'Auschwitz,* Paris, Julliard, 1980.

Rajsfus, M., *Des juifs dans la collaboration. L'UGIF 1941-1944,* Paris, EDC, 1980.

Ravine, M., *Le Mouvement de résistance dans le camp de femmes de Birkenau,* manuscrit non publié, 1975.

Richartz, M., « Zu Frage der wesentlichen Mitverusachung schizophrener Psychosen durch verfolgungsbedingte Extembelastungen », Contribution au VIe Congrès Médical International de la FIR, Prague, 30 nov.-2 déc. 1976.

Ritter von Baeyer, W., et al., *Psychiatrie der Verfolgten. Psychopathologische und gutachtliche Erfahrungen an Opfern der nationalsozialistischen Verfolgung und vergleichbaren Extrembelastungen,* Berlin, Springer, 1984.

Roland, Ch., *Du ghetto à l'Occident : deux générations yiddish en France,* Paris, Ed. de Minuit, 1962.

Rousset, D., *L'Univers concentrationnaire,* Paris, Editions du Pavois, 1946.

Rousso, H., « Vichy, Le grand fossé », *Vingtième Siècle,* 1, 1985.

Rousso, H., *Le Syndrôme de Vichy,* Paris, Le Seuil, 1987.

Saveria, J., *Ni sains ni saufs,* Paris, Robert Laffont, 1954.

Schneider, G., Survival and guilt feelings of Jewish concentration camp victims, *Jewish Social Studies,* 37, 1975.

Schwarz, W., « Die Wiedergutmachung nationalsozialistischen Unrechts durch die Bundesrepublik Deutschland », in L. Herbst, C. Goschler, (ed.), *Wiedergutmachung in der Bundesrepublick Deutschland,* Munich, Oldenbourg, 1989.

Simmel, G., « Métropoles et mentalités », in Y. Grafmeyer, I. Joseph, *L'Ecole de Chicago,* Paris, Aubier, 1978.

Strauss, A.L., *Mirrors and Masks. The Search for Identity,* Glencoe, Illinois, The Free Press, 1959.

Thanassekos, H., Wismann, H., *Révision de l'histoire. Totalitarismes, crimes et génocides nazis,* Paris, Cerf, 1990.
Thorwald, J., *L'illusion. Les soldats de l'Armée Rouge dans les troupes de Hitler,* Paris, Albin Michel, 1975.
Tillon, G., *Ravensbrück,* Paris, Le Seuil, 1973, réédité en 1988.
Vidal-Naquet, P., *Les Assassins de la mémoire. « Un Eichmann de papier » et autres essais sur le révisionnisme,* Paris, La Découverte, 1987.
Vidal-Naquet, P., « L'épreuve de l'historien : réflexions d'un généraliste », in F. Bédarida, (ed.), *La politique nazie d'extermination,* Paris, Albin Michel, 1989.
Weber, M., *Wirtschaft und Gesellschaft,* tome 1, Tübingen, J.C.B. Mohr (P. Siebeck), 1956.
Weber, M., *Essais sur la théorie de la science,* Paris, Plon, 1965.
Weinzierl, E., *Zu wenig Gerechte. Österreicher und Judenverfolgung 1938-1945,* Graz, Styria, 1969.
Wellers, G., *Les Chambres à gaz ont existé,* Paris, Gallimard, 1981.
Weltlinger, S., *Hast Du es schon vergessen?,* Berlin, Gesellschaft für christlich-jüdische Zusammenarbeit, 1954.
Wieviorka, A., *Ils étaient juifs, résistants, communistes,* Paris, Denoël, 1986.
Wormser, O., Michel, H., *Tragédie de la déportation 1940-1945. Témoignages de survivants des camps de concentration allemands,* Paris, Hachette, 1954.
Wormser-Migot, O., *Quand les alliés ouvrirent les portes,* Paris, Robert Laffont, 1965.
Wormser-Migot, O., *Le Système concentrationnaire nazi,* Paris, PUF, 1968.

Index des noms

Adelsberger L., 111, 205-208, 225, 235.
Adler H. G., 46, 48, 279.
Adorno Th. W., 142.
Albert, 71.
Alcan L., 205, 209, 225, 234, 235, 245, 271, 281.
Allainmat H., 144.
Andrée, 160, 161.
Arendt H., 296.
Ball-Kaduri K. J., 84, 91, 97.
Baron S. W., 194.
Baum, 91.
Baumaın D., 305.
Becker H. S., 247.
Bédarida F., 7, 37, 268, 315.
Beda, 65.
Benedict R., 194.
Benveniste E., 239.
Bertaux D., 11.
Bettelheim B., 7, 15, 255-260, 283, 292.
Billig J., 137.
Birnbaum S., 205, 225, 239, 290.
Blau B., 82, 264.
Blau J., 194.
Blessin G., 307.
Bloch C., 193, 245.
Boltanski L., 234, 247, 280, 299, 300, 312.
Borinski A., 94.
Borowski T., 211.
Botz G., 17, 37, 198.
Bourdieu P., 14-21, 187, 230, 275, 289.
Brandt L., 82.
Broszat M., 48.
Bruck E., 205, 206, 208, 224, 230, 290.
Brunner, 94.
Buchheim H., 48.
Caesar J., 298.
Calvelli-Adorno C., 314.
Casanova D., 245.
Catani M., 199.
Chamberlain A. N., 87.
Champagne P., 17.
Clauberg C., 188.
Cohen (voir Nordman)
Czech D., 213.
Dagmar, 68.
Dambuyant M., 253, 267, 271.
Dering W., 60.
Delbo C., 208, 219-224, 237, 245, 275.
Des Pres T., 256-259, 282, 286, 292.
Diamant D., 152.
Dinur B., 181.
Dolly (voir Glas-Larsson)
Dubois N., 293.
Ducrot O., 230, 235, 237.
Duras M., 303.
Eichmann A., 296.
Elias N., 170, 182.
Elina O., 191.
Enna (voir Weiss)
Entress F., 60.
Erika, 107-122.
Erikson E., 14, 289.
Ertel R., 135.
Fabian H. E., 127, 128.
Faurisson R., 200, 209.

Favret-Saada J., 273.
Federn E., 255.
Feige J., 118, 119.
Fénélon F., 51, 226, 239.
Ferarotti F., 199.
Fischer H., 48.
Fischl Mme, 40.
Fischmann S., 19.
Frankl V. E., 42, 255.
Fritz M., 234.
Fürstenberg D., 323.
Galinski E., 165, 213.
Galinski H., 128.
Gellert colonel, 44.
Geoffroy A., 239.
Glas G., 35-75.
Glas-Larsson M., 17, 33-75, 157, 163-168, 198, 207, 226, 233, 269.
Glas M., (voir Glas-Larsson)
Goethe J. W., 110, 119.
Goffman E., 8, 15, 261, 293, 314.
Goldsmith G., 191.
Goldstein J., 191, 263.
Goschler C., 247, 307.
Green A., 276.
Grigat R., 249.
Grosser A., 9, 247.
Hahn A., 179.
Halbwachs M., 244.
Halperin I., 223.
Halter P., 315.
Hart K., 205, 206.
Hartl, 65.
Hautval A., 61, 193-268.
Heine H., 128.
Heinich N., 275.
Héraclès Ph., 137.
Herbst L., 247, 307.
Herlitz G., 86.
Herzog Mme, 193.
Hessdörfer K., 308.
Heydrich R., 42.
Hilberg R., 98, 296.
Hillel M., 304.
Himmler H., 66, 161, 298.
Hirschmann A. O., 262.
Hitler A., 35, 87, 235.
Hœss R., 278.
Hopfner R., 198, 268.
Huizinga J., 189.
Irène, 110.
Irmchen, 69.
Jackson J. E., 205.
Jacobson J., 92.
Jacobmeyer W., 206, 303.
Jakobson H. A., 48.
Jasper G., 307.
Jaffe R., 249.
Jersch-Wenzel St., 92, 97.
Jöckl, 49.
Judith, 69, 72.
Jupp, 67.
Kagan R., 188.
Kalb C., 193.
Karl A., 80-105.
Kautsky B., 42.
Kendall P., 194.
Kenrick R., 314.
Kipman S. D., 18.
Kirschner B., 86.
Kitt B., 188.
Klarsfeld S., 137, 144.
Klein F., 194.
König H. W., 64, 154, 188.
Kogon E., 9, 183, 195, 297.
Kohli M., 11.
Kormes P., 69, 73.
Kramer J. P., 298.
Krausnick H., 48.
Kris E., 194.
Kroll Mme, 194.
Kulisova T., 46.
Lajournade J., 272.
Laks S., 194.
Langbein H., 9, 54, 62, 155, 163-169, 183, 189, 213, 247, 291, 296.
Langer L. L., 181, 221, 223.
Lanzmann C., 13.
Lapierre N., 17.
Laqueur W., 77, 167.
Lautmann R., 311.
Lazarsfeld P. F., 194.
Lehmann H., 230.
Lejeune Ph., 202.
Lengyel O., 205, 235, 271.
Lenoir R., 17.
Lévi C., 194.
Lévi P., 18.
Lewinska P., 205, 239.
Lifton R. J., 9, 15, 155, 164, 249.
Lingens (voir Lingens-Reiner)
Lingens-Reiner E., 70, 113, 188, 205-211, 235, 278, 294.
Luhmann N., 18.
Lukoff I. F., 194, 263.
Luza R., 38.

Mahler-Rosé A., 62, 292, 298.
Mala (voir Zimetbaum)
Manatey V. S., 38.
Mandel M., 155, 156, 298.
Mann Th., 92.
Mannheim K., 242
Mantzy (voir Svalbova)
Marrus M. R., 137.
Matussek P., 249.
Mayer A. J., 7.
Mazé S., 199.
Meinecke F., 7.
Mende W., 52.
Mengele J., 65, 110-115, 146, 153-160, 168, 171, 188.
Merllié D., 17.
Merton R. K., 194.
Meyer H., 82.
Meyer S., 129.
Michel H., 9, 18, 217, 278, 293.
Mijolla-Mellar S., 238.
Molotow W. M., 87.
Murphy G., 194.
Myriam (pseudonyme), 132-175, 182, 240, 274, 293.
Namer G., 206.
Neyrat M., 237.
Niederland W. G., 15, 249, 308.
Nomberg-Przytik S., 323.
Nordman M. E., 245.
Nordman-Cohen (voir Nordman)
Novac A., 208, 218.
Novitch M., 180, 181.
Olbrycht J., 288.
Olievenstein C., 203, 204.
Orli (voir Wald-Reichert)
Ourisson D., 192, 205, 209.
Paserini L., 198.
Paxton R. O., 137.
Pawelczynska A., 210, 211, 236, 284.
Pellepoix D. de, 209.
Perl G., 205, 275.
Persitz A., 194.
Perutz L., 55.
Pingel F., 284.
Pinson K. S., 194.
Pinto L., 17.
Pleimer A., 198.
Pollak M., 8, 198, 228, 262.
Pozner V., 12.
Prüfer, 94, 99.
Puxon G., 314.
Rajsfus M., 137
Rathenau E., 128.
Ravine M., 208, 211, 212, 234.
Rembrandt E., 110.
Renée, 110.
Richartz M., 249.
Ritter von Bayer W., 15.
Röhm E., 81.
Rohde W., 56-60, 65, 188.
Rojko, 47.
Roland Ch., 135.
Rosé (voire Mahler-Rosé)
Rotter, 43.
Roure A., 297.
Rousset D., 9, 279, 297.
Rousso H., 8, 311.
Rubinstein, 52.
Rückert A., 183.
Ruth (pseudonyme), 76-131, 175, 182-198, 212, 233, 241, 268, 302.
Salus G., 205, 208.
Saveria J., 216.
Schmid M., 57.
Schmidt G., 48.
Schneider G., 249.
Schreiber M., 215.
Schulze E., 129.
Schwarz W., 308.
Simmel G., 11.
Stéphane (docteur), 293.
Strauss A., 10, 263.
Strauss H., 134, 263.
Streicher J., 82.
Sussmann A., 268.
Svalbova M., 163, 165.
Thanassekos Y., 315.
Thévenot L., 234, 248, 299.
Thilo H., 188.
Thorwald J., 142.
Tichauer E., 209, 211, 234.
Tillon G., 207, 232.
Todorov T., 231, 235, 237.
Vaillant-Couturier M. C., 226, 245.
Van den Berghe G., 248.
Van Gennep A., 261.
Vidal-Naquet P., 7, 316.
Vlassov, 142.
Vom Rath E., 83.
Wald-Reichert O., 52-70, 108, 163-165, 176, 260, 285.
Wassermann J., 55.
Weber M., 236, 259
Weinzierl E., 36.
Weiss E., 55-70, 108-114, 165, 168.

Weiss R., 205-208, 225.
Wellers G., 183.
Weltinger S., 92.
Wiesel E., 221.
Wievorka A., 264.
Wildfellner H., 198.
Wirths E., 188.
Wismann H., 315.
Wörl L., 54, 60, 285.
Wolken O., 193.
Wormser O., 9, 18, 217, 278, 293.
Wormser-Migot (voir Wormser)
Zacharia-Asseo E., 225, 230, 233, 271.
Zarebinska-Broniewska A., 221, 237
Zdenka A., 44.
Zimetbaum M., 165, 213, 245.
Zywulska K., 205, 217, 239.

Remerciements

Je n'aurais jamais pu mener ce travail sans la confiance de toutes celles qui ont accepté de se livrer au récit de leur vie, un exercice souvent éprouvant. Marie-Elisa Cohen de l'Amicale d'Auschwitz m'a mis en contact avec plusieurs rescapées. Tout au long de ce projet, la coopération avec Gerhard Botz et le Ludwig Boltzmann Institut, à Salzbourg, fut très étroite. Le Centre de documentation juive et contemporaine m'a aidé dans mes recherches bibliographiques et documentaires. La deuxième partie de cet ouvrage est le fruit d'une étroite collaboration avec Nathalie Heinich. Francine Muel et Cordula Pialoux m'ont aidé à traduire et à mettre en forme les entretiens avec Margareta et Ruth. J'ai eu la chance de pouvoir mener ce travail dans un climat de discussion vivant et chaleureux, aussi bien auprès du Groupe de sociologie politique et morale qu'à l'Institut d'histoire du temps présent. Les discussions avec Luc Boltanski ont été décisives dans l'élaboration du cadre théorique. A l'IHTP, ce projet a bénéficié de tous les débats autour de l'histoire orale, notamment avec Danièle Voldman, Dominique Veillon et Henry Rousso. Je tiens à remercier Geneviève Jackson et Sylvette Raoul pour la relecture minutieuse qu'elles ont faite du manuscrit, et Isabelle Vasseur pour la saisie informatique. Ce travail a bénéficié d'une convention de recherche accordée par la Mire et de l'hospitalité du Wissenschaftskolleg zu Berlin pendant l'année universitaire 1983-1984

Table des matières

Présentation 7
Une expérience extrême 10
Appartenance et permanence de soi 13
La démarche 16

Première partie

LA GESTION DE L'INDICIBLE

1. Vienne : Margareta 33

2. Berlin : Ruth 76

3. Paris : Myriam 132

Deuxième partie

LES RÉCITS

4. Situations et formes 186
La déposition judiciaire 187
Le témoignage historique 190
Les récits biographiques 196
L'apport de l'histoire orale 198

5. La prise de parole 202
La fonction du « non-dit » 203
Les moments pour dire sa vie 204

Dire sa vie au nom d'une valeur générale 209
Les limites d'une parole militante 211
Récit romancé 214
Projet littéraire 219
Parler au nom de soi-même 224

6. *Registres et modes d'énonciation* 230
La vie mutilée 231
Les structures narratives 233
Les pronoms personnels 238
La formation d'une mémoire collective 244
Un fait incommensurable 247

Troisième partie

SURVIE ET IDENTITÉ

7. *Ruptures et séparations* 260
Face à la menace 261
Les événements traumatisants et euphorisants 265
Dedans et dehors 270

8. *Trouver sa voie* 278
La réalité perçue 280
Appartenances et réseaux affectifs 283
Les ressources 288
Les formes élémentaires de l'ajustement 293

9. *Le retour à la vie ordinaire* 302
Perspectives d'avenir 303
Reconnaissance officielle et réinsertion 306
Expérience, commémoration, politique d'identité 311

Aperçu chronologique du camp Auschwitz-Birkenau 319
Le corpus des écrits biographiques analysés 324
Bibliographie générale 326
Index 335